A Denis

Pour le plaisir de
lire

Amitiés

Une simple histoire d'amour

TOME 2 • LA DÉROUTE

LOUISE TREMBLAY D'ESSIAMBRE

*Une simple
histoire d'amour*

TOME 2 • LA DÉROUTE

Guy Saint-Jean
ÉDITEUR

Guy Saint-Jean Éditeur
4490, rue Garand
Laval (Québec) Canada H7L 5Z6
450 663-1777
info@saint-jeanediteur.com
www.saint-jeanediteur.com

· · · · · · · · · · · · · · · · ·

Données de catalogage avant publication disponibles à Bibliothèque et Archives nationales du Québec et à Bibliothèque et Archives Canada

· · · · · · · · · · · · · · · · ·

Nous reconnaissons l'aide financière du gouvernement du Canada par l'entremise du Fonds du livre du Canada (FLC) ainsi que celle de la SODEC pour nos activités d'édition. Nous remercions le Conseil des Arts de l'aide accordée à notre programme de publication.

Gouvernement du Québec – Programme de crédit d'impôt pour l'édition de livres – Gestion SODEC

© Guy Saint-Jean Éditeur inc., 2017

Édition : Isabelle Longpré
Révision : Isabelle Pauzé
Correction d'épreuves : Johanne Hamel
Infographie : Christiane Séguin
Page couverture : Toile peinte par Louise Tremblay d'Essiambre « Sur la rue Adam »,
inspirée de « Pointe-aux-Trembles » de Gisèle Rivard

Dépôt légal – Bibliothèque et Archives nationales du Québec, Bibliothèque et Archives Canada, 2017
ISBN : 978-2-89758-358-3
ISBN EPUB : 978-2-89758-359-0
ISBN PDF : 978-2-89758-360-6

Imprimé et relié au Canada
1re impression, août 2017

 Guy Saint-Jean Éditeur est membre de
l'Association nationale des éditeurs de livres (ANEL).

J'offre ce livre à tous ces lecteurs qui,
sans avoir la capacité physique de me lire,
ont tout de même fait de moi un auteur à suivre.
Merci à *Vues et Voix* et à leurs bénévoles,
de Michèle à Micheline, en passant par Gérard
et tous les autres qui y travaillent au quotidien.
C'est vous qui rendez la chose possible.

« Restez avec un amour qui vous donne des réponses et non des problèmes, de la sécurité et non de la peur, de la confiance et non des doutes. »

Paulo Coelho

NOTE DE L'AUTEUR

Il y a un an, je ne savais pas que Jaquelin et Marie-Thérèse existeraient un jour. Toutefois, malgré la peur de l'inconnu, j'avais déjà décidé que mes écrits allaient prendre une nouvelle direction. J'en avais envie, vraiment, même si j'avais la sensation désagréable de me jeter dans le vide. Il faut dire, cependant, que je craignais de me mettre à radoter si je m'entêtais à poursuivre aveuglément sur cette lancée qui m'avait menée jusqu'à maintenant.

À trop en dire, parfois, on dilue l'intention.

J'ai donc choisi en toute liberté de tourner la page ! Pour un écrivain, c'était de mise, n'est-ce pas ? Dieu sait pourtant que je les aimais sincèrement, tous ces personnages qui m'avaient accompagnée au fil des jours, durant de si nombreuses années déjà.

De Cécile à Alexandrine, de Raymond à Jacob, de Brigitte à Gilberte, d'Antoine à Ernest, de Jeanne à Charlotte, de Thomas à Célestin... Et que dire de ma belle grosse Pauline, si humaine, si drôle, par moments, tandis qu'elle tente de cacher sa tristesse.

Vous en souvenez-vous ?

Que de gens merveilleux, d'histoires différentes et de témoignages de vie poignants!

Abandonner tous ces personnages que j'avais vus naître et grandir devant mon regard d'écrivain a été déchirant. Les voir s'éloigner de moi, sans même se retourner pour une dernière complicité, a laissé un grand vide, je vous l'avoue. Comme un immense vertige qui me donnait envie de pleurer.

C'est à ce moment que Jaquelin s'est manifesté pour une toute première fois. Silencieusement, discrètement, à sa manière bien personnelle, un peu distante, mais combien tangible et attirante. Peut-être attendait-il tout bonnement que je sois seule pour me rendre visite? Ça lui ressemblerait assez d'agir ainsi.

Je l'ai donc laissé s'approcher...

À moins que ce soit moi qui aie fait les premiers pas, par désir de sentir une présence rassurante? Je ne sais plus. De me retrouver, un bon matin, toute seule devant l'ordinateur, a pu engendrer ce genre de panique qui rend les souvenirs biscornus. Puis, avouons-le, c'est à moi que ça ressemblerait d'aller au-devant des gens, même ceux que je ne connais pas. Alors, qui, de Jaquelin ou de moi, a osé un premier geste, un premier mot? J'hésite. Mais quelle importance? J'ai beau travailler en solitaire, et tenir à cette solitude comme à la prunelle de mes yeux, il n'en reste pas moins que j'ai vraiment besoin de sentir quelqu'un à mes côtés, durant ce lent processus de création. C'est un peu contradictoire, je le sais, mais que voulez-vous que j'y fasse ? Ça fait partie de mes nombreuses incohérences. On en a tous, n'est-ce pas ? Alors je me répète : quand je m'installe pour travailler, il y a vous, chers lecteurs, et il y a aussi tous mes personnages. C'est vous tous qui me tenez compagnie, jour après jour. Ça me sécurise et me donne l'étincelle nécessaire pour toujours avoir envie de continuer.

Quoi qu'il en soit, Jaquelin et moi avons appris à nous connaître et, dès que ce fut fait, il m'a présenté son épouse, Marie-Thérèse. J'ai vite saisi que cette femme-là avait une importance capitale dans sa vie. On n'a qu'à regarder les yeux de Jaquelin quand il les pose sur elle pour tout comprendre. Finalement, et sans grande hésitation de sa part, c'est Marie-Thérèse qui a ouvert tout grand la porte des confidences sur leur vie à deux. Une vie bien simple, je l'admets, mais combien riche en amour. Une vie comme on souhaiterait tous en avoir une. Une vie truffée d'espoir, comme chacun d'entre nous serait en droit de l'exiger.

Aujourd'hui, des liens solides se sont tissés entre eux et moi, et je me surprends à les aimer tout autant que mes anciens personnages. J'espère bien sincèrement avoir le privilège de les garder longtemps dans ma vie, tout comme j'espère, du plus profond de mon cœur, qu'ils ont su se tailler une petite place dans votre quotidien avec le premier tome de cette série.

Quand nous les avons quittés, au terme de ce tome 1, le ciel semblait vouloir s'éclaircir au-dessus du village de Sainte-Adèle-de-la-Merci, surtout pour la famille Lafrance qui venait de vivre, coup sur coup, un terrible revers et un grand malheur. Qu'à cela ne tienne, Marie-Thérèse veillait! Sur une proposition audacieuse de sa part, du moins pour l'époque, la cordonnerie va enfin rouvrir ses portes, en dépit du nouvel handicap de Jaquelin.

Le commerce aura été fermé en tout et pour tout durant huit mois. C'est à la fois assez court dans le temps, compte tenu de l'importance de l'incendie et des ressources de cette génération, mais aussi très long pour ceux qui ont à vivre l'incertitude qui en découle. N'empêche que les habitants de Sainte-Adèle-de-la-Merci semblent fort aise de cette réouverture. Je les vois sourire quand ils passent devant la maison et qu'ils remarquent l'écriteau annonçant que la cordonnerie va enfin reprendre du service.

Agnès, quant à elle, trépigne de joie à l'idée d'avoir des souliers neufs.

— C'est une très bonne idée de commencer par me faire des souliers pour voir si vous êtes capables de travailler ensemble, tous les deux, a-t-elle commenté pour ses parents, avec le plus grand sérieux, tandis que Marie-Thérèse se mordait le dedans d'une joue pour ne pas éclater de rire. Comme ça, même si votre projet marche pas, ben moi, j'vas au moins avoir eu mes souliers neufs!

L'idée de travailler à deux est excellente, j'en conviens. Néanmoins, je n'arrive pas à me réjouir totalement avec eux. Oh! J'essaie de me faire discrète, de ne rien laisser voir de cette inquiétude que je ressens. Je ne voudrais surtout pas me faire reprocher d'être un éteignoir. C'est pourquoi, malgré mes doutes, il arrive que je leur fasse de petits sourires de connivence ou d'approbation quand ils en parlent entre eux devant moi. Quoi qu'il en soit, en dépit de toute ma bonne volonté, mon regard s'entête à glisser vers le gros ventre de Marie-Thérèse, et je ne peux m'empêcher de me demander ce qu'ils feront quand le bébé sera là. C'est tout de même exigeant, un nouveau-né, je suis bien placée pour le savoir, j'en ai eu neuf! Comme en cette fin du mois de juin 1923, la délivrance n'est plus très loin, je me pose de sérieuses questions quant à la faisabilité de ce projet qui, autrement, aurait peut-être été une belle solution pour Jaquelin.

Dans les faits, cependant, ils n'ont que six petites semaines pour savoir si l'idée a du bon, et cela, c'est si Marie-Thérèse se rend à terme.

Ils auront à peine le temps de s'accoutumer à travailler ensemble qu'il leur faudra déjà trouver une autre solution, même si on souhaite de tout cœur qu'elle ne soit que temporaire.

Alors, je m'inquiète pour eux. Comment

Jaquelin arrivera-t-il à se débrouiller tout seul, quand Marie-Thérèse aura à s'occuper du bébé, à l'allaiter, à le langer? Sans compter qu'il y a toujours six autres enfants à la maison! La tante Félicité, malgré sa belle générosité, ne pourra remplacer la mère sur tous les tableaux. Alors oui, je m'inquiète, et à regret, je n'ai aucune alternative à leur proposer pour l'instant. Entourant la naissance d'un enfant, il y a bien des détails que seule une mère peut régler, et malheureusement, ce n'est pas moi qui vais pouvoir changer la nature des choses.

Je vais donc m'en remettre à eux. S'ils ont su reconstruire la maison dévastée par le feu, s'ils ont trouvé une manière d'agir qui pourrait éventuellement les aider à s'en sortir, et surtout si Marie-Thérèse et Jaquelin éprouvent toujours l'un pour l'autre cet amour privilégié que rien ne peut détruire, alors je crois que je peux leur faire confiance.

Toutefois, je vais rester tout près d'eux. Juste au cas où ils auraient besoin d'un petit coup de pouce...

Voulez-vous m'accompagner? Je m'apprête justement à retourner à Sainte-Adèle-de-la-Merci pour voir où ils en sont.

Arbre généalogique

FAMILLE LAFRANCE

Irénée Lafrance – Thérèse Joncas

Jaquelin Lafrance – Marie-Thérèse Gagnon   Lauréanne Lafrance – Émile Fortin

Cyrille   Agnès   Benjamin   Conrad   Ignace   Angèle

PREMIÈRE PARTIE

—◆—

Été 1923

CHAPITRE 1

Le lundi 23 juillet 1923, sur le trottoir menant de la cordonnerie au magasin général, en compagnie de la jeune Agnès, partie faire les courses pour sa mère, Marie-Thérèse

L a gamine ne s'en lassait pas !
De la pointe au talon, ses chaussures neuves étaient une pure merveille, car nous parlons ici de délicates bottines en cuir d'agneau souple avec de beaux lacets d'un blanc éclatant et un petit talon de bois qui claquait joliment sur les parquets quand elle marchait. Rien à voir avec les gros souliers en peau de vache vendus par monsieur Ferron, au magasin général. Même les chaussures offertes par monsieur Touche-à-Tout dans ses gros catalogues, bien que plus raffinées, n'avaient pas aussi fière allure !

— Le temps de les casser tout en douceur, comme l'avait recommandé son cordonnier de père, pis tes bottines vont être aussi confortables que des mocassins. Elles pourraient pas être plus justes, ma fille ! Il y a pas à dire : ta mère pis moi, on s'entend ben pour l'ouvrage.

Jaquelin avait raison, et en moins d'une semaine, Agnès ne jurait plus que par ses chaussures neuves, qu'elle portait du matin au soir, non seulement parce qu'elles étaient fort jolies et qu'elles faisaient l'envie de ses amies, mais parce qu'elles étaient aussi très confortables. Au bout de quelques jours, pour montrer sa gratitude, Agnès s'était déclarée la « commissionnaire » de service.

— À partir de maintenant, vous pouvez compter sur moi. J'vas être votre commissionnaire.

C'était l'heure du repas et Jaquelin, installé à un bout de la table, l'avait alors regardée avec une lueur amusée au fond du regard.

— Tu parles d'un grand mot, ça là ! « Commissionnaire » ! On rit pus ! Sais-tu au moins ce que ça veut dire ?

Prenant toute la tablée à témoin, Jaquelin avait promené son regard d'un visage à l'autre, exprimant ainsi une certaine interrogation. Le geste avait piqué la fierté de sa fille.

— Ben sûr, que je le sais !

La jeune Agnès avait l'air offusquée.

— Je l'ai appris dans l'histoire que je suis en train de lire, vous saurez, popa, avait-elle rétorqué en redressant les épaules. Ça veut dire : quelqu'un qui fait des commissions !

— Bravo... Bravo, Agnès ! Tu m'en mets plein la vue pis les oreilles... C'est pas mal correct d'apprendre des choses nouvelles quand tu lis une histoire. Ça veut dire que tu perds pas ton temps... Mais moi, tu vois, du temps pour lire, j'en ai pas vraiment, pis des grands mots comme celui-là, j'en connais pas ben ben. Pourtant, j'suis pas mal plus vieux que toi, ma fille. Va-tu falloir que je me trouve du temps de lousse pour me mettre à lire des livres savants, moi avec, pour continuer à comprendre toute ce que tu nous dis ?

Décontenancée par la question de son père, sentant vaguement qu'on était en train de se moquer gentiment d'elle, et devant ses frères et sœurs de surcroît, Agnès s'était mise à rougir jusqu'à la racine des cheveux sans trouver de réponse vraiment satisfaisante.

Une moquerie, même gentille, lui faisait perdre tous ses moyens. Puis, elle ne voulait surtout pas insulter son père.

Spontanément, la jeune fille s'était donc tournée vers sa mère, assise à l'autre bout de la table. Malheureusement, le regard rempli d'espoir qu'Agnès avait glissé vers Marie-Thérèse était resté sans réponse, car cette dernière n'avait d'yeux que pour son mari, comme si le reste de l'univers n'existait plus.

Le sourire en coin de sa mère, survolant la table

pour se joindre à celui de son père, avait découragé la jeune Agnès. L'esprit désespérément vide, elle avait donc bousculé sa chaise pour se lever de table et elle avait quitté la pièce sans ajouter quoi que ce soit. Heureusement, le dessert était déjà mangé, elle n'y perdrait pas au change.

Agnès était montée à la chambre des filles et elle s'était étalée de tout son long sur le grand lit qu'elle partageait avec la petite Angèle, le temps, s'était-elle dit, de ruminer sa frustration avant de passer à autre chose, car la nature profonde d'Agnès ne connaissait pas la rancune.

N'empêche qu'elle était bien embêtante, cette nouvelle manie de Jaquelin Lafrance, qui trouvait toujours prétexte à se moquer des gens ou des événements. Depuis ce matin de juin où père et fille avaient étendu la lessive ensemble, Jaquelin en abusait, au point où, parfois, Agnès s'ennuyait de l'ancien papa qui parlait fort peu, certes, mais qui la laissait tranquille. Tout à l'heure, Agnès s'était sentie blessée par le sourire malicieux que ses parents avaient échangé et l'impression qu'elle avait ressentie n'avait pas été des plus agréables. Que ses parents aient eu raison ou tort n'ayant que peu d'importance à ses yeux, d'ailleurs.

Ce jour-là, il avait fallu l'arrivée de son amie Geneviève pour faire sortir Agnès de son mutisme et de sa chambre.

Quand, à la fin de la même semaine, Agnès en avait glissé un mot à son grand frère Cyrille, lors de sa visite hebdomadaire à la maison, la jeune fille semblait encore peinée et, avouons-le, un peu irritée par la nouvelle attitude de son père. Elle s'était alors vidé le cœur en racontant avec fougue les détails entourant leur nouvelle vie familiale, se disant qu'après, elle pourrait finalement tourner la page.

— Pis c'est de même de plus en plus souvent, tu sauras! On dirait que popa passe son temps à rire de nous autres. Je le sais pas ce qui se passe ici, Cyrille, mais par bouttes, j'ai l'impression de vivre dans une autre famille que la mienne! Que c'est que t'en penses de ça, toi? C'est-tu d'avoir tombé dans l'eau qui rend popa de même?

Contrairement à son habitude, l'aîné de la fratrie Lafrance, habituellement prompt et direct, avait pris un moment de réflexion avant de répondre, ce qui avait impatienté Agnès.

Si Cyrille s'en mêlait et se mettait à changer, lui aussi…

Agnès avait alors poussé un long soupir contrarié. Plus rien ne ressemblait à rien dans sa famille et ça l'exaspérait de plus en plus.

Normalement, Cyrille aurait dû lui répondre du tac au tac, il l'avait toujours fait jusqu'à maintenant. On disait même de lui qu'il n'avait pas froid aux yeux ni la langue dans sa poche. Ces deux expressions, Agnès les avait souvent entendues à propos de son frère, tant à la maison qu'à l'école, parfois en riant, parfois sur un ton sévère.

Mais voilà que depuis qu'il travaillait sur la ferme de leur oncle Anselme, Cyrille semblait plus lent en tout! Pourquoi? Agnès se posait la question. Était-ce tout simplement parce que son frère vieillissait que ses répliques semblaient moins spontanées? Agnès l'espérait sincèrement, car n'ayons pas peur des mots, son frère aîné avait changé depuis quelques semaines et Agnès ne le reconnaissait plus tout à fait.

En effet, Cyrille avait gagné en grandeur, en muscles et en sagesse, et ce nouveau grand frère l'intimidait.

Pourtant, en juin dernier, au moment où Cyrille avait accepté l'offre de son oncle Anselme, à savoir le rejoindre sur sa terre pour y travailler durant l'été puisque ce dernier n'avait que deux filles à la maison, Agnès le voyait comme son égal. Il était l'aîné des garçons, tout comme elle était l'aînée des filles. C'était comme ça depuis toujours. Mais voilà qu'en quelques semaines à peine, la pauvre Agnès avait vu le changement s'opérer, et aujourd'hui, elle avait l'impression que son grand frère n'était plus tout à fait un enfant comme elle. La gamine en était troublée, comme elle était intriguée par la nouvelle habitude prise par Cyrille de cacher ses longues jambes sous un pantalon, malgré la chaleur qui était plutôt accablante, cette année.

Et que dire de sa voix qui cassait parfois! Aux yeux d'Agnès, c'était peut-être très drôle, à l'occasion, mais c'était aussi un peu impressionnant.

Ce fut donc cette même voix, plus grave que le souvenir qu'Agnès en gardait, qui daigna enfin lui répondre.

— Je dirais que c'est ben correct si popa a envie de rire. Torpinouche, Agnès ! C'est...

— Torpinouche ? avait alors interrompu Agnès, visiblement éberluée. C'est quoi ça, astheure ?

— Ben... C'est un patois !

— Je le sais ben, que c'est un patois. Je suis pas cabochonne, quand même ! C'est comme matante Félicité qui arrête pas de répéter « bonne sainte Anne » à tout bout de champ... Mais toi, Cyrille ? T'avais pas ça, un patois. C'est nouveau. Depuis quand tu parles comme ça ?

— Depuis que je passe mes semaines chez mononcle Anselme, on dirait ben... Chez eux, c'est tellement différent d'ici ! Même nos cousines Judith pis Albertine ont un patois, tu sauras, pis matante Géraldine aussi. Flûte de flûte, bonté divine, sapristi... On dirait que pour eux autres, c'est comme une manière de prendre les choses sans se choquer, sans trop mettre de sérieux dans les niaiseries de tous les jours. Je trouve ça ben correct de même, tu sauras. Ouais, on rit souvent, chez mononcle Anselme, pis j'aime ça... Mais c'est pas ça l'important. L'important, c'est que popa a l'air plus en forme. D'un samedi à l'autre, on dirait qu'il a gagné du mieux, pis ça me fait plaisir de voir ça. S'il fait des blagues, même si c'est nouveau, pis que ça t'achale un peu, c'est pas mal plus agréable que de le voir s'enfermer dans sa chambre, comme il avait pris l'habitude de faire depuis son retour des chantiers. Tu trouves pas, toi ?

— C'est sûr, ça...

— Bon, tu vois ! Chez mononcle, tout le monde se taquine pis personne a l'air de s'en faire avec ça.

— Eh ben... Moi, au contraire, je pense que ça doit être fatigant sans bon sens de toujours se demander si quelqu'un te dit quelque chose avec sérieux ou ben s'il est en train de rire de toi.

— Pantoute. On le sait ben que c'est pas méchant ! Ça serait même plutôt le contraire, je te dirais. Ça met de la bonne humeur dans l'air pis je trouve que les journées passent plus vite chez eux qu'ici. C'est vrai que j'suis ben occupé, par exemple.

— Eh ben, répéta Agnès sur un ton songeur.

— C'est comme je te dis : c'est de même chez mononcle Anselme, pis comme tu vois, c'est pas mal différent d'ici. Mais je me dis que c'est normal que deux familles soyent pas tout à fait pareilles, même si mononcle est le frère de moman. Chacune a sa manière de faire... Pis en plus, tout le monde chante, dans cette famille-là. Tout le monde a de la voix, comme on dit. Mais c'est surtout notre cousine Albertine qui chante ben. Un vrai rossignol, comme le prétend matante en riant. Elle ajoute aussi que sa plus vieille a hérité de sa voix claire à elle pis de la voix juste de mononcle.

Un peu irritée d'entendre son frère proclamer les louanges d'une famille autre que la sienne, Agnès s'était empressée de remettre les pendules à l'heure.

— Ben ici aussi, ça s'est mis à chanter, tu sauras.

— Ici ? Chanter ?

— En plein ça ! C'est notre père qui fait ça. Quand il est dans la cordonnerie, pis qu'il se met à chanter, c'est pas mêlant, on l'entend jusque dans la cuisine... Je t'avoue que je trouve ça un peu bizarre de l'entendre s'égosiller comme ça. Ça ressemble pas au père qu'on connaissait, celui qui passait toutes ses journées dans la cordonnerie, tuseul sans dire un mot, comme c'était avant qu'on passe au feu.

— Pis ? C'est pas parce que c'est différent que c'est bizarre... Tu vois, Agnès, ce que t'es en train de me dire là, ça fait juste prouver que j'avais raison.

— Raison en quoi, Cyrille ?

— Raison de penser que perdre un emploi, ça tue son homme... J'en ai parlé avec mononcle, tu sais, pis lui avec, il voit ça comme moi, parce qu'il a pris sa voix sérieuse pour me dire qu'un homme pas de travail, c'est un homme qui meurt à petit feu. Ça fait que si notre père se permet de chanter, ça laisse entendre qu'il est heureux, pis ça veut peut-être dire en même temps qu'il aime ça travailler avec notre mère. Jaquelin Lafrance est en train de redevenir le cordonnier de la place, pis juste pour ça, il y a de quoi être content. En plus, on a rien qu'à regarder les souliers que t'as dans les pieds pour comprendre qu'à eux deux, ils ont faite du beau travail.

Il n'en fallait pas plus pour qu'Agnès en oublie ses tourments, depuis les moqueries jusqu'aux chants. Elle avait levé les jambes devant elle, frappé ses deux pieds ensemble, puis, d'une voix ravie, elle avait approuvé.

— C'est vrai qu'elles sont ben belles, mes bottines !

— Plus que belles, oui... Sais-tu ce que tu devrais faire, Agnès ? Tu devrais te promener tout le long du trottoir. Souvent ! Surtout quand il y a du monde qui passe. Comme ça, les habitants de la paroisse vont remarquer tes chaussures, pis ils vont comprendre que même avec une seule main, mais aidé par notre mère, notre père a pas perdu son talent pour faire des beaux souliers.

— Tu penses ?

— Ouais, j'suis sûr de ça.

Songeuse, Agnès contemplait le travail de ses parents.

— C'est vrai que ça serait peut-être une bonne idée que le monde voye mes bottines neuves... À part de ça, avec mes talons en bois, je fais pas mal de bruit… Tout le monde que j'vas rencontrer va les remarquer.

Ce fut donc à partir de ce samedi-là qu'Agnès avait oublié les moqueries et qu'elle avait répété à sa mère qu'elle était prête à faire toutes les courses de la famille.

— Comme ça, vous allez pouvoir vous reposer un peu, le temps que j'aille chez monsieur Ferron à votre place. Avec le bébé qui s'en vient, vous devez être plus fatiguée que d'habitude.

— Oh! Pour ça, t'as raison, Agnès. Il commence à être pas mal pesant ce bébé-là. Plus que vous autres, on dirait ben. Ton offre tombe pas dans l'oreille d'une sourde.

Voilà pourquoi, tout heureuse, Agnès se dirigeait présentement vers le magasin général pour acheter du sucre, car au déjeuner, sa mère avait déclaré qu'elle avait une envie folle de tarte aux framboises.

— À matin, j'ai aperçu pas mal de fruits oubliés par les oiseaux, avait-elle souligné entre deux bouchées. Ça achève, le temps des petits fruits, faut en profiter! Ça fait que j'vas faire une couple de tartes pour le dessert d'à soir. Toi, Benjamin, dès que t'as fini ta tartine, tu vas aller me cueillir toutes les framboises que tu peux trouver, pis toi, ma belle Agnès, tu vas aller chez monsieur Ferron pour acheter cinq livres de sucre. Fais marquer ton achat, pis dis-leur que ton père va aller les payer bientôt, sans faute.

Tandis que Marie-Thérèse parlait ainsi, il y avait plein d'entrain dans sa voix et c'était comme si Agnès se sentait pousser des ailes!

En fait, depuis que la cordonnerie avait rouvert ses portes, Marie-Thérèse avait retrouvé son sourire et sa bonne humeur, en même temps que leur père Jaquelin s'était mis à chanter.

« À bien y penser, se dit alors Agnès, en quittant la cuisine, Cyrille a sûrement raison quand il prétend qu'il vaut mieux une famille où la bonne humeur est une habitude, même si ça veut dire des petites taquineries en passant. Dans le fond, une maison qui chante, c'est pas mal mieux qu'une maison où le silence vole comme une misère sur toutes nos têtes, comme c'était avant. »

Ainsi, parce qu'elle avait le cœur tout léger et parce qu'elle ne se sentait plus le besoin d'envier la famille de l'oncle Anselme, la jeune Agnès sauta à cloche-pied tout le long du trottoir menant au magasin général, ses talons n'en résonnant que davantage sur le bois grisâtre, fatigué par le passage des intempéries!

Le retour à la maison fut plus sage. Lestée du sac de papier kraft contenant le sucre, Agnès marchait plus posément, profitant cependant de la balade pour saluer d'un large sourire tous ceux qu'elle croisait. Mais n'allez surtout pas croire qu'à cause du pas plus lent, les bottines n'étaient pas à leur avantage!

Oh que non!

Marcher du talon était devenu une sorte d'obligation pour Agnès et elle s'en acquittait avec tout le sérieux requis pour faire de la publicité en faveur de la cordonnerie.

Toutefois, en arrivant près de la maison, l'éclat d'une voix facilement reconnaissable pour quiconque fréquentait l'église de Sainte-Adèle-de-la-Merci lui fit ralentir l'allure et alléger le pas.

Agnès tendit l'oreille.

Nul doute, le curé Pettigrew était chez elle, et c'était bien sa voix qui portait jusque sur le trottoir.

Pour Agnès, la vue de cet homme ventripotent à la voix de stentor engendrait toujours la crainte d'une remontrance, pour une chose ou pour une autre, même sans fondement. Cette hantise l'emporta donc sur la curiosité naturelle de la jeune fille qui, se faisant tout à coup fort silencieuse, décida de contourner la maison sur la pointe des pieds pour entrer chez elle par la cordonnerie. Ainsi, sans être vue, elle pourrait attendre le départ du curé pour se pointer à la cuisine.

Bien que la porte donnant sur un couloir entre la cordonnerie et la cuisine fût fermée, des bribes de conversation parvenaient jusqu'à Agnès, qui comprit rapidement que l'on discutait de son frère Cyrille, dont le nom retentissait parfois très clairement dans la bouche du curé.

Son frère avait-il fait un mauvais coup? Avait-il eu un accident?

Agnès retint son souffle pour tenter de comprendre ce qui se disait, mais hormis le nom de Cyrille, le reste de la discussion ressemblait à un bruit de fond, sans paroles distinctes.

Agnès soupira.

Allez donc savoir ce qui pouvait bien se passer ! Avec le curé Pettigrew, on avait toujours l'impression que quelqu'un nous en voulait pour quelque chose ou qu'une catastrophe était sur le point de nous tomber sur la tête. Cet homme-là ne savait pas parler, il criait tout le temps, implorant les grâces du Seigneur sur « ses ouailles », comme il surnommait ses paroissiens. Ou alors, le gros homme, plutôt court sur pattes, combattait les foudres de Satan à lui tout seul, pourfendant le mal à grands coups de goupillon. En ces occasions-là, il ne criait plus, il hurlait ! Et voilà qu'en ce moment, le représentant de Dieu sur Terre, ce qui en soi était déjà impressionnant, se trouvait chez elle, en train de parler de son frère Cyrille avec ses parents.

Agnès ferma les yeux.

Avec tous les malheurs qui accablaient sa famille depuis l'automne précédent, elle ne serait guère surprise qu'il s'agisse d'un accident. Quoi d'autre, puisque Cyrille était un garçon plutôt tranquille et studieux ?

Le cœur battant la chamade et retenant ses larmes, elle colla son oreille contre la porte.

Peine perdue. Les voix n'étaient plus que

murmures, signe évident que ses parents devaient discuter entre eux, sous l'œil attentif de leur curé.

Agnès entendit ensuite les pattes d'une chaise frottant contre le plancher, puis, un peu plus tard, la porte d'entrée claqua.

Par la fenêtre donnant sur le côté, Agnès eut le temps d'apercevoir le bord d'une soutane gonflée par le vent d'été, tandis que le curé Pettigrew s'éloignait à grandes enjambées en direction du presbytère.

Sans plus attendre, Agnès ressortit de la cordonnerie, fit le tour de la maison, et elle entra par la porte de la cuisine, comme si de rien n'était.

Assis tout près l'un de l'autre, à un bout de la table, ses parents discutaient à voix basse. Quand elle entendit la porte ouvrir, Marie-Thérèse se tourna aussitôt vers Agnès, qui crut la voir rougir.

— Ah, te v'là, toi! Pis? As-tu le sucre?

Agnès souleva le sac d'une main.

— Ben sûr que j'ai le sucre, confirma-t-elle... Pis, je l'ai faite marquer, comme vous aviez demandé.

— Parfait! Mets-moi tout ça sur le comptoir près de l'évier. M'en vas faire deux tartes tout de suite après le dîner, avant que les framboises flétrissent.

— C'est ben d'adon...

Alors qu'en temps normal, Agnès aurait rapidement déposé son achat pour ensuite ressortir de la maison ou monter à l'étage, cette fois-ci, elle resta dans l'embrasure de la porte, son regard passant de son père à sa mère, qui, eux, restaient silencieux, comme mal à l'aise. Agnès en déduisit aussitôt que si elle ne demandait rien, ses parents ne parleraient sans doute pas.

Sa curiosité mise à mal, Agnès se dandinait sur place, ne sachant trop comment aborder le sujet. Elle se décida brusquement.

— Je voudrais savoir, demanda-t-elle, tout hésitante... En revenant du magasin, tantôt, j'ai vu monsieur le curé qui sortait de chez nous... Je... Y a-tu quelque chose de grave qui est arrivé?

— Grave, dans le sens d'un malheur? Non. Mais ça peut être ben important, par exemple.

Jaquelin avait pris la parole sans hésiter. C'était devenu courant que son père intervienne ainsi. Sans être vraiment surprise, Agnès se permit donc de lui demander:

— Important pour qui?

Pour la jeune Agnès, il ne faisait aucun doute que son père allait mentionner le nom de son frère et qu'elle allait finir par tout comprendre. Cependant, sans répondre à sa fille, Jaquelin consulta Marie-Thérèse du regard. Agnès eut alors l'audace d'insister.

— Important pour qui, popa? Pour notre famille?

Jaquelin soupira avant de ramener son attention sur sa fille.

— Dans un sens, oui... Mais on peut pas en

discuter avec toi, Agnès. Pas pour astheure. Avant de dire quoi que ce soit sur la visite de monsieur le curé, ta mère pis moi, on va devoir penser ben comme il faut à ce qu'il nous a proposé. Parce que c'est une sorte de proposition que monsieur le curé est venu nous faire. Dans un sens, on pourrait le voir comme ça. Pis, comme on dit, faut peser le pour pis le contre avant de se faire une opinion. Après, on pourra en parler, c'est ben certain, mais c'est pas avec toi qu'on va le faire en premier. Ça serait pas juste... Plus tard, tu comprendras...

Au fur et à mesure que Jaquelin parlait, une ombre d'inquiétude se mit à assombrir le regard d'Agnès.

— Mais faut surtout pas t'en faire avec ça, ma fille ! ajouta Jaquelin précipitamment. Y a rien de grave. Je peux même te dire que c'est une sorte de bonne nouvelle... Ouais, c'est peut-être une ben bonne nouvelle pour toutes nous autres...

Tout en faisant cette dernière précision, Jaquelin s'était levé de table.

— Astheure, m'en vas aller trier les demandes de réparation dans la cordonnerie. Ça, c'est quelque chose que je peux faire tuseul. Pendant ce temps-là, donne un coup de main à ta mère pour préparer le dîner. On se reverra t'à l'heure.

Le ton employé par Jaquelin ne laissait place à aucune réplique et, dans l'instant, puisqu'il n'espérait nulle réponse, il quitta la cuisine. D'un simple regard sur sa mère, Agnès comprit aussitôt que l'explication ne viendrait pas d'elle non plus. Pourtant, la jeune fille l'aurait parié : le jour où la vérité éclaterait, le nom de Cyrille y serait associé.

Agnès rongea son frein durant trois longues journées. Elle y pensait tellement qu'elle ne put se retenir. Même si de coutume Agnès était plutôt discrète au sujet de sa famille, cette fois-ci, elle partagea son inquiétude avec sa grande amie Geneviève.

— Je sais ben pas ce qui se passe, confia-t-elle à voix basse, mais les parents arrêtent pas de se regarder en fronçant les sourcils. Pis ça a commencé le jour où monsieur le curé est venu chez nous. Pour qu'il se déplace comme ça, laisse-moi te dire que ça doit être ben important !

En compagnie de son amie, Agnès s'était installée sous le grand chêne pour grignoter quelques galettes à peine sorties du four.

— Quand les parents se regardent de même, ça veut dire que quelque chose de grave est en train de se passer, ou ben que c'est à la veille de nous tomber dessus. Même avant l'accident de mon père, c'était comme ça, dans notre famille : quand les parents se fixent en pinçant les lèvres, ça veut dire qu'ils ont quelque chose à annoncer, mais qu'ils savent pas trop comment le faire... Exactement comme astheure... Mais je sais pas pantoute ce qui nous pend au bout du nez, par exemple !

— Tu parles d'une affaire... Comme ça, si j'ai ben compris, tu dis que monsieur le curé était chez vous l'autre jour?

— En plein ça.

— C'est sûr que ça doit être sérieux, commenta Geneviève, la bouche pleine. Je l'ai jamais vu rire, monsieur le curé. Pis il est jamais venu chez nous, non plus, sauf pour sa visite paroissiale. En plus, il me fait peur! On dirait qu'il est toujours choqué par une affaire ou ben une autre.

— C'est ben pour ça que j'suis inquiète.

— T'as ben raison de l'être. Pauvre toi... Pauvres vous autres... Si monsieur le curé a décidé de se mêler de quelque chose chez vous, ça va sûrement être plate pour quelqu'un.

Agnès grignotait sa galette du bout des dents, tout appétit subitement envolé, car elle était en train de se demander ce que ses parents diraient s'ils apprenaient qu'elle s'était ainsi confiée à son amie. En accord avec cette crainte, elle préféra taire le nom de Cyrille.

— Pourtant, mon père a dit que c'était une sorte de bonne nouvelle, murmura-t-elle, d'une voix absente.

Perdue dans ses pensées, Agnès hocha la tête, satisfaite de sa réplique, tandis que Geneviève Dumouchel, une jeune personne plutôt délurée, secouait sa tignasse brune tout en frisottis, dans un geste de compassion. Puis elle s'arrêta brusquement et fronça les sourcils avant de planter l'éclat décidé de ses yeux noisette dans ceux de sa meilleure amie.

— Ben, tu sauras, Agnès Lafrance, que je connais pas ça, moi, des bonnes nouvelles qu'on cache de même, affirma-t-elle sans détour. Sauf peut-être pour un cadeau, mais je serais ben surprise que ça soye ça.

À ces mots, Agnès poussa un long soupir de découragement, car son amie n'avait pas tort.

— Tant qu'à ça, t'as ben raison, admit-elle. D'habitude, les bonnes nouvelles, on en parle sans se gêner.

— Pis les cadeaux, c'est surtout pas monsieur le curé qui les donne, compléta Geneviève d'une voix sentencieuse. Ça fait que la bonne nouvelle de ton père, c'est peut-être pas une si bonne nouvelle que ça.

Les deux gamines se regardèrent longuement avant de terminer les biscuits dans un silence lourd d'accablement.

On était alors un vendredi et l'attente anxieuse d'Agnès se poursuivit durant une autre longue journée, car les détails entourant cette mystérieuse visite du curé leur furent présentés en présence de Cyrille, au souper du samedi.

— Même si c'est pas une habitude chez nous pis que nos prières, on les fait avant de se coucher, annonça Jaquelin, de façon impromptue, alors que les enfants s'installaient bruyamment autour de la table pour le repas, pour une fois, on va dire

40

le bénédicité avant de manger... Que c'est t'en penses, Marie ?

À l'autre bout de la table, Marie-Thérèse approuva d'un bref sourire.

— Je pense que t'as raison, mon mari. Ça serait de mise de faire une prière, c'est le moins qu'on puisse dire.

— Me semblait aussi... Bon ben, on va faire de même, pis après, votre frère Cyrille a quelque chose à vous annoncer. Quand ce sera faite, on passera au souper.

Le geste fut spontané et tous les membres de la famille penchèrent respectueusement la tête au-dessus de leur assiette. Bien qu'elle fût animée d'une conviction sincère, la prière de Jaquelin fut cependant très courte, par manque d'habitude probablement. Elle ressembla à une tentative maladroite de remerciement au Ciel, on ne sut trop pourquoi, puis en grande pompe, dès qu'il eut l'attention de tous, Jaquelin se leva et, de la main, il invita son fils aîné à l'imiter. Cyrille repoussa donc sa chaise en rougissant.

— Vas-y, mon homme ! Astheure, c'est à toi de parler.

Cyrille ne savait par quel bout commencer.

Mal à l'aise, il promena les yeux autour de lui. D'un sourire, Marie-Thérèse l'encouragea, tandis qu'à l'autre bout de la table, son père le regardait avec une fierté qui faisait plaisir à voir, certes, mais qui embarrassait Cyrille.

Le jeune garçon prit alors une longue inspiration en même temps que son courage à deux mains. Toutefois, parce qu'il ne savait pas encore ce qu'il devait réellement penser de la proposition de son curé, sa voix se fit hésitante quand il déclara :

— Au mois de septembre, j'vas partir pour le collège de Trois-Rivières. C'est là que j'vas poursuivre mes études, comme on dit, parce que monsieur le curé m'a choisi à cause… à cause de mes bonnes notes, improvisa-t-il.

Un silence de plomb tomba sur la cuisine alors que frères et sœurs échangeaient des regards incrédules.

Cyrille allait partir ? Pour un grand collège ?

C'était à peine croyable, même si on commençait à s'habituer à un quotidien sans lui, puisqu'il était absent la majeure partie de la semaine, depuis le début des vacances.

Une fois son devoir accompli, Cyrille baissa les yeux, se demandant s'il avait le droit de s'asseoir ou s'il devait attendre les questions qui ne manqueraient sûrement pas de fuser dans l'instant.

L'offre lui avait été présentée par ses parents, dès son arrivée sur l'heure du midi. En effet, chaque samedi, le jeune homme revenait chez lui pour passer une journée auprès de sa famille et faire son lavage de la semaine.

Installé dans la cordonnerie en compagnie de son père et de sa mère, à l'abri des oreilles indiscrètes, Cyrille avait donc écouté attentivement ce qu'ils avaient à lui annoncer.

La proposition était alléchante, il l'avait aisément admis en son for intérieur. Quand on s'appelle Cyrille Lafrance et qu'on a toujours pris plaisir aux études, on ne peut repousser une telle aubaine du revers de la main. Pensez donc ! Les portes d'un collège de renom pourraient s'ouvrir devant lui s'il acceptait l'offre du curé Pettigrew.

— Jamais on aurait pu te payer ça, mon gars !

En faisant cette mise au point, Jaquelin était tout souriant.

Cyrille avait alors répondu par un vague signe de tête, décontenancé.

Il était tout à fait conscient que son père avait raison : sans l'aide du curé, le temps des études tirait indéniablement à sa fin, pour lui. Au couvent du village, il n'y avait que les filles qui pouvaient poursuivre au-delà de la neuvième année, alors qu'elles avaient la chance de suivre un cours d'arts ménagers, appelé pompeusement le « Cours d'économie familiale ». Quant aux garçons, la plupart d'entre eux rejoignaient leur père sur la ferme, ou prenaient tout bonnement le chemin du moulin à scie. Alors oui, la proposition du curé Pettigrew était une occasion en or pour quiconque aimait les études, et Cyrille faisait partie de ceux-là.

Ceci étant dit, il y avait tout de même une contrariété rattachée à l'offre du curé Pettigrew et, aux yeux d'un jeune garçon de treize ans, elle était de taille. Cyrille n'avait pu s'empêcher de pousser un bruyant soupir devant le prix à payer pour un peu plus de connaissances qui lui semblait fort élevé.

Le jeune homme s'était alors tourné vers sa mère, en quête d'un surplus d'informations.

— Comment voulez-vous que je sache, moman, si ça va me tenter plus tard de devenir curé ?

Car il était là, le hic! S'il voulait profiter d'un cours classique au collège de Trois-Rivières, Cyrille devait s'engager à se présenter au Grand Séminaire de Québec par la suite. Toutefois, et fort curieusement, d'ailleurs, Marie-Thérèse n'avait pas l'air ennuyée par cette demande, qui semblait formelle aux yeux du curé.

— Faut pas t'en faire avec ça, mon garçon, on est pas rendus là ! avait-elle déclaré sans broncher.

— Mais de la manière que vous en parlez, popa pis vous, ça a l'air ben important pour monsieur le curé que…

— Laisse faire monsieur le curé, avait-elle alors intimé en levant la main devant elle. C'est sûr qu'il pouvait pas dire autrement, sinon, faudrait qu'il fasse la même offre aux autres garçons de la paroisse, du moins à ceux qui ont des notes pas trop pires.

— Ouais, il y a du vrai là-dedans.

— C'est ce que je pense. Mais au-delà de tout ce que monsieur le curé peut prétendre, ça reste quand même une offre que tu peux pas refuser. Te rends-tu compte, Cyrille? Aller au collège de Trois-Rivières!

Il y avait tellement d'attente dans la voix de Marie-Thérèse que Cyrille n'avait pu qu'approuver.

— C'est sûr que c'est ben tentant.

— Bon, enfin!

Cette fois, c'était Jaquelin qui se mêlait à la conversation, afin de convaincre son fils.

— Faut savoir faire les bons choix dans la vie, pis continuer d'étudier, c'en est un! Jamais je croirai, Cyrille, qu'on va t'obliger à rentrer au Grand Séminaire si jamais t'avais pas la vocation, ajouta alors Jaquelin avec conviction. Pis c'est en plein ce que j'ai dit à notre curé, tu sauras. À treize ans, c'est un peu jeune pour savoir vraiment ce qu'on veut faire dans la vie. Surtout pour un choix aussi sérieux que le sacerdoce.

— Ben d'accord avec vous, popa. C'est pas à moi qu'il faut dire ça. Pis? Monsieur le curé, lui, que c'est qu'il vous a répondu?

— Il a dit qu'au collège, tu vas avoir un maître à penser qui va t'aider à découvrir la vocation en toi.

— Ben là… Un maître à penser comme si j'étais pas capable de réfléchir par moi-même? Ça fait peur, non?

— Pas vraiment. C'est peut-être juste une manière de dire.

— Quand même… Si monsieur le curé parle

de même, c'est qu'il doit être sûr de son affaire, non ? C'est-tu le maître à penser qui va décider à ma place juste parce qu'il s'imagine que j'ai la vocation ?

— Pantoute… Voyons donc ! Comme si quelqu'un pouvait décider pour toi dans une affaire aussi importante ! Ça marche pas, ça ! Personne peut décider de ton avenir à ta place, mon garçon.

Pour quelqu'un devenu cordonnier parce que son père l'avait choisi pour lui, Jaquelin avait une conviction un peu difficile à saisir. Néanmoins, il avait l'air passablement sûr de lui.

— Laisse faire ce que veut monsieur le curé, poursuivit-il, il y a rien que le temps qui va pouvoir répondre à toutes ces questions-là. Dis-toi ben, Cyrille, que c'est normal de pas savoir ce qu'on veut faire dans la vie quand on a juste treize ans. Pense plutôt que c'est toi qu'on a choisi, pis oublie tout le reste !

Il y avait tellement de fierté dans la voix de son père que Cyrille en resta bouche cousue.

Pourtant, sur le sujet, Cyrille n'était pas d'accord avec son père. Peut-être bien qu'à son âge, la plupart des jeunes ne savaient pas ce qu'ils voulaient devenir plus tard, mais lui, par contre, il savait pertinemment qu'il voulait devenir cordonnier, comme son père et son grand-père avant lui. C'était depuis qu'il était tout petit qu'il en rêvait. Combien d'heures avait-il passées devant l'établi de Jaquelin, touchant les outils du bout du doigt, même s'il savait qu'en agissant ainsi, il s'attirerait les foudres de son père ? Mais c'était plus fort que lui et au moindre prétexte, le gamin se retrouvait dans la cordonnerie, comme d'autres aiment se retrouver devant un étalage de bonbons.

Néanmoins, devant l'enthousiasme que Jaquelin et Marie-Thérèse manifestaient à la perspective de voir leur fils faire de grandes études, Cyrille n'avait rien osé dire de ce que lui espérait pour l'avenir.

En fait, le pauvre Cyrille était totalement déstabilisé par la situation.

Si, d'une part, il y avait la fierté de ses parents devant le fait que leur fils aîné ait été remarqué par leur curé, il n'en restait pas moins que, d'autre part, son père serait probablement heureux d'apprendre que Cyrille aimerait bien suivre ses traces, non ?

Mais pour le savoir, il lui aurait fallu le demander, et les mots pour le dire ne s'étaient pas présentés à l'esprit du jeune garçon.

La seule chose dont Cyrille était convaincu, c'était qu'au bout du compte, la décision lui reviendrait et que s'il décidait de rester au village, il décevrait ses parents.

Comme à treize ans, la vingtaine peut nous apparaître comme un grand âge, un âge pour ne pas dire inaccessible, il opta donc pour des études immédiates, trouvant indéniablement flatteur d'avoir été choisi par le curé Pettigrew. Il se disait surtout qu'il avait devant lui bien des années pour faire entendre raison aux autorités concernées. Ce qui, en soi, n'était pas totalement faux.

Ce fut donc à ce moment que Cyrille avait levé les yeux pour fixer successivement son père et sa mère, avant d'annoncer :

— Je pense que j'vas dire oui à monsieur le curé.

À ces mots, Jaquelin avait bombé le torse en poussant un long soupir de soulagement. Marie-Thérèse, par contre, avait cru entendre une certaine hésitation dans la voix de son fils. C'est pourquoi elle avait retenu sa bonne humeur pour lui demander :

— T'es ben sûr de ton choix, mon garçon ? À t'entendre, j'ai des doutes... On veut surtout pas te forcer la main, tu sais.

— Je le sais, moman, je le sais. Mais pour tout de suite, je dirais que c'est ça qui me tente. Vous le savez que j'aime ça apprendre des choses nouvelles.

Le disant ainsi, Cyrille n'avait pas l'impression de mentir, et ce fut la tête haute qu'il soutint le regard de sa mère. Cette réponse dut plaire à Marie-Thérèse, car elle avait aussitôt enchaîné joyeusement, laissant libre cours à son entrain :

— Ben, si c'est de même... Tu me fais plaisir en parlant comme ça, mon garçon. Pis pour plus tard, faut pas que tu t'inquiètes, avait-elle alors précisé toute souriante. Le curé Pettigrew m'a jamais faite peur, tu sauras. Il crie fort, c'est ben certain, mais moi, ça m'impressionne pas. J'suis une bonne chrétienne, il a rien à me reprocher, pis si un jour faut que j'y parle en ta faveur, ben j'vas le faire sans la moindre hésitation. Au mois de septembre, tu pourras donc partir tranquille, mon homme, pis profiter de la chance qui t'est offerte. Laisse le temps te guider pour ton avenir.

Sage conseil que Cyrille avait accueilli avec tout le sérieux requis.

— Merci, moman. Vous avez raison. C'est sûr que de savoir que vous me comprenez, pis que vous allez m'aider en cas de besoin, ça aide à être moins inquiet.

— Ben tant mieux... Ça fait qu'on peut dire que c'est une bonne affaire de réglée?

— Ouais, on peut dire ça.

— Comme ça, il te reste juste à l'annoncer au reste de la famille, je pense ben.

À ces mots, Cyrille s'était tourné vivement vers son père, qui venait de se glisser dans la conversation.

— Parce que c'est moi qui dois faire ça?

— Pourquoi pas? Il me semble que ça serait juste normal que ça soye toi qui parles à tes frères pis tes sœurs, avait alors approuvé Jaquelin, rapport que c'est à toi que monsieur le curé a faite la proposition, pas à moi. Mais t'auras pas besoin d'entrer dans les détails, par exemple, les plus jeunes comprendraient peut-être pas.

Voilà pourquoi, en ce moment, Cyrille faisait face à quatre regards chargés d'incrédulité posés sur lui. La petite Angèle, qui ne se sentait pas concernée par cette conversation des grandes personnes, s'amusait à effilocher le bord de son tablier.

— Mais je pars pas pour toujours, se sentit-il obligé de préciser, en tripotant ses ustensiles. Avec un peu de chance, je devrais ben revenir une couple de fois durant l'année, hein, moman ?

Pas plus au courant que son fils des détails concernant le pensionnat, Marie-Thérèse s'empressa néanmoins d'acquiescer.

— C'est sûr, ça, que tu dois revenir quelques fois durant l'année. Au moins à Noël pis à Pâques… Mais c'est pas ça l'important, c'est le fait que t'es ben chanceux d'avoir été choisi par notre curé. Vous rendez-vous compte, les jeunes ?

À l'exception de la petite Angèle, tous les enfants Lafrance buvaient les paroles de leur mère.

— Votre grand frère va rentrer au collège au mois de septembre. C'est tout un honneur, ça là !

— Pis moi, j'vas-tu pouvoir aller au collège plus tard ?

Benjamin regardait son grand frère avec une indéniable envie dans les yeux.

— Si tu continues d'avoir des bonnes notes, on sait jamais !

— C'est juste une question de notes ? rétorqua Benjamin, sur un ton qui, s'il était interrogatif pour être poli, n'en demeurait pas moins outre-cuidant. Ben pas de trouble, d'abord! M'en vas y aller au collège. Comme Cyrille. Moi avec, j'ai des bonnes notes à l'école!

— Pis moi? demanda alors Agnès, pour faire bonne mesure, même si au fond d'elle-même la perspective de quitter famille et amies ne lui souriait guère. Des propositions de même, c'est-tu aussi pour les filles? Mes notes sont quand même pas pires.

— Je pense pas qu'une offre comme celle-là s'adresse aux filles.

— Pourquoi vous dites ça, moman? Me semble que ça serait pas tellement juste que ça soye juste les garçons qui...

— Bon bon, les grands mots, astheure! coupa vivement Marie-Thérèse, aussitôt interrompue par le jeune Conrad, qui trouvait que la discussion s'éternisait inutilement.

— Coudonc! Avez-vous fini de parler comme ça? J'ai faim, moi!

— Moi aussi! renchérit le petit Ignace, qui était à l'âge de répéter souvent ce que disaient les plus grands.

À ces mots, Marie-Thérèse tourna la tête vers eux.

— Ça sera pas long, les garçons. On va manger dans deux menutes, rassura-t-elle avant de revenir à sa fille, car elle n'en avait pas fini avec elle.

— Veux-tu ben me dire, Agnès, ce qui te passe

par la tête, des fois? De toute façon, que c'est qui est vraiment juste, ici-bas? C'est au paradis qu'on va connaître la vraie justice, ma petite fille! On t'a pas appris ça, au catéchisme? Pis en attendant le Ciel, nous autres, à Sainte-Adèle-de-la-Merci, on a le couvent pour apprendre toute ce que t'as besoin de savoir pour devenir une bonne maîtresse de maison. Le reste, c'est pas vraiment important pour les filles, pis l'un dans l'autre, tu perdrais ton temps dans un collège.

— Ouais, c'est un peu vrai...

— Bon, tu vois!

Marie-Thérèse était déjà debout.

— Pas besoin de parler de justice pour arriver à s'entendre! Astheure, ma belle Agnès, tu vas te lever toi avec, pis tu vas venir m'aider à servir le souper. C'est encore la meilleure chose à faire pour préparer ton avenir!

Puis, affichant un sourire éclatant, Marie-Thérèse ajouta, tout en jetant un regard à la ronde, les deux mains appuyées sur son ventre distendu:

— Pour célébrer l'événement, j'ai faite un gros chapon avec des patates pilées pis des carottes du jardin. En plus, pour ceux qui vont avoir toute mangé leur assiettée sans dire un mot, il va y avoir un gros gâteau au chocolat pour le dessert. Avec des bleuets pis de la crème. Quand elle est passée me voir t'à l'heure, matante Félicité m'a aidée à cueillir toute ce que j'avais besoin pour le souper, pis elle a promis de venir manger un morceau de gâteau avec nous autres. Après toute, faut en profiter : c'est un peu comme une fête, cette affaire-là, pis les fêtes, ça arrive pas tous les jours, tout le monde sait ça ! Envoye, Agnès, amène-toi !

De nombreux sourires saluèrent l'annonce de Marie-Thérèse. Leur maman avait bien raison : il fallait en profiter, d'autant plus que d'ici peu de temps, Cyrille ne serait pas toujours là pour célébrer avec eux !

En fait, il n'y avait que le principal intéressé, assis de l'autre côté de la table, qui affichait une mine abattue, se demandant ce qui lui avait pris de mettre le doigt dans un engrenage sur lequel il n'avait de toute évidence aucun contrôle.

Le collège !

Voir s'il avait besoin d'aller au collège pour devenir cordonnier !

Ça lui apprendrait aussi, à céder à la vanité !

CHAPITRE 2

À Montréal, sur la rue Adam

—◆—

Le jeudi 2 août 1923, dans la cuisine de
Lauréanne et d'Émile Fortin, un peu avant
l'heure du souper

Depuis leur visite à Sainte-Adèle-de-la-Merci, en avril dernier, Lauréanne et son mari avaient fait le voyage à trois autres reprises.

— On a pas d'excuse pour pas être venus plus souvent par le passé, avait expliqué Émile en saluant la famille Lafrance, réunie dans la cuisine pour une corvée de rhubarbe à préparer en confiture par un beau samedi matin de la mi-mai.

Seul Jaquelin manquait à l'appel, mais comme la chose était habituelle, Émile n'avait passé aucune remarque.

— Après toute, sans enfants, on est libres de nos allées et venues, avait-il plutôt ajouté. Promis, vous allez nous voir la bette régulièrement...

Astheure, Marie-Thérèse, auriez-vous deux couteaux de plus? On va vous aider, ma femme pis moi.

Marie-Thérèse avait d'abord répondu par un sourire radieux. Rien ne lui plaisait autant que ces visites improvisées.

— Quelle belle surprise! Oui, on a des couteaux, c'est ben certain, avait-elle lancé en se levant de table. Mais va falloir me promettre que vous allez ramener une couple de pots à Montréal, si vous voulez nous aider.

— Pas de trouble. C'est ben bon de la confiture à la rhubarbe sur une boule de crème à glace... Si c'est de même, ma pauvre Marie-Thérèse, vous allez être pognée avec nous autres ben plus souvent. Moi, des pots de belles confitures, je mange ça à la petite cuillère!

Et les Fortin avaient tenu promesse!

Ils étaient revenus au début de juin, parce qu'il faisait tellement beau, et deux semaines plus tard, sous prétexte qu'ils avaient des tas de personnes à visiter et que Jaquelin venait d'avoir 36 ans. Ce jour-là, le cordonnier déchu avait même fait acte de présence à la table, du début à la fin du repas, se permettant à l'occasion une parole ou deux dans le cours de la conversation, ce qui avait fait grand plaisir à Émile.

En effet, d'une visite à l'autre, le pauvre homme continuait de s'inquiéter grandement de la morosité de son beau-frère.

— Faut-tu qu'il soye déprimé, le beau-frère, avait-il confié à son épouse, au retour d'un de leurs voyages à Sainte-Adèle-de-la-Merci. Il doit être ben malheureux, pour être silencieux de même ! Une chance que Cyrille est là pour me tenir compagnie de temps en temps, parce que je trouverais le temps long par bouttes !

De leur côté, l'occasion faisant le larron, Marie-Thérèse et Lauréanne en avaient profité pour se rapprocher, et ce dont elles se doutaient un peu toutes les deux n'avait fait que se confirmer : elles s'entendaient à merveille, malgré leur différence d'âge !

— C'est comme si je venais de me trouver une grande sœur, tu sais !

À ces mots, Lauréanne avait rougi de plaisir.

— Pis moi, ça me fait une petite sœur à qui penser quand j'suis à Montréal. Si tu savais le nombre de fois que j'ai espéré avoir une petite sœur, quand j'étais plus jeune... Au lieu de ça, à six ans, j'ai eu un petit frère, pis le même jour, ben, je perdais ma mère. Toute une différence...

— Mais tout un frère aussi ! avait enchaîné Marie-Thérèse, presque sévère, déçue de voir Lauréanne dire qu'elle aurait préféré une petite sœur. C'est quelqu'un de bien, mon Jaquelin.

— Je dis pas le contraire, Marie-Thérèse. T'as ben raison de dire que mon frère est un homme de cœur, pis de talent aussi. Pourtant, quand

Jaquelin était petit, il l'a pas eue facile. Surprenant que ça aye pas joué sur son caractère plus que ça.

Lauréanne n'avait pas besoin d'en dire davantage pour que Marie-Thérèse sache que ces quelques mots faisaient référence à leur père, Irénée Lafrance.

— C'est vrai que mon mari est pas trop dur à vivre, reconnut-elle dans la foulée. Je connais pas grand-chose de son enfance, vu qu'il en a jamais ben ben parlé, mais ce que je sais, par exemple, c'est que rendu plus vieux, même si c'est pas rose tous les jours, il garde toujours son calme, avait-elle ensuite spécifié. Avec sa main en moins, pis son père qui arrête pas d'envoyer des lettres pour faire des menaces, au cas où mon mari arriverait pas à payer le loyer, il reste d'humeur égale. Pourtant, recevoir des lettres de même, ça doit ben gâcher sa journée, pis ça rendrait ben des hommes mauvais. Mais pas Jaquelin ! C'est pas dur de voir que ça l'achale, rapport que je le vois serrer les mâchoires ben fort à chacune des lettres que ton père envoye, mais il est pas plus marabout pour ça. Pauvre homme ! En serrant les dents comme il fait, on dirait qu'il veut empêcher des mots moins gentils de sortir de sa bouche contre sa volonté.

— Oh ! Tant qu'à moi, il pourrait ben se choquer, Jaquelin, pis dire toute ce qu'il a envie de dire parce qu'il aurait pas tort ! Si tu savais comment c'est que j'essaye d'y faire entendre raison, à notre père, mais il y a pas plus tête dure que lui !

Pis, pour une fois, soyons donc honnêtes en disant les choses comme elles sont : il est pas ben fin non plus… Si on parlait d'autre chose, veux-tu ? J'ai ben en masse d'avoir Irénée Lafrance avec moi à la journée longue. Astheure que j'suis ici, avec toi, pour passer une belle journée, j'aimerais ça l'oublier un peu.

— Je te comprends ! Si le beau-père arrive à nous rendre nerveux, même à distance, je me doute un peu de ce que toi tu dois vivre au jour le jour… Viens-t'en, ma Lauréanne ! On va aller au jardin. J'ai plein de petites fèves vertes pis jaunes qui se sont mises à pousser depuis une semaine. Je dirais qu'elles sont en avance quasiment d'un mois ! Il y en a tellement qu'on arrive pas à toute manger. On va en cueillir un gros panier que tu ramèneras à Montréal. En plus, il fait beau comme c'est pas permis ! On va être ben confortables dehors. Après, on se fera un bon dessert, pour souligner la fête de Jaquelin. Après toute, c'est un peu pour ça que vous êtes ici !

Sur ces mots, Marie-Thérèse s'était relevée péniblement, son ventre énorme l'empêchant de se mouvoir avec élégance et d'agir avec efficacité. Ce qui avait fait décréter à Lauréanne, au moment où, sur le quai de la gare de Sainte-Anne-de-la-Pérade, elle attendait le train du retour en compagnie de son mari Émile, un immense panier à ses pieds :

— Pas question de revenir au village avant

que Marie-Thérèse aye eu son bébé, je t'en passe un papier! C'est pas des farces, la pauvre femme fatigue juste à l'idée de marcher.

— Elle avait pourtant l'air contente de nous voir, avait riposté Émile, qui commençait à prendre plaisir à ces petites escapades à la campagne. Pis c'était ben la première fois que Jaquelin avait autant de jasette. J'haïs pas ça placoter avec lui. J'haïs pas ça pantoute.

— Je dis pas le contraire. C'est vrai que Jaquelin a l'air d'aller un peu mieux. Quant à Marie-Thérèse, elle est toujours de bonne humeur. Mais à l'heure où on se parle, elle doit être éreintée sans bon sens.

— Mais elle est ben chanceuse quand même, hein, ma femme?

En prononçant ces derniers mots, le grand Émile, habituellement plutôt jovial, avait affiché son visage triste. Ses traits semblaient s'être affaissés, laissant les rides plus marquées, et il promenait un regard de chien battu. Le fait de n'avoir jamais eu d'enfants avec sa Lauréanne bien-aimée resterait toujours le côté sombre de sa vie.

Émue, Lauréanne avait posé une main réconfortante sur le bras de son mari.

— C'est sûr qu'elle est ben chanceuse quand même, avait-elle accordé d'une voix très douce. Moi avec, j'aurais aimé ça avoir de la misère à marcher pour la même raison qu'elle. Pis tu le sais.

Sur ce, le train avait sifflé, Lauréanne s'était redressée, puis elle avait donné une petite poussée dans le dos de son mari pour qu'il avance vers le wagon qui s'arrêtait justement devant eux. Elle avait alors ajouté d'une voix raffermie :

— Mais ça a pas été le cas, mon pauvre Émile, on a pas eu d'enfants, on sait pas trop pourquoi, pis on recommencera pas à pleurer sur notre sort, icitte à soir, d'accord ? Envoye, grimpe dans le train, mon homme, pis laisse-moi la place du fond, je veux m'installer à ras la fenêtre. J'aime ben ça regarder les champs défiler à côté de moi. Surtout quand le soleil se couche comme en ce moment. On dirait, ma grand foi du Bon Dieu, qu'il y a des pépites d'or qui tombent du ciel sur les plants de blé d'Inde !

Ce voyage en direction de Sainte-Adèle-de-la-Merci avait été le dernier en date.

Et voilà que ce matin, après un long mois de silence, Lauréanne avait reçu une lettre écrite par Marie-Thérèse, au début de la semaine précédente.

« … *Fallait que je t'en parle*, écrivait-elle après les salutations d'usage. *Tu me croiras peut-être pas, rapport que la main de Jaquelin est toujours aussi morte qu'avant, mais la cordonnerie vient de rouvrir ses portes. C'est-tu assez plaisant, ça là ? Pis ben rassurant, je te dis rien que ça… Faut que je t'explique.*

Après que Jaquelin pis moi on a cousu une paire de bottines pour notre fille Agnès, on a compris qu'on pourrait travailler ensemble, à trois mains. C'était mon idée à moi d'essayer ça. Pis ça a marché! Hier, à la messe, durant le prône, monsieur le curé a même faite l'annonce que Jaquelin allait reprendre le travail, pis tout le monde s'est retourné vers nous autres. Tu peux pas savoir comment ça m'a fait plaisir de voir autant de sourires, même si j'étais rouge comme une tomate. C'est ben gênant, autant de monde qui te fixe de même... Mais Jaquelin avait l'air tellement content! Pis depuis ce jour-là, juste à savoir qu'il peut travailler comme avant, mon mari s'est mis à parler comme un moulin. Je le reconnais pus. Pis il s'est mis à chanter, avec! Le croirais-tu? Si tu savais le plaisir que ça me fait. Tout ça pour te dire que les problèmes d'argent pis les idées noires ont des bonnes chances d'aller se promener ailleurs pour un méchant boutte. Ça fait trois semaines que la cordonnerie a recommencé à recevoir des clients, pis ça dérougit pas! Si j'en avais pas parlé avant, c'est juste que je savais pas trop si Jaquelin accepterait de travailler avec moi. Pis je savais pas non plus si ça marcherait. Mais là, on le sait, pis je trouvais que c'était une assez bonne nouvelle pour me donner la peine de t'écrire, d'autant plus que ça fait un petit moment qu'on a pas vu monsieur Touche-à-Tout, qui aurait pu t'en glisser un mot s'il avait su.

Avant de finir, j'aimerais ça te demander d'en parler à ton père, pour lui dire de pus s'inquiéter pour nous autres ni pour ses sous à chaque mois. Moi, je saurais pas trop comment dire ça sans que ça aye l'air bête, pis tu dois ben te douter que c'est pas Jaquelin qui va le faire. Il y a comme une petite rancune en lui par-devant son père qui s'est mis à nous envoyer des lettres pas trop gentilles depuis le printemps. Pour cette raison-là, ça serait ben fin de ta part de t'en charger à notre place. Pis dis-y aussi que c'est pas nécessaire de nous envoyer encore des lettres. Il y a pas de danger qu'on oublie ses cinquante cennes à chaque mois.

C'est ça que j'avais à t'écrire. La prochaine fois que j'vas t'envoyer une lettre, c'est comme rien que ça va être pour t'annoncer l'arrivée du bébé. À moins que monsieur Touchette soye revenu dans les parages pis qu'il s'en charge! Tu sais comment ça y fait ben gros plaisir de colporter les nouvelles!

Salue ben ton mari Émile de notre part. Jaquelin pis moi, on parle souvent de vous deux, pis on a ben hâte de vous revoir! On s'ennuie de vos petites visites!

À bientôt.

Ta belle-sœur, Marie-Thérèse »

Lauréanne avait reçu la lettre des mains du facteur, ce matin, tout juste après le déjeuner, et cela devait bien faire quatre fois qu'elle la lisait, toujours avec un même large sourire illuminant son visage.

— Tu parles d'une bonne nouvelle, murmura-t-elle en repliant les deux feuillets. C'est ben certain que j'vas en parler au père, voyons donc! J'ai même hâte d'y voir la face quand j'vas toute y raconter ça. La journée va me paraître longue!

En effet, Irénée Lafrance s'était absenté pour la journée. Parti avant même le déjeuner, il passerait la majeure partie de son temps à la maison de campagne de Napoléon Martineau, et il ne reviendrait qu'en fin d'après-midi ou peut-être même en soirée.

La résidence secondaire de son ami Napoléon était située au bord du fleuve, à Pointe-aux-Trembles, pas trop loin de la ville.

C'était un vrai mystère, aux yeux de Lauréanne, de voir que, malgré son mauvais caractère et sa manie de jurer pour un oui ou pour un non, son père arrivait régulièrement à se faire des amis, là où il passait. Elle s'en était même ouverte à son voisin, monsieur Touche-à-Tout, qui avait toujours une opinion bien arrêtée sur les événements et les gens. Comme de fait, la réponse du vendeur itinérant ne s'était pas laissée désirer longtemps.

— C'est ben simple, madame Fortin ! Si votre père a autant d'amis, c'est qu'on a toujours l'heure juste avec lui, avait alors déclaré Gédéon Touchette, au moment où Lauréanne, sourcils froncés, regardait son père s'éloigner sur la rue, en direction du petit casse-croûte qu'il fréquentait régulièrement pour boire un café avec des amis. Pas de fafinages, avec monsieur Irénée, ni de demi-vérités, avait ajouté son voisin. Ou c'est blanc ou c'est noir. Avec lui, c'est jamais gris. Mais ça a au moins l'avantage d'être clair. C'est ça qui plaît chez votre père, vous saurez ! Comme ses amis vivent pas à côté de lui tout le temps, son air bougon pis ses cris de colère que j'entends des fois jusque chez nous, ben eux autres, ils s'en fichent un peu.

Lauréanne avait salué son voisin sans répondre autrement que par un vague grognement d'approbation, accompagné d'un signe de tête poli.

— Merci ben, avait-elle finalement murmuré en refermant la porte de son logement, se disant qu'elle aurait pu y penser toute seule !

Lauréanne s'était alors dirigée vers la cuisine en se répétant qu'il était vrai que son père avait depuis longtemps pris l'habitude de garder ses principales sautes d'humeur pour ses enfants. C'était une donnée d'importance dans l'équation de sa mauvaise humeur. Il l'avait souvent dit : être sévère et exigeant faisait partie de ce qu'il considérait comme une bonne éducation. Lauréanne ne devrait surtout pas l'oublier. De toute façon, des mauvais caractères, il y en avait partout, et ça n'empêchait pas la Terre de tourner.

Sur cette constatation remplie de sagesse, Lauréanne était passée à autre chose sans plus de réflexion.

N'empêche qu'elle profitait sans vergogne de chacune des absences de son père pour chanter à tue-tête dans la maison, ce que lui détestait par-dessus tout depuis le décès de son épouse, survenu de nombreuses années auparavant.

Sauf aujourd'hui.

Bien que seule et malgré la joie ressentie pour son frère et sa belle-sœur, Lauréanne n'avait pas la tête à chanter. Elle l'avait surtout à tourner et retourner les mots de Marie-Thérèse pour trouver la manière appropriée de les servir à Irénée Lafrance, car avec son père, tout était possible, même dénicher du négatif là où il n'y en avait absolument pas! Il fallait donc qu'il voie la situation d'un bon œil, tout comme elle, et qu'il accepte de relâcher la bride pour que Jaquelin puisse enfin travailler et vivre tranquille, comme avant l'incendie!

— Après toute, lança Lauréanne comme si elle s'adressait à quelqu'un qu'elle devait convaincre, il y a aucune raison pour que le père soye pas content. Pour une fois, il devrait pas me chialer dessus pour une nouvelle qui vient de Sainte-Adèle-de-la-Merci. Pensez donc! La cordonnerie est rouverte. C'est en plein ce que le père voulait, non? Tant pis si c'est pas Jaquelin qui a eu l'idée, pis tant pis s'il travaille pas tuseul. L'important, c'est que la cordonnerie marche à nouveau... Comme nouvelle, ça a rien à voir avec le feu de l'an dernier, pis l'accident du printemps où Jaquelin a failli mourir quand il a décidé de faire de la drave... Pauvre Jaquelin! Il était temps que le vent se décide à souffler du bon bord pour lui. Surtout avec le bébé qui s'en vient... Le bébé... Saudit que j'ai hâte d'y voir la face, à cet enfant-là! Pis Émile avec, je pense ben. C'est sûr que le jour où on va apprendre la naissance du p'tit, ça prendra pas goût de tinette pour que mon mari soye prêt à aller faire son tour au village!

Quoi qu'il en soit, que la nouvelle du jour fût bonne ou pas, Lauréanne, elle, fut intensément soulagée d'entendre son mari arriver du travail avant le retour de son père. Avec Émile dans la maison, il lui serait plus facile de tout raconter, surtout si Irénée Lafrance était fatigué de sa journée et, par conséquent, de mauvaise humeur.

Dès qu'elle reconnut le pas lourd de son mari qui remontait le corridor, Lauréanne vint à sa rencontre en brandissant la lettre.

— Regarde, mon homme! Regarde ce que Marie-Thérèse m'a envoyé!

Émile leva les yeux vers l'enveloppe que Lauréanne secouait en souriant.

— Le bébé est arrivé? demanda-t-il, tout guilleret, tandis qu'ils entraient ensemble dans la cuisine.

— Non pas encore, mais rien empêche que c'est juste des ben belles affaires qui se passent chez mon frère. Lis, Émile, lis-moi cette lettre-là! Ça va te faire plaisir à toi avec, j'en suis pas mal sûre.

Le temps de trouver ses lunettes en demi-lune, puis Émile s'empara des deux feuilles que Lauréanne avait retirées de l'enveloppe.

La lecture ne prit qu'un instant.

— Nom d'une pipe! T'as raison, ma femme. C'est

juste du bon, tout ça, approuva Émile en hochant la tête.

Sur ce, le gros homme s'assena une grande claque de satisfaction sur la cuisse tout en esquissant un large sourire à son tour.

— Bateau d'un nom que c'est une bonne idée, ça là ! Travailler ensemble, c'est ce qui pouvait arriver de mieux pour eux autres. Le plus beau, là-dedans, c'est que ça a l'air de ben marcher ! Travailler à trois mains... C'est fou, j'y aurais pas pensé, mais je trouve que c'est une saprée bonne idée !

— Que tu dis ! J'suis tellement contente pour Jaquelin, si tu savais. As-tu lu la même affaire que moi ? Marie-Thérèse nous écrit que Jaquelin s'est mis à chanter. Tout un changement, ça là ! On dirait ben que mon frère est rendu comme moi, quand le père est pas là...

Il y avait tout plein de bonne humeur dans la voix de Lauréanne tandis qu'elle s'activait à mettre la table.

— Ça m'a faite tellement chaud au cœur de lire cette lettre-là, lança-t-elle par-dessus son épaule. J'espère juste, astheure, que le père va voir tout ça de la même manière que toi pis moi.

Ces derniers mots arrachèrent un regard d'incompréhension à Émile.

— Ben voyons donc ! Il a beau toujours chercher des poux là où il y en a pas, Irénée Lafrance est pas un cave. Lui avec, il va comprendre assez vite que ça pourrait pas aller mieux... Tu sais comme moi à quel point ça le choquait de savoir la cordonnerie toujours fermée, non?

— C'est vrai.

Lauréanne était revenue face à son mari à l'instant où il déclarait:

— Bon, tu vois! Astheure, grâce à Marie-Thérèse, c'est du passé, tout ça. Les jours de misère sont en arrière pour Jaquelin pis sa famille, pis c'est une bonne chose. Mais ça vaut pour ton père avec, lui qui passait son temps à s'énerver, quand le premier du mois arrivait, parce qu'il avait peur de pas recevoir son loyer. Bateau d'un nom! Comme s'il avait besoin de cet argent-là pour vivre à l'aise!

Il y avait une certaine amertume contenue dans ces derniers propos, qui semblaient un peu inusités dans la bouche d'Émile, de qui on disait, la plupart du temps, qu'il était une bonne pâte! Mais comme Irénée Lafrance était logé et nourri sans qu'il lui en coûte un sou et qu'il trouvait malgré tout matière à se plaindre, les mots échappés par Émile étaient tout à fait justifiés.

Pourtant, c'était lui qui avait proposé cet arrangement à l'amiable, lors de l'arrivée impromptue du vieil homme, qui, du jour au lendemain, en avait eu assez de son village, de sa cordonnerie et de son fils.

Et pas nécessairement dans cet ordre!

N'empêche que ça avait été sans préavis

d'aucune sorte qu'Irénée s'était présenté à la porte de sa fille et de son gendre, une lourde valise à la main.

— Le reste va suivre dans une couple de jours, avait-il annoncé sans préambule. C'est Touchette qui va s'en charger.

Et sur cette drôle de perspective qui commençait à poindre et qui avait aussitôt alarmé Lauréanne, Irénée avait laissé tomber sa valise sur le prélart du plancher de la cuisine. Le bruit sourd s'était répercuté dans la tête et dans le cœur de la jeune femme comme le bruit d'un marteau clouant un cercueil, le sien, tandis que son père poursuivait comme si de rien n'était.

— À partir d'aujourd'hui, Lauréanne, c'est à ton tour de t'occuper de moi, avait-il alors déclaré tout en faisant quelques pas de plus dans la pièce, sans même saluer son gendre. Je l'ai faite pour toi durant quasiment vingt-cinq ans, tu me dois ben ça.

Sur le coup, malgré l'indélicatesse de cette arrivée pour le moins intempestive, Émile Fortin n'avait rien eu à redire, puisque c'était la vérité. Effectivement, de ce que Lauréanne lui en avait raconté, la petite fille n'avait jamais manqué de rien, sinon peut-être d'un peu de tendresse, mais ça, on ne pouvait le reprocher à un homme qui avait élevé ses enfants pratiquement seul. Par moments, la tâche avait dû être colossale, avec la cordonnerie qui l'occupait de nombreuses heures chaque jour et deux gamins à satisfaire. Toutefois, si Émile avait connu le mauvais caractère de son beau-père, surtout en présence de ses enfants, il aurait peut-être émis certaines conditions. Mais que voulez-vous ? Ayant fort peu fréquenté Irénée Lafrance durant les premières années de son mariage avec Lauréanne, il ne se doutait de rien, le pauvre Émile ! Il avait donc ouvert tout grand sa porte à cet homme effronté, soit, mais qui était tout de même son beau-père.

— Vous êtes ici chez vous, le beau-père !

— J'en attendais pas moins de toi, le gendre !

Les habitudes s'étaient créées d'elles-mêmes, et avant même qu'Émile ait pu émettre un protêt quelconque, la routine s'était occupée de gérer le tout.

À partir de ce jour, le maître brasseur, par sa nature joviale, avait tenté de rendre la cohabitation la plus conviviale possible.

Cela durait maintenant depuis plus de dix ans.

— *Anyway*, poursuivit-il en redonnant la lettre à Lauréanne, astheure que c'est faite pis que la cordonnerie est rouverte, ton père aura pus de raison d'avoir peur pour son saudit loyer, pis il va peut-être arrêter de nous rabattre les oreilles avec ça. Ça serait toujours ça de gagné, ma femme ! Ouais… Arrête de t'en faire, Lauréanne, c'est ben certain que ça va faire plaisir à ton père d'apprendre que ton frère a recommencé à travailler.

— T'as probablement raison, mon mari. Je m'en fais encore pour rien, jugea Lauréanne en replaçant les papiers dans l'enveloppe qui retrouva aussitôt le fond de la poche de son tablier.

Irénée ne revint qu'à la tombée du jour. Encore installés à la table, Lauréanne et son mari étiraient avec délice ce repas pris en tête-à-tête, où il n'y avait eu ni cris ni remarques désobligeantes. Ils en étaient à une seconde portion de dessert quand la porte d'entrée s'ouvrit sur un pas lent.

Nul doute, Irénée était fatigué par sa journée.

Cependant, et fort curieusement, il semblait tout de même d'excellente humeur, ce que Lauréanne remarqua dès que son père s'imposa dans l'embrasure de la porte de la cuisine.

— Salut la compagnie! Dérange-toi pas pour moi, ma fille, on a mangé sur la route, Napoléon pis moi... Mais je prendrais ben un café de plus, par exemple.

Aussitôt demandé aussitôt servi, Lauréanne revenait déjà avec une tasse fumante, ayant décidé de profiter de cette belle humeur inattendue. Mais avant qu'elle ait pu ouvrir la bouche, Irénée s'asseyait lourdement à la table en s'exclamant:

— Tu parles d'une belle journée, toi! Ça faisait longtemps que j'avais pas vécu une belle journée de même, ma fille. C'est beau en sacrifice, là-bas. Faudrait vraiment que tu voyes ça, Lauréanne!

Par habitude, Irénée semblait ne s'adresser qu'à sa fille, comme si Émile n'avait guère plus de valeur qu'un vulgaire meuble. Curieux, comme attitude, puisque Irénée aimait bien son gendre et qu'il ne se gênait surtout pas pour le dire. Au besoin, il s'enorgueillissait même de la réussite professionnelle d'Émile, à titre de maître brasseur chez Molson, comme si lui-même y était pour quelque chose.

Ce soir, par contre, c'était sa fille Lauréanne qu'il voulait épater, car il avait une petite idée qui lui trottait derrière la tête depuis le début de l'après-midi.

— J'ai jamais vu un beau chalet de même, tu sauras! déclara-t-il avec emphase. Du bois verni sur les murs, une belle grande cuisine comme t'aimes, des grandes chambres, pis même un foyer dans le salon, comme chez les riches. Faut dire que Napoléon a des sous. Après toute, il a travaillé comme maçon pendant proche cinquante ans. C'est pas des farces, il y a ben la moitié de Viauville qui a poussé au boutte de sa truelle pis grâce à son mortier. C'est plein de maisons en pierres pis en briques, dans le coin, pis c'est toute Napoléon qui les a bâties, je crois ben!

Satisfait de l'image créée, Irénée éclata d'un rire tonitruant qui se termina, comme toujours, en une toux violente et grasse.

— Maudit docteur, aussi, observa-t-il, quand il eut repris son souffle. Il est pas capable de me donner un sirop qui a de l'allure! Veux-tu ben me dire c'est quoi qu'il a appris à son école de docteur? Ça fait des mois que je traîne cette maudite grippe-là… N'empêche que j'ai passé une sacrifice de belle journée.

Le temps d'une gorgée de café et Irénée repartait de plus belle.

— Savais-tu ça, ma fille, que j'étais jamais allé me promener sur l'eau? Pas une calvaire de fois durant toute ma vie. J'avais pas eu le temps, faut croire, avec toi pis ton frère à m'occuper, pis la cordonnerie à faire marcher… Ben là, c'est faite! Napoléon a une sorte de grosse chaloupe. Selon Napoléon, ça s'appelle une verchère, pis c'est là-dedans qu'on est allés sur l'eau du fleuve, lui pis moi… Ouais, ouais, regarde-moi pas avec ces yeux-là, Lauréanne: aussi vrai que j'suis là, assis devant toi, j'suis allé en bateau sur l'eau, pis j'ai ben aimé ça, tu sauras. Napoléon a même pêché une sorte de gros poisson, un doré, qu'il a appelé ça. Sa femme va y faire cuire demain, qu'il m'a dit, rapport que moi, le poisson, j'ai jamais aimé ça. Mais ça a l'air pas mal le fun de sortir une bête de même de l'eau, par exemple… Tout ça pour dire que j'ai passé une sacrifice de belle journée, répéta Irénée sur un ton d'extase, ce qui le rendait presque sympathique.

L'occasion était trop belle pour ne pas en profiter, et sur le même ton, Lauréanne enchaîna, avec autant d'entrain que son père:

— Ben icitte aussi, son père, vous saurez que

ça a été une journée plus que pas pire. M'en vas toute…

Malheureusement pour Lauréanne, ces quelques mots réveillèrent le naturel d'Irénée, qui lui revint sur-le-champ. Il jeta un regard moqueur autour de lui pour aussitôt contredire sa fille en l'interrompant cavalièrement.

— Comment veux-tu passer du bon temps icitte, ma pauvre enfant? demanda-t-il sur un ton de dérision. C'est juste un logement en ville! À part le ménage, le lavage, pis le manger, il y a pas grand-chose à faire de plus. Il est ennuyant sans bon sens, ton logement!

La déception de Lauréanne fut immédiate et si visible qu'elle ébranla Émile par le fait même. Il se redressa aussitôt sur sa chaise.

— Ben si c'est si plate que ça, comme vous dites, rétorqua-t-il vertement, pourquoi vous vous entêtez à rester avec nous autres, d'abord?

De dénigrer ce qu'Émile voyait comme une preuve de sa réussite, tout en affligeant sa Lauréanne au passage, avait été la goutte de méchanceté inutile qui avait fait déborder le vase de sa bonne volonté.

Pourtant, Émile Fortin ne se fâchait à peu près jamais.

Tolérant, bon prince et patient, il écoutait sans jamais riposter ou s'obstiner. À son avis, il valait mieux laisser passer l'orage sans dire un mot et attendre une éclaircie pour s'expliquer, si jamais le besoin s'en faisait toujours sentir, bien entendu.

— C'est toujours plus facile de s'entendre à tête reposée! argumentait-il lorsque sa femme, exaspérée par son père, lui demandait de temps en temps d'être un peu plus véhément dans ses ripostes. C'est pas moi, ça, ma pauvre Lauréanne, de crier pis de tempêter après le monde. Ça vaut à l'ouvrage, pis ça vaut chez nous aussi. J'ai pour mon dire que de jeter de l'huile sur le feu, ça l'aide pas ben ben à s'éteindre.

Toutefois, il arrivait que l'accumulation des indélicatesses de son beau-père et la somme de ses injustices envers un peu tout le monde le fassent sortir de ses gonds. Ces jours-là, quand la tolérance d'Émile atteignait des limites insoupçonnées, sa colère éclatait tout d'un coup, comme un orage d'été, sans préavis d'aucune sorte, et les mots employés disaient vraiment le fond de sa pensée avec une froideur capable de geler les plus arrogants.

Comme ce soir!

— Bateau d'un nom! Ça suffit, le beau-père! poursuivit-il alors sur un même ton excédé. Il y a toujours ben des saintes limites à ce qu'un homme peut endurer, pis j'en suis là. Avec vous, il y a toujours quelque chose qui fait pas, pis je commence à en avoir plein le casque. Ou ben la soupe est trop chaude, ou ben le ragoût est trop salé. Ou encore il fait trop chaud, pis le lendemain, vous avez trop frette ! Le plancher craque pis les fenêtres ferment mal. Le jaune des murs a l'air sale, pis la poulie de la corde à linge grince... C'est pas mêlant, on voit jamais le boutte de vos lamentations. Nom d'une pipe ! Si c'est si plate que ça, chez nous, allez-vous-en ! On vous a rien demandé, Lauréanne pis moi, c'est vous tuseul qui avez pris la décision de venir vous installer en ville, pis on a été ben bons de vous accueillir comme on l'a faite !

Irénée, décontenancé, avait écouté son gendre la bouche entrouverte et les yeux écarquillés. C'est qu'elles étaient rares, les colères d'Émile, et plutôt spectaculaires ! Sa voix était grave et elle grondait en ce moment comme un roulement de tonnerre, tandis que les bajoues du gros homme tremblaient d'indignation. Toutefois, quand ce dernier dut s'arrêter pour reprendre son souffle, Irénée décida que ça avait assez duré.

— Pogne pas le mors aux dents, le jeune, coupa-t-il d'une voix cinglante. Tu mélanges toute, toi là ! J'ai jamais dit que j'étais pas ben, chez vous, j'ai juste dit que c'était plate par bouttes. C'est pas pareil pantoute, pis tu peux toujours ben pas dire le contraire, maudit calvaire ! Une fois que t'as faite le tour des pièces, il reste pus grand-chose à faire à part écouter le radio... Mais je pense que j'ai trouvé la solution, pis une saprée bonne solution, à part de ça ! Tu vas voir, mon Émile, que j'suis pas juste un vieux malcommode, comme t'as l'air de le penser. Mon idée, elle va être bonne pour vos deux avec, Lauréanne pis toi. Même quand j'vas être mort, sacrifice, vous allez continuer d'en profiter !

Généreux de nature, Émile enterra aussitôt la hache de guerre. De toute façon, ses colères, bien qu'impressionnantes, ne duraient jamais, et celle de ce soir était déjà retombée. Comme il ne connaissait pas la rancune, non plus, il alla jusqu'à se montrer intéressé par ces quelques mots pour le moins mystérieux.

— Ben là, vous m'intriguez, le beau-père ! Une solution à notre logement, vous dites ? Je vois pas vraiment ce qu'il pourrait y avoir de mieux, parce que j'suis ben, moi icitte ! Un six et demie pour trois personnes, on peut pas dire qu'on est obligés de se marcher sur les pieds. Mais bon ! Si vous, vous pensez autrement, vous avez ben le droit… Pis ? C'est quoi cette solution-là ?

— Donne-moi deux menutes, mon garçon, le temps de rapailler mes idées, pis m'en vas toute vous expliquer ça…

Rassérénée de voir que la discorde entre son père et son mari n'avait été qu'un feu de paille, Lauréanne exprima son soulagement par une vive exclamation.

— C'est donc ben excitant, tout ça ! Pis, son père, c'est quoi ?

Visiblement, Lauréanne partageait la curiosité de son mari. À défaut de pouvoir parler de la lettre tout de suite, puisqu'elle jugeait qu'il valait mieux entendre ce que son père avait à dire auparavant, elle avait choisi de se montrer exagérément intéressée. Ça faisait toujours plaisir à Irénée d'avoir l'attention des gens autour de lui et, au bout du compte, ce serait elle, Lauréanne, qui y gagnerait au change. Tout à l'heure, quand Irénée aurait fini de parler et que la bonne humeur serait de retour pour de bon, elle ajouterait au plaisir de tout un chacun en parlant de la cordonnerie enfin rouverte.

Devant le regard curieux de Lauréanne, Irénée bomba le torse de fierté. Oui, son gendre et sa fille allaient voir qu'il n'était pas seulement un vieux fatigant. Bien au contraire, il s'apprêtait à leur faire plaisir. Un très grand plaisir!

Irénée prit une profonde inspiration, puis il promena les yeux de son gendre à sa fille, sur laquelle il s'arrêta finalement, toujours silencieux.

«Pourquoi s'entêter à voir juste Jaquelin comme seul héritier immédiat? se répéta-t-il mentalement pour la énième fois de la journée. De toute évidence, il a eu sa chance et il l'a laissée passer. Tant pis pour lui.»

Voilà à quoi avait mené une seule journée à la campagne: Irénée Lafrance, ici présent, sain de corps et d'esprit, allait modifier son testament.

Pourtant, en partant de la maison, l'idée ne lui aurait jamais effleuré l'esprit. Pour lui, l'héritage était une étape importante dans la vie, même si on n'y était plus. Dans son cas, la chose était réglée depuis longtemps et jusqu'à ce matin, Irénée n'avait jamais eu la moindre intention d'y changer ne serait-ce qu'une seule ligne. Pour quelle raison l'aurait-il fait? Même le notaire du village, consulté à l'époque, disait que la solution trouvée était d'une équité à toute épreuve.

— Personne ne pourra dire quoi que ce soit à propos de vos décisions, monsieur Lafrance!

Si le notaire le disait, c'est que ça devait être vrai, n'est-ce pas? Voilà pourquoi, depuis toutes ces années, Irénée Lafrance dormait du sommeil du juste toutes les nuits, se répétant parfois qu'au jour de sa mort, le souvenir que l'on garderait du cordonnier du village serait celui d'un bon travaillant et d'un père équitable.

À ses yeux, le souvenir qu'on laissait à la postérité était aussi important que l'héritage que les descendants recevaient.

Dans le même ordre d'idées, ça expliquait aussi pourquoi l'incendie de l'automne précédent avait causé autant d'émoi chez Irénée. En effet, l'événement avait bousculé passablement ses plans et, par le fait même, lui avait causé quelques maux de tête.

Trois saisons plus tard, malgré le feu et l'accident subi par Jaquelin, il admettait tout de même, sans oser le dire ouvertement, que son fils n'avait pas manqué à sa parole, puisque l'argent du loyer avait été payé rubis sur l'ongle, tous les mois. Aux yeux d'Irénée, c'était d'une importance capitale.

À sa façon, Jaquelin était un bon fils.

Toutefois, en arrivant au chalet de son ami Napoléon, Irénée avait vite admis que le calme champêtre lui manquait. Voilà donc pourquoi il était si taciturne, certains jours, et si ronchonneur, sans trop savoir d'où lui venait ce mal-être. En un mot, Irénée Lafrance venait de comprendre qu'il s'ennuyait de sa campagne !

Le temps d'une profonde inspiration tout en regardant autour de lui, et le vieil homme avait esquissé l'ombre d'un sourire qui s'était épanoui au cri d'un geai bleu. Avec son visage tout ridé offert à la caresse du soleil, Irénée avait constaté en son for intérieur qu'après tout, il avait passé la majeure partie de sa vie dans un village et de se retrouver en pleine campagne, sans le bruit de la ville, était pour lui comme une sorte de retour à ses sources.

À sa plus grande surprise, Irénée Lafrance devait admettre qu'il appréciait grandement la chose.

Durant de longues minutes, il s'était senti ému par tous ces souvenirs qui remontaient en vagues lentes, lui rappelant l'époque où il avait été heureux, sans compromis, en compagnie de son épouse. Ils habitaient alors dans une belle maison qu'il avait construite expressément pour elle et leur famille, tout en gardant un petit espace à peine suffisant pour satisfaire aux nécessités d'un travail qu'il aimait bien.

Oui, ce matin, face au fleuve, Irénée avait compris qu'il s'ennuyait de la campagne et cette prise de conscience avait été une sorte de révélation et une tentation difficile à repousser!

Qui l'eût cru? Irénée Lafrance aimait la campagne, et beaucoup! Voilà ce qui manquait à son équilibre. Bien sûr, il n'avait jamais été un homme jovial, mais tout de même, il n'avait jamais été aussi bougon que depuis ces dernières années. Du moins, le croyait-il.

De plus, il y avait au bord du Saint-Laurent, avec cet horizon que les flots portaient très loin devant, une sensation de liberté qu'il avait su apprécier tout au long de la journée.

«Et pourquoi pas?», s'était-il répété à plusieurs reprises, durant l'après-midi, alors que la chaloupe de son ami ballottait mollement au gré de la houle.

Ce fut ainsi, sur le chemin du retour, qu'il en était arrivé à la conclusion qu'à son âge, il n'avait pas de temps à perdre. S'il voulait se faire plaisir, c'était tout de suite qu'il devait le faire, ou alors il serait trop tard.

Puis, dans le cours de ses pensées, le nom de Lauréanne était brusquement apparu en lettres rouges. Aussitôt, Irénée y avait vu une belle justification à tout ce qu'il était en train d'élaborer.

Le vieil homme s'était dit que sa fille aussi méritait bien sa part, et sans devoir attendre qu'il lève les pattes.

La vague tentation était alors devenue projet.

Et tandis qu'Irénée se répétait ces mots, tout en calant une longue gorgée de café, Lauréanne, de son côté, eut le temps de penser que devant l'évidente bonne humeur de son père, apprendre que la cordonnerie était enfin rouverte serait la conclusion idéale à ce qui ressemblait à une fort belle journée pour lui. Au même instant, Irénée assena une petite claque sur la table, la faisant sursauter.

— Bon! Assez jonglé! Tu vas voir, Émile, que j'suis pas si déplaisant que j'en ai l'air, pis en même temps, ça va rejoindre ce que je viens de vous dire à propos du logement. Je le sais que c'est confortable icitte, pis je comprends pas que t'ayes pu croire que je pensais autrement. C'est toujours ben pas de ma faute si les planchers craquent, maudit sacrifice, pis je te ferais remarquer que j'en fais la critique juste quand ça me tombe sur les nerfs!

— C'est vrai.

— Bon, tu vois que j'ai pas tort tout le temps. N'empêche que je trouve que c'est un peu petit pour trois adultes, rapport qu'il y a pas de cour pour aller s'éventer quand la chicane pogne, pis par le fait même, ça manque un peu d'air. Tu peux pas dire le contraire, batince! On a même pas un carré de gazon pour s'assire dehors quand il fait beau, juste une galerie au gros soleil...

Sur cette constatation, Irénée poussa un gros soupir avant d'ajouter :

— Je comprends pas pourquoi vous m'en voulez tout le temps quand je fais juste dire la vérité… C'était pas juste une manière de me plaindre, t'à l'heure, quand j'ai dit que c'était plate par bouttes, chez vous. Loin de là ! C'était juste une manière de voir notre vie de tous les jours, sans méchanceté. Après toute, c'est notre réalité à nos trois, de vivre ensemble. Malgré ça, c'est une réalité que j'ai ben l'intention d'améliorer, par exemple.

— Ben voyons donc, vous ! Me semble que…

— Laisse-moi finir, maudit sacrament ! interrompit Irénée en donnant une seconde tape sur la table.

Puis, du bout d'un index jauni par le tabac, le vieil homme se tapota le front.

— Tu vas voir, le gendre, qu'il y en a, là-dedans, je te dis rien que ça !

— Oh ! J'en ai jamais douté.

— Ben tant mieux… Bon ! Astheure, v'là ce que j'ai pensé tout le long de l'après-midi pis du chemin en revenant du chalet de Napoléon… C'est pas tellement compliqué, vous allez voir ! En fait, ça se résume à une seule question : pourquoi on en aurait pas un, nous autres avec ?

— Un quoi ? Un chalet ?

Lauréanne avait les yeux grands comme des soucoupes, arrivant difficilement à suivre la logique des propos de son père.

— C'est-tu ça que vous voulez dire, son père?
Avoir un chalet?

— Ben oui, sacrament, un chalet! Fais pas
cette face-là, t'as l'air niaiseuse! De quoi tu veux
que je parle, Lauréanne? Depuis t'à l'heure que
je répète que c'était beau, en campagne, pis que
c'était un bâtiment plein d'agrément, pis que j'ai
ben aimé ça, le grand air pis toute ce qui va avec.
C'est ben certain que c'est d'un chalet que je
parle, pas d'une brouette, maudit sacrifice!

— Ben voyons donc, son père! Ça doit coûter
une vraie fortune, une maison en campagne!

— Pauvre Lauréanne! Toujours les grands
mots: une fortune, rien que ça! Voyons donc!
C'est sûr que ça doit pas être donné, j'suis pas
cave à ce point-là, pis je peux m'en douter un
peu. Mais c'est sûrement pas la mer à boire non
plus. On parle pas d'un château, icitte, on parle
d'une petite maison au bord de l'eau. Juste ça, ça
me suffirait. Une couple de chambres, une grande
cuisine, une belle galerie juste devant le fleuve…
Avec une chaloupe, comme de raison, pour qu'on
puisse aller se promener sur l'eau pis pêcher des
poissons… Pis? Que c'est vous en dites de mon
idée?

— J'sais pas trop quoi vous répondre…

L'enthousiasme de Lauréanne avait fondu
comme neige au soleil. Détournant la tête, elle
sembla consulter son mari du regard. L'idée était
séduisante, sans aucun doute. Qui n'aimerait pas

avoir un pied à terre au bord de l'eau? Surtout l'été quand il faisait une chaleur torride en ville. Mais en avaient-ils les moyens? Bien sûr, Émile gagnait bien sa vie et, sans être mise dans la confidence, Lauréanne se doutait bien qu'ils avaient de l'argent de côté. Alors quelle serait la contribution demandée, le cas échéant?

Émile comprit l'interrogation de son épouse sans la moindre difficulté. Avec Irénée dans la maison, c'était régulièrement qu'ils se consultaient ainsi du regard, sans prononcer une seule parole. De toute façon, en ce moment, Émile se posait justement la même question.

Le temps d'un regard intense entre Lauréanne et son mari, puis ce dernier tourna la tête vers Irénée, qui les examinait à tour de rôle, avec une certaine impatience dans le geste du doigt qui tapotait la table.

— Pis? On dirait que ça vous tente pas.

— C'est pas ça, son père, s'empressa de répondre Lauréanne, en ramenant aussitôt les yeux sur Irénée. C'est peut-être que ça nous paraît un peu gros, comme projet.

— Si c'est bon pour mon ami Napoléon, ça peut l'être pour moi aussi, tu sauras, ma fille. Lui, il a faite son argent dans le caillou, pis moi, je l'ai faite dans les bottines. Est où la différence?

— Ouais, mettons... Mettons que vous avez les moyens, je mettrai pas vos dires en doute. Mais ça, c'est bon pour vous, son père. Nous autres, on en est pas encore là, Émile pis moi. Du moins, je le pense. Pis mon mari aurait son mot à dire dans un projet comme celui-là, ça c'est certain. En fait, en quoi ça nous regarde, votre idée d'avoir un chalet?

— Tu le vois pas? Pourquoi faut toujours toute te dire, à toi? Ça vous regarde dans le sens que ce chalet-là, on va y aller ensemble, non?

— Ça se pourrait, oui.

— Comment ça, ça se pourrait? Maudit baptême, Lauréanne! J'cherche à vous faire plaisir, à toi pis Émile, pis c'est toute ce que t'as à me dire? Ça se pourrait...

— Choquez-vous pas, son père, j'ai jamais dit que ça me tentait pas! C'est sûr que j'aimerais ça, ben gros. Qui aimerait pas ça? Mais je le répète, ça me paraît un peu cher pour nos moyens, c'est toute.

— J'ai-tu parlé de vous faire payer quelque chose?

— Non mais...

Tout en essayant de se justifier, Lauréanne sollicita l'opinion de son mari. Elle le fixait avec insistance, tandis que son père continuait de s'emporter.

— Oh! Lâche-moi tes maudites peurs de toute, tes «oui mais», pis tes «peut-être»! Laisse-moi donc aller sans dire un seul mot de travers, pour une fois. Tu vas voir que ça te coûtera pas une cenne.

Jusqu'à maintenant, Émile s'était bien gardé d'intervenir. Il n'assistait pas à sa première altercation entre le père et la fille, et autant que faire se peut, il évitait de s'immiscer entre les deux. Toutefois, en ce moment, on ne parlait pas de quelques sous, on ne discutait pas de l'achat d'une casserole ou de la grosseur d'un rôti pour le souper, non, cette fois-ci, on parlait plutôt d'investissement. Comme dans ce domaine, c'était lui qui avait habituellement le dernier mot, et qui tenait les cordons de la bourse familiale, bien sûr, Émile se permit donc de glisser son grain de sel dans la conversation, d'autant plus qu'il semblait bien que Lauréanne ait espéré qu'il le fasse.

— Sans vouloir être indiscret, le beau-père, où c'est que vous allez prendre l'argent pour acheter une maison ? Même un petit chalet, faut quand même arriver à payer les traites à chaque mois, non ?

— Non ! Pas si on paye cash !

La solution proposée par Irénée engendra un moment d'hébétude.

Irénée Lafrance aurait autant d'argent ?

Émile fut le premier à retrouver ses esprits après avoir regardé furtivement Lauréanne.

— Ah bon ! Cash ? On rit pus ! Comme ça, vous auriez une fortune qu'on connaîtrait pas, Lauréanne pis moi ?

À son grand désarroi, Émile comprit trop tard

qu'il n'aurait jamais dû parler sur ce ton sarcastique. Irénée se tourna vivement vers lui.

— Une fortune! Batince, te v'là rendu comme ma fille... Une fortune, c'est un ben grand mot, tu penses pas, Émile? Pis c'est une réalité qui s'adresse pas nécessairement à moi. Mais j'ai du bien, par exemple, ça oui. J'ai quelque chose qui a une certaine valeur, mais malheureusement, c'est pas ben utile par les temps qui courent... J'ai donc décidé de mettre tout ça à profit pis de m'en servir pour acheter un chalet, qui va vous revenir un jour, à toi pis à ma fille. C'est ma manière à moi de vous dire merci pour toutes les années que je passe avec vous autres. J'suis quand même pas un ingrat, malgré toute ce que tu sembles penser de moi.

Au-delà de l'incertitude qui persistait quant au projet, Lauréanne fut tout de même sensible à ces derniers mots, combien rares dans la bouche d'Irénée Lafrance.

— C'est ben fin de votre part, son père, de penser de même, pis de vouloir nous remercier, Émile pis moi, fit-elle d'une voix émue. Je l'apprécie ben gros. Pis j'suis sûre que c'est pareil pour mon mari. Mais si vous étiez un petit peu plus clair dans vos propos, peut-être qu'on comprendrait un peu mieux ce qui va se passer, pis ça nous aiderait sûrement à se faire une opinion.

— C'est ben simple, ma fille... M'en vas vendre

une cordonnerie qui sert pus à personne, pis j'vas acheter un chalet à la place !

À ces mots, la réaction de Lauréanne fut instantanée. Les yeux écarquillés, elle fixa son père sans répliquer quoi que ce soit, l'esprit désespérément vide tout en étant visiblement contre l'idée. Elle était estomaquée.

Vendre la maison et par la même occasion se débarrasser de la cordonnerie de Sainte-Adèle-de-la-Merci ?

Quelle idée de fou !

Lauréanne était à ce point stupéfaite qu'elle en oublia la lettre reçue le matin même. Allons donc ! Son père ne pouvait pas parler sérieusement.

— Pis Jaquelin, lui ? réussit-elle enfin à demander d'une voix étranglée.

— Quoi Jaquelin ?

— Ben... La maison, c'est quand même un peu à lui, non ? C'est là qu'il demeure avec sa famille, en tout cas. Comment pouvez-vous imaginer que...

— J'imagine rien pantoute, trancha Irénée. D'abord, la maison est pas à ton frère, pis tu le sais. Pas pour astheure, du moins. C'est toujours à moi, c'est inscrit en toutes lettres sur les papiers du notaire, pis je peux ben en faire ce que je veux. C'est pas le fait d'y rester qui change quoi que ce soit pour ton frère. Ensuite, pour le métier, au cas où tu me le demanderais, Jaquelin a laissé passer sa chance, ma pauvre Lauréanne, pis calvaire, c'est pas faute de l'avoir aidé. Mais que c'est que tu veux? Ton frère est faite de même: il a pris les mauvaises décisions, au mauvais moment, sans même m'en parler, comme si ça me regardait pas. Ben qu'il vive avec les conséquences, astheure! Moi, j'ai rien à me reprocher là-dedans, rapport que j'ai rien eu à dire à propos de la situation. Pour le logement, par contre, Jaquelin va avoir sa part, crains pas. J'ai deux enfants, pis j'ai toujours pensé que ce que j'ai accumulé durant ma vie serait divisé en deux parts ben égales. Il y aura pas une cenne noire qui va aller plus d'un bord que de l'autre. Tu sais pas toute, ma petite fille, pis faudrait pas que tu sautes aux conclusions trop vite... Je... Pis calvaire, j'ai rien à justifier devant toi pour le moment. Tu verras tout ça dans le temps comme dans le temps!

Irénée fulminait à la seule pensée qu'on puisse lui prêter la moindre intention malveillante à l'égard de son fils. Ce n'était toujours bien pas de sa faute si Jaquelin était juste un écervelé!

Et ce n'était pas de sa faute, non plus, si le père et le fils n'arrivaient jamais à s'entendre.

N'empêche que Jaquelin était son garçon, malgré tout, et pour Irénée, ça faisait foi de tout.

Le vieil homme inspira bruyamment, tandis que devant lui, tant Émile que Lauréanne restaient sans voix.

— En attendant, poursuivit Irénée, j'suis pas sans-cœur, non plus. Je le sais ben, va, que mon gars est le père d'une grosse famille, pis qu'il a besoin d'avoir un toit sur la tête. Je le laisserai pas dans la rue, inquiète-toi pas. Mais d'un autre côté, pas question de laisser s'empoussiérer une cordonnerie qui sert pus à rien, par exemple, tandis que Sainte-Adèle-de-la-Merci aurait besoin d'un commerce comme celui-là. J'ai toujours ben pas passé toute ma vie à servir ma paroisse pour aboutir à ça, maudit sacrifice! Ça fait que j'vas vendre la maison pis la cordonnerie qui vient avec à quelqu'un qui connaît ça, pis qui va pouvoir en tirer parti. Me semble que…

— Pis si je vous disais que la cordonnerie est rouverte? lâcha Lauréanne avec précipitation, ressentant jusqu'au fond des entrailles l'urgence d'agir avant que la situation s'embourbe.

La question de Lauréanne, qui ressemblait bien plus à une suggestion, comme si pour elle tout était subitement réglé, tomba sur la cuisine comme un pavé tombe dans la mare, laissant des sillons et des remous.

Émile en retint son souffle tandis qu'Irénée en resta bouche bée.

Le vieil homme hocha la tête, de gauche à droite, le temps d'encaisser l'annonce, d'en voir les conséquences immédiates, avec un profond sentiment d'injustice, puis lentement, il tourna les yeux vers sa fille.

— Que c'est que tu viens de dire, toi là? J'ai-tu ben entendu?

— Oui, oui, son père… Je vous ai demandé si

ça changerait quelque chose à votre projet si la cordonnerie était rouverte ?

Irénée leva les yeux au plafond, dans une parfaite parodie de l'exaspération. Il n'avait pas envie de répondre à ce qu'il considérait comme étant une question inutile, la spécialité de Lauréanne selon lui, cela dit en passant.

Bien sûr que le fait que la cordonnerie soit en activité changeait quelque chose ! Comment voir la situation autrement ? Cela changeait même toutes les données de l'équation, et le beau projet de chalet qu'il échafaudait depuis le midi avait de fortes chances de finir en eau de boudin avant même d'avoir vu le jour.

Durant un court moment, Irénée ferma les yeux, déçu, terriblement déçu, et brusquement, il en voulut à son fils de toute l'immensité de cette déception.

Pourquoi fallait-il que Jaquelin soit toujours en travers de sa route ? Le pire, dans tout cela, c'était qu'il l'était depuis sa naissance, alors qu'il avait coûté la vie à sa mère.

À cette pensée, Irénée sentit son cœur se serrer douloureusement. Le temps de se ressaisir dans une longue inspiration, puis il revint à Lauréanne en exhalant bruyamment tout l'air qu'il venait d'inhaler.

— Maudit sacrament ! C'est quoi ça, encore ?

— C'est juste la vérité… La cordonnerie est rouverte. Je pensais que ça vous ferait plaisir.

— Ça aurait pu me faire plaisir, je dis pas le contraire, soupira l'homme à la tête grise.

Irénée semblait avoir beaucoup vieilli en quelques minutes à peine. Son regard s'était éteint et ses traits affaissés accusaient tout à coup une grande fatigue.

Ou une immense désillusion.

— C'est ben certain, reprit-il d'une voix lasse, que d'apprendre que la cordonnerie est ouverte, c'est pas pour me déplaire. Mais à soir, vois-tu, ça me fait un peu moins plaisir, rapport que j'avais trouvé une solution qui faisait l'affaire de tout le monde, pis que j'aurais pu...

— Ça, c'est vous qui le dites ! coupa Lauréanne, profitant de cette énergie inespérée qu'elle ressentait à défendre l'avenir de son frère. Pas sûre, moi, que votre idée aurait faite l'affaire de tout le monde, à commencer par Jaquelin. Mon frère aurait sûrement pas aimé ça voir la maison qu'il vient tout juste de reconstruire se faire mettre en vente vite de même.

— Ça, ma pauvre Lauréanne, c'est pas mon problème. Pis c'est pas le tien non plus... C'était juste normal que ton frère rebâtisse la maison que je lui avais confiée en bon état. Pis viens pas m'ostiner là-dessus, intima Irénée en pointant l'index vers sa fille en train d'ouvrir la bouche pour rétorquer quelque chose... Mais c'est pas de ça qu'on parle, pour astheure, pis... Mais attends donc menute, toi là !

Un vif éclat d'incompréhension redonna vie au regard d'Irénée.

— Ça marche pas ton affaire, ma pauvre fille. À moins que la main morte de Jaquelin soye tout à coup guérie, comme par miracle, ce qui serait ben surprenant, explique-moi donc comment il fait pour travailler?

— Ah ça!

Glissant la main dans la poche de son tablier, Lauréanne, toute souriante, en ressortit la lettre de Marie-Thérèse, qui commençait à être fripée, à force d'avoir été pliée et dépliée.

— Tenez, son père! Tout est écrit là-dedans. Vous allez vite comprendre comment ça va marcher.

— Parce qu'il y a une lettre, en plus? Pis je le savais pas, ben entendu. Encore une fois, maudit calvaire, je compte pour des peanuts, moi ici dedans! Comment ça se fait que t'as une lettre qui...

— Comment j'aurais pu vous en parler? interrompit précipitamment Lauréanne. La lettre est arrivée à matin pis vous étiez déjà parti.

— Ouais, on dit ça... Tu pourrais ben prétendre n'importe quoi, ma pauvre fille, que je pourrais pas vérifier. Envoye, donne-moi ça, cette lettre-là, que je me fasse une idée de la situation.

— Vous allez voir, le beau-père! intervint Émile en mettant le plus d'enthousiasme possible dans sa voix. Jaquelin pis Marie-Thérèse ont eu une bateau de bonne idée pour redémarrer la cordonnerie !

— Ça, c'est toi qui le dis, le gendre ! Moi j'en sais rien. Astheure, taisez-vous, je veux lire en paix.

La lecture d'Irénée sembla laborieuse. Quand il arriva à la signature de Marie-Thérèse, il resta immobile durant un bon moment, puis, lentement, il leva les yeux vers sa fille et ensuite vers son gendre. Il hocha la tête, sans dire un mot, puis il baissa les yeux pour lire la lettre une seconde fois, afin d'être bien certain d'avoir tout compris. Ensuite, il replia les deux feuillets et les déposa devant lui.

— C'est-tu moi, ou quoi ? murmura-t-il en secouant la tête dans un geste de découragement qui ressemblait aussi à du déni. Sacrament ! Il y a jamais personne qui voit les choses comme moi… À croire que le monde est aveugle !

Irénée se donna la peine de remettre la lettre dans son enveloppe, puis il la lissa consciencieusement. Pour l'instant, seule la réouverture de la cordonnerie captait son attention.

— Comme ça, ajouta-t-il en haussant la voix et en levant les yeux vers son gendre, toi, Émile, tu trouves que c'est une bonne idée que Marie-Thérèse a eue là ? Tu trouves que c'est intelligent de travailler à deux, mon gars pis elle ?

— Pas vous ? demanda alors Émile, avec une certaine prudence.

— J'haïs ça quand tu me réponds par une question, Émile, comme si t'avais pas ta propre opinion! Mais j'vas te donner le fond de ma pensée pareil... Non, je trouve pas que c'est une bonne idée. Pas pour l'instant, en tout cas. D'après ce que je peux lire, la paroisse au grand complet est revenue à la cordonnerie, pis ça, c'est une bonne nouvelle. Je dirai jamais le contraire. J'avoue même que j'en espérais pas autant. Mais en disant ça, ça veut aussi dire que ça fait ben des galoches à réparer.

— Ben c'est tant mieux, non?

— Non... Non, c'est pas tant mieux dans les circonstances actuelles parce que d'icitte à pas longtemps, Jaquelin va se retrouver tuseul pour travailler... Avec juste une main? Ça serait fou d'y penser, maudit calvaire! Essayez donc d'imaginer ça, durant une petite menute: le Jaquelin, tuseul dans sa cordonnerie, avec juste sa main gauche pour travailler... Maudit sacrifice! Comment ça se fait que vous avez pas pensé à Marie-Thérèse qui va avoir son p'tit dans quelques jours? Pis ça, c'est si c'est pas déjà faite, à l'heure où on se parle. C'est comme rien qu'elle sera pus capable de...

— Ben voyons donc, son père! Ils ont ben dû prévoir la chose, non? Ils ont ben dû trouver une sorte de solution en attendant.

— Tu penses? C'est drôle, mais j'ai rien vu de ça, moi, dans la lettre. Pas l'ombre d'une possibilité, maudit calvaire. Même entre les lignes, il y avait rien qui laissait supposer que tout était sous contrôle. Pis laisse-moi te dire que je sais de quoi je parle... Quand ton frère est venu au monde, j'en dormais pus, tellement il y avait de l'ouvrage. C'était trop pour un seul homme pis j'ai dû demander aux bonnes sœurs du couvent de venir m'aider.

— C'est vrai, je m'en rappelle, murmura Lauréanne en baissant les yeux, ramenée brusquement à une période de sa vie qui n'avait pas été des plus agréables.

— Bon tu vois ben! Pis moi, j'étais juste le père. J'avais pas à vivre mes relevailles comme une femme. Ça fait qu'imagine un peu ce que Marie-Thérèse va avoir à endurer durant les prochains mois. C'est clair qu'elle sera pas capable d'aider Jaquelin pendant au moins une couple de semaines. Pis quand je dis une couple de semaines, c'est sûrement plus que deux, calvaire! Ça fait que... Que c'est tu penses que ça veut dire, tout ça?

— Que la cordonnerie va devoir fermer ses portes pour un boutte?

— Maudit baptême de sacrifice! Comment ça se fait que j'suis toujours tuseul à réfléchir, icitte? C'est donc ben niaiseux, ce que tu viens de dire là, Lauréanne! Non, la cordonnerie peut pas ouvrir pis fermer comme une girouette! Surtout pas au mois d'août quand l'école est à veuille de recommencer, pis que le temps va se mettre à rafraîchir. Tout le monde va se réveiller en même temps, je te dis rien que ça, pis tout le monde va avoir des souliers à faire réparer. C'est de même toutes les années, tu devrais ben t'en rappeler, sacrament! Ça changera pas parce que Marie-Thérèse vient d'avoir un bébé. Ça fait que c'est moi qui vas être obligé d'aller aider Jaquelin. Qui d'autre? Au lieu de penser à aller me reposer en campagne comme je le mériterais, va falloir que je recommence à travailler... Baptême d'affaires, que j'suis donc tanné de tout ça! M'as m'en rappeler de ma journée au bord de l'eau, calvaire de calvaire! M'as donc m'en rappeler longtemps!

Fermé à toute discussion, Irénée Lafrance se retira dans sa chambre.

Dès le lendemain matin, il quitta le logement de la rue Adam très tôt, alors que son gendre n'était pas encore parti pour la brasserie.

— Voulez-vous que je fasse envoyer un télégramme, son père? Pour prévenir de votre visite?

— Ma visite? C'est pas pantoute une visite que j'vas faire, parce que si je pars à matin, je sais pas trop quand c'est que j'vas revenir... Dans mon livre à moi, ça s'appelle pas une visite, ça là, ça s'appelle un retour dans le passé! Fait que laisse donc faire le télégramme. Dépense pas pour ça, ma fille. J'ai besoin de personne pour me rendre au village, pis à l'autre boutte, ils me prendront ben quand j'vas arriver.

— Si c'est de même, intervint Émile, laissez-moi au moins vous payer un taxi jusqu'à la gare.

— Ça par contre, c'est pas de refus. Je rajeunis pas, pis c'est ben curieux à matin, je trouve que ma valise est un brin pesante.

Jamais Lauréanne n'avait vu son père aussi placide. Il parlait d'une voix égale, sur un ton résigné.

Émile était déjà sorti pour trouver une voiture libre.

Quand son mari revint devant la maison dans une auto noire toute rutilante, Lauréanne vit son père s'installer dans le taxi avec une certaine appréhension.

— C'est fou, murmura-t-elle à Émile qui venait de la rejoindre, c'est comme si, à matin, je venais de voir mon père pour la dernière fois.

Au coin de la rue, le taxi était en train de disparaître.

— Voyons donc, ma femme, prends pas ça de même.

Tout en parlant, Émile avait passé un bras rassurant autour des épaules de Lauréanne.

— C'est vrai que ton père avait l'air abattu, comme ça, mais inquiète-toi pas... C'est juste un peu de déception. Mets-toi à sa place, bateau d'un nom! Hier au soir, il se voyait déjà dans son chalet, pis l'instant d'après, il a compris que non seulement il y aurait pas de maison en campagne, mais qu'en plus, il devrait retourner travailler.

Pour un boutte, du moins. À son âge, j'ai dans l'idée que ça doit pas être facile à prendre, tout ça. Pas facile pantoute. Mais laisses-y le temps. Ça va finir par y passer, crains pas. Tu vas voir! Dans pas trop longtemps, il va nous revenir aussi malcommode qu'avant.

— Ben si c'est le cas, je me plaindrai pus jamais de son mauvais caractère. C'est vrai qu'il l'a pas eue facile, notre père. Pis c'est vrai, avec, que Jaquelin pis moi, on a jamais manqué de rien, grâce à lui.

— C'est tout à ton honneur de dire des affaires de même, ma belle Lauréanne, d'autant plus que tu parles d'un homme qui est pas particulièrement facile à vivre… Astheure, si tu me servais un bon café chaud avant que je parte pour la brasserie, avec du sucre pis du lait, comme d'habitude? Ça serait ben apprécié.

Un peu plus tard, Irénée grimpa dans le train en grimaçant. Il prit le premier siège qui donnait sur une fenêtre. À regarder le paysage défiler, il oublierait peut-être ce qui l'amenait, ce matin, à quitter Montréal pour son village.

Quand le fleuve apparut dans son champ de vision, Irénée détourna cependant la tête. Brusquement, il craignait de voir le chalet de son ami Napoléon apparaître au loin et il avait peur que cette apparition n'attise sa déception. Plus il s'éloignait de la gare Hochelaga et plus les mots de la lettre de Marie-Thérèse lui revenaient avec une précision déroutante, le laissant sidéré. Pourquoi son fils cultivait-il une certaine rancune envers lui? Allons donc! C'était insensé. Lui, Irénée Lafrance, n'avait-il pas suffisamment aidé son garçon jusqu'à maintenant? Lui offrir une maison et un métier honorable sur un plateau d'argent ne suffisait-il pas?

À cette pensée, les traits du visage d'Irénée se durcirent.

S'il demandait un loyer à Jaquelin, ce n'était pas pour être mesquin, c'était uniquement pour être juste et partager son bien équitablement entre ses deux enfants. Ils comprendraient le jour où ils liraient le testament. En attendant, comme il ne pouvait décemment renier son fils, Irénée se mit à en vouloir à Marie-Thérèse de ne pas avoir eu le courage de lui écrire, puisqu'à première vue, il semblait bien que c'était elle qui décidait de tout dans la famille de Jaquelin. Pour cette raison, au lieu de s'en remettre à Lauréanne qui n'avait rien à voir dans leur situation présente, sa belle-fille aurait dû servir d'intermédiaire entre Jaquelin et lui, plutôt que de manigancer dans son dos.

Voilà ce que Marie-Thérèse aurait dû faire et elle aurait dû, aussi, avoir l'idée de lui demander de l'aide, le temps qu'elle se remette de son accouchement. Elle devait bien se douter qu'ils auraient besoin de ses services, non? De toute façon, qu'il accepte ou qu'il refuse, ça n'aurait été qu'une marque de politesse envers lui.

Le temps d'un long soupir d'incompréhension et de tristesse, le cœur dans un étau d'amertume intense, puis Irénée appuya le front contre la vitre.

Ce matin, pour la première fois de sa vie, Irénée Lafrance se sentait vidé de toute énergie. Même au décès de sa femme, il n'avait pas ressenti une si grande fatigue, une sorte de désintérêt de tout ce qui avait pu être sa vie. Mais à l'époque, avait-il eu le choix ? Deux jeunes enfants, dont un nouveau-né, et un commerce en pleine expansion avaient eu raison de la moindre envie de se laisser aller. Irénée avait alors serré les dents sur sa tristesse qui était immense, ne gardant que la révolte en lui, cette espèce de rage envers la vie, envers ce quotidien qui pouvait être si beau parfois, mais aussi tellement difficile et injuste à d'autres moments.

C'était cette même colère qui l'avait aidé à traverser son existence jusqu'à maintenant, et il pria le Ciel pour qu'elle puisse l'aider à accepter son sort pour un petit bout de temps encore.

La gare de Sainte-Anne-de-la-Pérade lui sembla plus petite et plus sale qu'à l'accoutumée. Mais comment la chose aurait-elle pu lui paraître autrement ? Tout, ce matin, était plus gris que d'habitude.

Irénée lorgna d'abord un taxi tout en soupirant, avant de se tourner, par souci d'économie, vers une calèche avec cocher pour faire la route menant à Sainte-Adèle-de-la-Merci.

L'horizon était lourd de nuages grisâtres, et l'air, chargé d'humidité. Irénée leva la tête pour renifler la brise venue du fleuve. Nul doute, l'orage ne devrait plus tarder. Le vieil homme souhaita simplement que la pluie attende son arrivée à la maison pour se mettre à tomber. Il n'avait surtout pas envie de se présenter à la porte de son fils complètement détrempé. Mais autrement, il aimait bien les orages.

CHAPITRE 3

*À Sainte-Adèle-de-la-Merci, derrière
la maison d'Anselme Gagnon*

———◆———

Le samedi 4 août 1923, aux côtés du jeune Cyrille

À cette heure-ci de la journée, Cyrille aurait dû être en train de préparer son baluchon afin de retourner chez lui, comme tous les samedis depuis la fin du mois de juin. Il l'aurait sûrement fait en sifflotant, d'ailleurs, parce qu'il était toujours heureux de revoir sa famille. Au lieu de quoi, en ce moment, caché derrière la grange de son oncle Anselme, il tapait avec le pied dans une botte de foin, amèrement déçu.

En effet, arrivé au pas de course, son frère Benjamin lui avait annoncé que pour une fois, il n'allait pas pouvoir retourner à la maison.

— C'est le branle-bas de combat, chez nous, avait-il expliqué à Cyrille, tout essoufflé, en même temps qu'il s'adressait à la famille de son oncle

Anselme, car à cette heure plutôt matinale, tout le monde était attablé pour le déjeuner. C'est popa qui m'a demandé de venir te prévenir.

Cyrille avait fixé son jeune frère avec une lueur de surprise au fond des yeux, avant de demander :

— Popa ? Je comprends pas. Que c'est qui se passe à la maison pour que...

— C'est notre grand-père, avait interrompu Benjamin.

À ces mots, Cyrille avait froncé les sourcils sur un regard de plus en plus interrogateur.

— Notre grand-père ? Je comprends encore moins ! Pourquoi je pourrais pas retourner chez nous à cause de grand-popa Victor ? Je...

— Ben non, Cyrille ! Je parle pas de grand-popa Victor, voyons donc ! C'est l'autre ! C'est grand-père Lafrance qui est arrivé chez nous comme un cheveu sur la soupe, hier midi, juste comme on allait passer à table.

— Le père de popa ? Veux-tu ben me dire ce qu'il fait chez nous... On le voit jamais ou presque.

— Je sais ben. N'empêche que le père de popa est chez nous, comme moi j'suis là, drette devant toi. J'suis pas sûr, par exemple, que ça a faite plaisir aux parents de le voir retontir comme ça dans notre cuisine. T'aurais dû leur voir la face, toi ! Moman surtout. Elle avait sa bouche fâchée, toute pincée, pis ses yeux brillaient de colère...

Anselme aussi avait froncé les sourcils.

Connaissant Irénée Lafrance de réputation et pour l'avoir fréquenté à l'occasion, le temps de lui faire effectuer une réparation, le frère de Marie-Thérèse avait aussitôt abondé dans le sens de Benjamin, et lui non plus, il n'était pas du tout certain que la présence de l'ancien cordonnier soit la bienvenue sous le toit de son beau-frère. On avait beau garder chacun pour soi les détails entourant sa vie privée, il y avait certaines humeurs plus difficiles à cacher que d'autres et Anselme se doutait bien que l'atmosphère n'était pas toujours au beau fixe entre le père Lafrance et son fils. Il avait donc prêté une attention toute particulière aux propos de son neveu Benjamin.

— ...Non, je te dis rien que ça, Cyrille : moman avait pas l'air contente pantoute de voir notre grand-père Lafrance sur le bord de la porte avec une espèce de grosse valise toute cabossée à côté de lui. Elle lui a même pas dit bonjour. Je le sais, parce qu'on était toutes là, quand notre grand-père est arrivé...

Tandis que Benjamin expliquait laborieusement la situation, d'une voix précipitée parce qu'il craignait d'oublier quelque chose, Anselme s'était levé, les pattes de sa chaise grinçant sur le prélart usé. Ensuite, sans quitter Benjamin des yeux, il s'était penché et il avait appuyé ses deux gros poings de fermier sur la table devant lui. Quand le jeune garçon s'était arrêté de parler un instant, le temps de reprendre son souffle, Anselme en avait profité pour intervenir.

— Pis, le jeune… Dis-moi donc ce qu'il faisait chez vous, le grand-père Lafrance ?

Benjamin avait vivement tourné la tête vers son oncle Anselme. Intimidé par cet homme que Cyrille avait décrit comme étant un blagueur de première, encore plus que son parrain Émile qui venait leur rendre visite parfois, le jeune Lafrance tenait sa casquette entre ses mains et il la tripotait nerveusement.

— Ça m'a tout l'air qu'il voudrait aider notre père à la cordonnerie, avait-il alors expliqué.

— Ah bon ! Aider à la cordonnerie ? Coudonc, c'est la première nouvelle que j'ai du fait que Jaquelin avait besoin d'aide… Me semble que si ça avait été le cas, il m'en aurait parlé.

— J'suis d'accord avec vous, mononcle. À nous autres non plus, notre père a jamais parlé de ça, avait répondu Benjamin, le regard songeur, parce qu'il fouillait à toute allure dans ses souvenirs.

Puis, au bout d'un court silence, il avait ajouté, sur un ton catégorique :

— Non, mon père a jamais dit qu'il avait besoin d'aide. Au contraire ! Il disait que ça allait vraiment pas pire à la cordonnerie, pis que c'était plein d'agrément de travailler avec notre mère. Il nous a même assuré que le commerce roulait aussi ben qu'avant le feu. Ça doit vouloir dire que tout est correct, non ? Pis en plus, mes parents avaient un grand sourire quand popa a dit ça. C'était clair qu'ils étaient fiers d'eux autres. Laissez-moi vous dire, mononcle, que pour nous, les enfants, quand nos parents sourient de même, c'est en masse pour penser que toute va sur des roulettes...

En présence de son aîné, Benjamin avait cependant ressenti le besoin de prendre son grand frère à témoin :

— Tu le sais, toi avec, hein Cyrille, que voir les parents sourire en même temps, ça veut dire que toute va ben ?

— T'as raison, Benjamin.

— Me semblait aussi.

Rassuré, Benjamin était donc revenu à son oncle, qui, malgré sa réputation de joyeux luron, avait l'air plutôt sévère, ce matin.

— Mais grand-père Lafrance, lui, avait donc ajouté le jeune garçon, je pense pas pantoute qu'il voit ça de la même manière.

— Ah bon...

Les propos de Benjamin avaient rapidement fait leur bout de chemin dans l'esprit d'Anselme, qui secouait la tête dans un geste d'incompréhension.

— C'est pas clair, ton histoire, Benjamin... Il voit ça comment, d'abord, ton grand-père Lafrance ? Me semble que savoir que la cordonnerie est rouverte, ça devrait suffire à le satisfaire. Tu penses pas, toi ?

— Je le sais pas trop, je fais juste dire ce qui me

trotte dans la tête, rapport à ce que j'ai entendu, parce que personne m'a vraiment expliqué ce qui se passait. M'est avis que les adultes étaient pas mal trop occupés entre eux trois pour s'apercevoir que nous autres, les enfants, on était là à essayer de comprendre… Ce que je sais, par exemple, c'est qu'après le dîner, hier, ma mère est revenue de la cordonnerie en beau fusil. Elle a malmené ses casseroles en faisant ben du bruit, pis en marmonnant je sais pas trop quoi. Après une couple de menutes à chicaner tuseule à voix basse, elle a lancé son torchon dans l'évier, pis elle est partie en claquant la porte… C'était ben la première fois que je voyais ma mère choquée à ce point-là. Je pense qu'elle est allée chez matante Félicité… Ouais, ça doit être ça, parce que plus tard, dans l'après-midi, quand elle est revenue, moman avait l'air pas mal plus calme.

— Heureux d'entendre ça…

Aux derniers mots de Benjamin, Anselme s'était redressé et il avait semblé consulter sa femme du regard. Puis, il était revenu à son neveu.

— Faut faire confiance, mon garçon, avait-il conseillé. Pis j'suis sûr que ta tante Géraldine dirait la même chose que moi. Des fois, le monde a l'air en chicane, comme ça, mais dans le fond, c'est juste des malentendus. Ça va finir par s'arranger.

Anselme avait mis toute la conviction possible dans sa voix afin de rassurer ses deux neveux.

Peine perdue du côté de Benjamin, toutefois, car il semblait tenir mordicus à sa vision des choses.

— Ça, c'est vous qui le dites, mononcle! Moi, j'suis loin d'être sûr que ça va s'arranger aussi vite que vous le pensez.

Devant tout ce que Benjamin venait de raconter, devant surtout la réponse qu'il venait de faire à leur oncle, Cyrille en avait oublié le but premier de cette visite, à savoir qu'il ne pouvait retourner chez lui comme d'habitude. Comme ces propos inquiétants le rejoignaient intimement et le préoccupaient, il s'était permis d'interrompre la conversation.

— Pis? avait-il donc demandé précipitamment. Tu m'inquiètes, Benjamin. Comment la journée d'hier s'est achevée, finalement?

— À mon avis, il est surtout là, le problème, Cyrille : la journée s'est ben mal finie, tu sauras. Ben ben mal…

Durant un court moment, Benjamin avait semblé réfléchir. Puis, levant la tête, il avait planté son regard dans celui de son frère, comme si brusquement, ils se retrouvaient seuls dans la pièce.

— Tu vois, Cyrille, si on parlait juste de la cordonnerie, je pense que je dirais un peu comme mononcle parce que c'est ben évident que moman va être obligée d'arrêter de travailler pour un petit boutte, à cause du bébé qui est supposé d'arriver ces jours-ci. Toi pis moi, on le sait, pis on en a parlé ensemble la dernière fois que t'es venu à la maison. Même les parents en ont jasé devant nous autres, l'autre soir. Ils cherchaient une solution de remplacement temporaire, comme disait popa. Ça fait que le grand-père Lafrance, même si personne semblait content de le voir, ben, il aurait pu donner un coup de main, rapport qu'il connaît ça, les bottines, lui avec. C'est ça que je me suis dit, en tout cas, quand je l'ai vu rentrer chez nous. Même que pendant quelques menutes, j'ai pensé que c'était lui la solution de remplacement temporaire que popa avait trouvée pis que, sans nous en parler, il avait envoyé une lettre à son père dans ce sens-là. Apparence que c'était pas le cas, pis j'ai vite changé d'avis quand j'ai vu que moman avait vraiment pas l'air contente, que popa avait l'air surpris, pis que finalement, grand-père non plus avait pas l'air heureux d'être chez nous.

Durant ce long monologue, Cyrille avait regardé successivement son frère et son oncle, se disant qu'il aurait bien aimé être l'aide dont ses parents avaient besoin. Pourquoi son père n'avait-il pas songé à lui? Si à treize ans, il était assez vieux pour seconder l'oncle Anselme dans ses durs travaux de la ferme, il aurait sûrement pu donner un bon coup de main à la cordonnerie.

Et peut-être bien, au bout du compte, qu'il n'aurait pas été obligé de partir pour le collège, une perspective qui approchait maintenant à grands pas et qui commençait à l'angoisser au point de faire fuir le sommeil.

À des lieues des inquiétudes de Cyrille, l'oncle Anselme, pour sa part, était resté concentré sur les paroles de Benjamin.

— Pourquoi tu dis ça, mon gars ?

— Que je dis quoi ?

— Que ton grand-père Lafrance serait pas la solution du moment. Pourtant, à mon avis, pis à la lumière de ce que tu viens de nous dire, Irénée serait un accommodement ben valable, exactement comme celui que ton père cherchait… Moi, vois-tu, mon Benjamin, je dirais au contraire que c'est juste une bonne affaire que ton grand-père soye chez vous, par les temps qui courent. Sa présence peut pas nuire, en tout cas. S'il y en a un qui peut aider ton père, c'est ben lui, le temps que ta mère se remette de la naissance du bébé.

— Pas sûr, moi.

— Ben là, va falloir que tu m'expliques, mon garçon, parce que j'ai pas mal de misère à te suivre. Après toute, le métier de cordonnier, c'est toujours ben ton grand-père qui l'a appris à ton père, non ?

— Je sais toute ça… Mais on dirait que ça compte pus… C'est pas compliqué à comprendre, vous allez voir ! Hier, juste après le dîner, quand popa, moman, pis grand-père Lafrance se sont toutes retrouvés dans la cordonnerie, pendant qu'Agnès pis moi on faisait la vaisselle ensemble, grand-père s'est mis à crier. On entendait pas vraiment ce qu'il disait, mais c'était ben clair qu'il était pas content, pis que c'était après mon père pis ma mère qu'il en avait, parce qu'eux autres avec, ça a pas été tellement long qu'ils se sont mis à parler fort. Plus moman que popa, par exemple. C'est pas mêlant, on l'entendait jusque dans la cuisine ! Pas de doute, à ce moment-là, il y a pas personne qui avait l'air content dans la cordonnerie. C'est pour ça, mononcle, que je dis que je pense pas que ça soye une bonne solution, la visite de grand-père. Pis pour personne à part de ça. En plus, cette chicane-là s'est passée juste avant que moman vienne nous rejoindre dans la cuisine, quand j'ai dit qu'elle était en beau joual vert... Oups, excusez-moi. J'suis pas vraiment poli, moi là.

— Laisse faire la politesse, mon garçon. Je peux comprendre facilement que tu soyes un peu énervé par tout ça...

Par ces mots, la tante Géraldine venait de s'immiscer dans la conversation.

— Pis comment elle va, à matin, ta mère ? Pas trop fatiguée, j'espère...

— Ma mère ? Je le sais pas trop... C'est drôle, mais vous me faites penser qu'on l'a pas vue, au déjeuner d'à matin. C'est rare ça !

En entendant ces quelques mots, Géraldine avait fixé son mari avec inquiétude. Puis, elle s'était levée dans l'instant.

114

— Vous allez m'excuser, tout le monde, mais je viens de me rappeler que j'ai des tas de commissions à faire au village. On se revoit un autre tantôt, mon Benjamin. Pis toi, Judith, tu feras la vaisselle pour moi.

L'instant d'après, la porte se refermait sur une Géraldine subitement fort pressée. Par la fenêtre, on avait pu la voir s'éloigner de la maison d'un pas rapide. Devant l'absence de sa belle-sœur au premier repas de la journée, Géraldine avait aisément deviné ce qui était en train de se passer chez les Lafrance et elle avait jugé qu'il serait trop long d'atteler le cheval pour se rendre au village. Après tout, on parlait de la naissance d'un septième bébé, ici. Le travail ne devrait pas traîner en longueur.

Par contre, si par hasard Géraldine se trompait et que Marie-Thérèse n'était pas en douleurs, comme elle l'anticipait, elle pourrait tout de même en profiter pour prendre le pouls de la maisonnée chez les Lafrance.

Et donner un petit coup de main en cas de besoin.

— C'est ben beau tout ça, Benjamin, avait alors déclaré Cyrille fort peu préoccupé par le départ précipité de sa tante, mais toute ce que tu viens de nous raconter là, ça m'explique pas pourquoi je peux pas retourner chez nous comme d'habitude.

— Ça s'en vient, avait lancé Benjamin, après avoir pris une longue inspiration.

— Pauvre Benjamin! Si t'es pour continuer à jaser de même pour un boutte, prends donc le temps de t'asseoir, mon garçon, avait alors suggéré l'oncle Anselme, qui se sentait un peu dépassé par tout ce qu'il venait d'apprendre. M'en vas te donner un bon verre d'eau pis tu continueras ton histoire après. Moi, pendant ce temps-là, j'vas boire une tasse d'eau chaude avant de partir pour le champ de blé d'Inde. C'est fou, mais j'ai comme une boule dans l'estomac.

Benjamin s'était alors tiré une chaise et il avait déposé sa casquette sur la table, tout en précisant :

— C'est ben beau dire que le père de notre père peut aider à la cordonnerie, pis accepter que pour un boutte, ça va se passer comme ça chez nous, même si c'est pas l'idéal, il reste que s'il veut passer un bout de temps à la maison, faut toujours ben qu'il couche en quelque part, notre grand-père !

— C'est plus qu'évident, ça là !

— C'est ce que je pense, moi avec. Ouais... Finalement, c'est grand-père Lafrance qui a toute décidé comment ça allait marcher ! En fait, à le voir aller, je dirais que notre grand-père Lafrance, c'est quelqu'un qui décide à peu près toute, pis qu'il s'en balance un peu de ce que notre père ou notre mère peuvent penser. C'est pas mêlant, même le pâté à la viande d'hier soir a pas faite son bonheur. Après deux bouchées, il a dit à moman que c'était trop lourd pour un souper pis de pus en faire pendant qu'il va être chez nous. Vous auriez dû voir ma mère, vous, quand il a dit ça. Elle a viré aussi rouge que les tomates du jardin, sans dire un mot… Toujours est-il que grand-père Lafrance a réclamé la chambre des parents en disant qu'il était trop vieux pour monter l'escalier pis qu'à son âge, il avait pas d'affaire à partager son lit avec personne. Laissez-moi vous dire que de la manière qu'il a annoncé ça, il y a pas personne qui l'a ostiné… Il y a juste moman qui a poussé un grand soupir, comme pour montrer qu'elle était pas d'accord pantoute. Mais ça s'est arrêté là… Ça fait que popa est rendu dans notre chambre. Il couche avec moi, à ta place, Cyrille, dans le grand lit, pendant que Conrad pis Ignace vont garder leur lit à deux étages, rapport qu'ils grouillent trop en dormant. Moman couche avec Agnès dans la chambre des filles, pis la petite Angèle s'est ramassée à terre sur une paillasse. Tu vois, Cyrille, c'est pour ça que tu peux pas venir à la maison, il y a pus de place pour toi!

Cette phrase maladroite avait peiné Cyrille, encore plus que le fait que son père n'ait pas pensé à lui pour le seconder à la cordonnerie, du moins pour le temps où sa mère aurait à s'occuper du bébé. Avec une cruelle lucidité, Cyrille venait de comprendre que faute de place à la maison, les portes du collège de Trois-Rivières étaient en train de s'ouvrir toutes grandes pour l'accueillir avant de se refermer sur lui. Hermétiquement.

Sur un simple marmonnement qui laissait supposer qu'il comprenait, ou qu'il s'excusait, Cyrille s'était retiré de table et il était venu se réfugier derrière la grange, le temps de se calmer. Le temps de laisser sa tristesse et sa frustration s'atténuer.

Voilà pourquoi, à grands coups de pied, il tapait présentement dans une meule de foin, de grosses larmes inondant ses joues.

Plus les coups étaient violents et plus les larmes coulaient abondamment. À l'abri des regards indiscrets, Cyrille ne se souciait guère de passer pour un bébé, incapable de contrôler ses émotions, alors, il laissait sa colère et son chagrin s'exprimer comme bon leur semblait, à travers ses pleurs, quand soudain :

— Cyrille ? Je peux venir ?

Dans un premier temps, le jeune garçon n'entendit pas la voix claire, mais retenue de sa cousine Judith. Tapant de plus belle sur la meule de foin, il commençait à s'essouffler.

— Cyrille ?

Cette fois-ci, l'interpellation lancée d'une bonne voix le rejoignit sans équivoque. Cyrille en retint son souffle, arrêtant brusquement son manège. Gêné d'avoir été ainsi surpris en pleine crise de désespoir, il eut le réflexe de passer son avant-bras sur son visage pour tenter d'effacer les stigmates de ses larmes et de sa rage. Puis, tournant à peine la tête, il demanda :

— Que c'est que tu fais là, Judith ? T'étais pas supposée faire la vaisselle, toi ?

— La vaisselle, ça peut attendre, rétorqua la jeune fille sans la moindre hésitation. Mon cousin qui pleure, c'est pas mal plus important que des assiettes sales.

Il y eut un bref silence interrompu par un long reniflement, ce qui incita Judith à poursuivre :

— Savoir que t'as de la peine, j'aime pas ça, réitéra-t-elle, d'une voix à la fois très douce, mais catégorique... Je peux t'aider ?

— Il y a pas personne qui peut m'aider, ma pauvre Judith, soupira Cyrille, tout en continuant de renifler bien malgré lui.

— C'est pas vrai, ça. Du moins, je pense pas, parce que maman nous a toujours dit que partager sa peine, même si ça règle rien, ça nous aide à voir plus clair, pis ça allège le cœur.

— Peut-être que t'as raison, admit Cyrille d'une voix hésitante.

— Bon, tu vois ! Fait que : veux-tu parler ? Je peux même écouter sans te regarder, si t'aimes mieux ça, des fois que tu serais gêné.

Ce dernier mot agaça Cyrille, parce qu'il était criant de vérité. Après tout, il était presque un homme. Peut-être bien qu'il n'aurait pas dû pleurer comme il venait de le faire, Judith avait raison.

— Je me demande ben pourquoi je serais gêné, répliqua-t-il néanmoins, tentant de prendre sa voix la plus grave pour le faire, question de reprendre le contrôle d'une conversation qui risquait de s'envenimer, du moins à ses yeux. C'est pas de tes...

— C'est juste parce que t'es un gars, si j'ai dit ça, interrompit précipitamment Judith, espérant, de tout son cœur, ne pas avoir blessé Cyrille. T'as ben dû déjà entendre ça, non, que les gars ont pas le droit de pleurer ?

— Ouais, chuchota alors Cyrille qui sentit sa gorge se serrer encore une fois, mais pour l'instant, il n'y avait plus aucune colère en lui.

— Ben pas chez nous, tu sauras, expliqua Judith. Là, c'est mon père qui dit toujours qu'un homme aussi a le droit de pleurer quand il a de la peine.

— C'est vrai que des fois, c'est comme plus fort que nous autres, constata alors Cyrille dans un murmure, curieusement réconforté par les derniers mots de sa cousine.

Si l'oncle Anselme qu'il voyait plus grand que nature affirmait qu'un homme aussi avait le droit de pleurer, Cyrille se dit qu'il n'avait plus aucune raison de se préoccuper de l'image qu'il pouvait présentement offrir. Sur ce, il redressa sensiblement les épaules.

Puis, d'une voix plus forte, il ajouta :

— Des fois, on dirait que les larmes se mettent à couler tuseules, pis qu'on est pas capable de les retenir.

— C'est vrai, ça. Moi avec, ça m'arrive, tu sais.

À ces mots, Cyrille se tourna un peu plus directement vers Judith, oubliant en partie ce qui l'avait amené derrière la grange.

— Parce que tu pleures, toi, des fois ? demanda-t-il, l'air franchement surpris.

— Ben oui, comme tout le monde.

— Voyons donc… Tu vois, j'aurais pas cru. Me semble que vous êtes toujours de bonne humeur, chez vous.

— Chez nous peut-être, mais je passe pas ma vie enfermée dans la maison. J'vas à l'école pis j'ai des amies… Imagine-toi pas, Cyrille, que toute va toujours pour le mieux dans ma vie.

Cyrille souleva une épaule en esquissant un vague sourire d'approbation.

— C'est vrai qu'à l'école, des fois, le monde est pas trop gentil… J'ai déjà connu ça. Comme après le feu, tiens ! Il y en a qui avaient ri de moi à cause du linge que je portais, pis qu'ils avaient reconnu. On m'avait même traité de quêteux… C'était pas le diable ben agréable, tu sais. Ça m'avait faite de la peine. Mais à matin, j'ai pas besoin d'être à l'école pour être triste. Se faire dire qu'on a pas de place dans sa propre famille, ça fesse, tu sauras, pis c'est ben en masse pour avoir le cœur gros.

— Si c'était le cas, je comprendrais, oh oui, je comprendrais, mais je pense pas que c'était vraiment ce que Benjamin voulait dire, se hâta d'atténuer la jeune Judith. C'est juste à cause des lits si ton frère a parlé de même. Avec ton grand-père

121

qui reste à coucher chez vous, c'est vrai qu'il manque peut-être de place. Mais ça va pas plus loin que ça, par exemple.

— J'espère ben...

— Pour moi, c'est certain... Mon père passe son temps à dire que vous êtes une famille tricotée serré. Pis mon père, il parle jamais à travers son chapeau, même s'il fait souvent des blagues.

De mots en phrases, Judith s'était mise à avancer lentement vers Cyrille et elle avait fini par le rejoindre. Par solidarité, par amitié et par affection, elle posa délicatement la main sur le bras de ce cousin qui avait pratiquement son âge.

— Mais je comprends que tu soyes déçu, par exemple, poursuivit-elle. Je le sais, va, que d'habitude, le samedi, t'aimes ben ça retourner chez vous pour passer une journée avec ta famille.

— C'est sûr que j'aime ça. C'est pas que j'suis mal chez toi, comprends-moi ben, c'est juste que je m'ennuie un peu de chez nous.

— Pis c'est juste normal d'être de même. Moi, c'est quand tu t'en vas que je m'ennuie un peu...

Ces derniers mots avaient échappé à Judith qui, malgré un léger embarras, était tout de même heureuse de les avoir prononcés. Elle aimait bien son cousin Cyrille qui, lui, avait levé un regard décontenancé vers sa cousine.

— Ben voyons donc ! Tu t'ennuies de moi ?

— C'est comme je te dis... J'en ai jamais parlé, parce que je voulais pas faire de peine à personne, mais j'aurais aimé ça avoir un grand frère qui aurait été là pour me défendre, en cas de besoin. Un grand frère comme toi. À la place, j'ai juste une grande sœur qui passe son temps le nez dans ses livres.

— C'est gentil aussi, une grande sœur, non ?

— C'est sûr, mais c'est pas pareil.

— Ouais, si tu veux… Mais dis-moi, Judith, pourquoi t'aurais besoin de quelqu'un pour te défendre ? Je comprends pas.

— Tu devines pas ? Pourtant, me semble que c'est ben évident !

En prononçant ces derniers mots, Judith recula d'un pas et elle se mit à tourner sur elle-même comme une toupie. Sa longue chevelure de couleur orangée virevolta autour d'elle comme une corolle.

— Avec des cheveux comme les miens, déclara-t-elle finalement avec une mine chagrine et résignée, tout en s'arrêtant devant son cousin, tu fais rire de toi souvent. Pis si j'essaye de répliquer, on m'appelle « poil de carotte ». Flûte de flûte que j'aime pas ça ! Si tu savais !

Devant cette confession, un brin naïve, mais combien sincère, en entendant surtout le sobriquet dont on affublait parfois la pauvre Judith, le geste de Cyrille fut spontané. L'envie lui vint directement du cœur et il passa un bras autour des épaules de sa cousine. Si celle-ci avait presque le même âge que lui, elle était tout de même plus petite, plus délicate, et Cyrille en fut surpris. Était-ce bien la même Judith qui lui lançait des défis et qui courait aussi vite que lui dans les champs ?

— Laisse-moi te dire, Judith, qu'à la rentrée, tu vas pouvoir compter sur moi, proposa alors Cyrille. Un grand cousin, c'est un peu comme un grand frère. Pis j'ai déjà défendu mon frère Benjamin qui a exactement les mêmes cheveux que toi.

— J'avais remarqué qu'on était deux dans la famille à avoir les cheveux jaune orange. J'sais pas trop pourquoi, par exemple... C'est ben fin de dire que tu vas être là pour moi, mais à la rentrée, tu seras pas là, mon pauvre Cyrille, constata Judith avec pertinence.

Un silence, en guise de réponse. Puis un long soupir.

— C'est ben que trop vrai !

Sur ce, le bras de Cyrille se fit plus lourd sur les épaules de Judith.

— Tu vois, à parler avec toi, j'avais oublié qu'en septembre, je pars pour Trois-Rivières, constata-t-il sur un ton fataliste.

Étonnée par l'inflexion qu'avait prise la voix de Cyrille, Judith leva les yeux vers son cousin. Elle se heurta à un regard fermé et triste. De toute évidence, Cyrille n'avait pas l'air réjoui. Pourtant, quand il leur avait annoncé la nouvelle de son

départ pour le collège, quelques semaines auparavant, il semblait plutôt fier de lui !

— Que c'est qui se passe, Cyrille ? T'as pas l'air
content.

— C'est pas ça.

Brusquement mal à l'aise, Cyrille avait retiré
son bras et il s'était reculé d'un pas.

— C'est pas ça, répéta-t-il sans conviction.

Puis, dans un élan du cœur, parce que la situation à laquelle il se trouvait confronté lui semblait
si lourde à porter, il demanda :

— T'es-tu capable de garder un secret, Judith ?

— C'est sûr, affirma alors cette dernière en
hochant vigoureusement la tête. Papa pis maman
nous ont toujours dit qu'un secret, c'était sacré.
Ils disent aussi que le secret que quelqu'un nous
a confié, il nous appartient pas, pis qu'on a pas le
droit d'en parler aux autres.

— Je suis d'accord avec ça, moi aussi... Chez
nous c'est pareil. Mes parents disent la même
chose. Comme ça, je peux te parler...

Durant un instant, Cyrille posa les yeux sur
l'horizon où de longs plants de maïs balançaient
mollement leurs épis au gré de la brise. Puis,
il ramena les yeux au bout de ses chaussures
poussiéreuses.

— Disons que le collège, ça me fait un peu
peur, avoua-t-il enfin d'une voix tout hésitante.

— Peur ? Je comprends pas. De quoi t'as peur,
Cyrille ?

— J'ai peur de toute! J'ai peur parce que je connais personne là-bas, pis que monsieur le curé va sûrement surveiller mes notes. Même si je sais que j'suis bon à l'école, ça m'agace un peu. J'ai peur aussi parce que j'vas être loin de chez nous, loin de ma famille, pis qu'à date je connais rien d'autre que ce qu'il y a ici, à Sainte-Adèle-de-la-Merci. Savoir que bientôt j'vas me retrouver loin d'ici, tuseul, ça m'empêche de dormir, des fois... Tu vois, Judith, c'est ça qui me fait le plus peur: me retrouver tuseul... Ça fait que ça me tente pus pantoute de m'en aller, pis...

— Ben pourquoi t'as dit oui, d'abord? coupa Judith qui n'en revenait pas d'entendre défiler toutes ces objections alors qu'elle était persuadée que Cyrille attendait l'automne et la rentrée avec impatience, pour ne pas dire avec excitation.

À la question de sa cousine, Cyrille ne répondit pas spontanément. Il resta un long moment silencieux, les yeux au sol. Il semblait s'être brusquement retiré au fond d'une carapace et il donnait nettement l'impression de ne pas vouloir en ressortir. Alors, la jeune fille répéta:

— Bonté divine, Cyrille! Pourquoi t'es allé dire oui à monsieur le curé si ça te tentait pas plus que ça d'aller au collège?

Sachant qu'il n'échapperait pas à l'obligation de s'expliquer, Cyrille poussa d'abord un long soupir rempli de lassitude. En effet, pourquoi avait-il dit oui? Cela faisait des semaines qu'il se posait la même question et la seule réponse qui lui venait à l'esprit n'était pas à son avantage. C'est pourquoi, d'une toute petite voix qui ressemblait étrangement à celle de son enfance, il avoua :

— Torpinouche que c'est compliqué, tout ça ! J'ai dit oui parce que je le voyais ben que ça faisait plaisir aux parents. Ils avaient l'air tellement fiers de moi que j'ai pas voulu leur faire de peine ni les décevoir.

— Là, je peux comprendre facilement ce que t'essayes de m'expliquer. Moi non plus, j'aime pas ça faire de la peine à quelqu'un. On dirait que ça me rend toute triste, moi aussi.

— Tu vois ! Ça fait que c'est un peu pour ça que j'ai dit oui.

Cyrille avait levé la tête, visiblement soulagé de se savoir compris. Toutefois, parce que c'était dans sa nature d'être honnête jusqu'au bout, il ajouta :

— Mais j'suis quand même fier de voir que c'est moi que monsieur le curé a choisi dans toute la paroisse. Faut que je le dise, parce que, autrement, ça serait mentir. Ça fait que j'ai dit oui aussi parce que j'étais flatté.

Cette confession fut accueillie par un haussement d'épaules désinvolte.

— Ben quoi ? C'est pas un défaut, ça, être fier de quelque chose ! Au contraire. On rit pus, monsieur le curé t'a offert d'aller au collège à cause de tes notes. Il y a de quoi être fier, c'est ben certain.

Je pense même que ma sœur Albertine est un peu jalouse de toi, tu sauras.

— Ah oui? Chez nous, tu vois, on dirait que c'est Benjamin qui aimerait ça être à ma place... N'empêche que moi, ça me tente pus pantoute de m'en aller.

— Que c'est tu vas faire d'abord?

— Que c'est tu penses que je peux faire, Judith? J'ai l'impression que toute vient de se décider tuseul, à matin. Avec le grand-père Lafrance à la maison, j'ai pus tellement le choix... M'en vas partir pour le collège, comme prévu, pis j'vas prier ben fort pour que ça soye pas si pire que l'idée que je m'en fais. Une chance que j'aime étudier, ça va peut-être m'aider à passer le temps. Mais ça m'empêchera pas, par exemple, de compter les jours qui vont me séparer de ma première visite chez nous... En autant que le grand-père soye reparti pour Montréal, comme de raison.

— Pauvre toi...

Si Judith avait su déchiffrer les curieux battements de son cœur qui s'affolait et qu'elle s'était écoutée, elle aurait pris Cyrille dans ses bras et elle l'aurait serré très fort, comme pour lui faire comprendre qu'il n'était pas seul et qu'elle partageait sa tristesse. Mais elle n'osa pas. Les confidences échangées teintaient tout à coup leur amitié d'un reflet nouveau, un peu surprenant, et qui la mettait mal à l'aise, sans qu'elle comprenne pourquoi d'ailleurs. Une chose était certaine, cependant : Cyrille était malheureux et parmi tous ceux qu'il connaissait, c'était à elle qu'il avait confié son secret.

À cette pensée, Judith se sentit très importante.

Elle se redressa alors et, d'un geste sec de la tête, elle repoussa derrière l'épaule une longue mèche bouclée qui reflétait toutes les couleurs du soleil.

— Si c'est comme ça pis que tu t'ennuies vraiment, Cyrille, tu pourras m'écrire. Pis promis, j'vas te répondre aussi vite que possible. Ça sera une manière d'avoir l'impression de pas être trop loin du village pis de toutes ceux que tu connais... Si tu veux, comme de raison. Mais si tu dis oui, je pourrais te raconter toute ce qui va se passer d'intéressant par chez nous. Comme ça, peut-être que tu vas te sentir moins seul pis moi, ben, ça va me faire un exercice de plus en écriture. J'suis pas ben ben bonne, tu sais.

Cyrille avait levé la tête et il semblait boire les paroles de sa cousine. Un fragile, mais réel soulagement éclaira son regard.

— C'est ben certain que je veux, se hâta-t-il de répondre. C'est sûr, aussi, que d'apprendre ce qui se passe dans ma famille, chez vous, pis dans le village, ça va me faire plaisir, un gros plaisir. Parce qu'avec toute le travail que ma mère va avoir avec le bébé, je peux pas vraiment compter sur elle, pour avoir des nouvelles... Pis mon père, ben, il est pas trop fort sur l'écriture.

— Moi non plus, tu sais, j'suis pas forte sur l'écriture. La maîtresse me crie souvent après parce qu'elle dit que je passe mon temps à faire des fautes d'inattention.

— Fais-toi z'en pas avec les fautes, rassura Cyrille. Ça m'achale pas plus qu'il faut. T'es ben fine de me proposer ça, Judith, pas mal fine.

— C'est juste normal... Après toute, t'es mon cousin ! Pis si jamais ton grand-père restait long-temps chez vous, j'vas demander à mes parents si tu pourrais pas venir coucher à la maison, durant tes jours de congé. Je vois pas pourquoi ils diraient non, rapport que t'as déjà un lit dans le grenier. Que c'est que t'en dis ? T'aurais juste à reprendre ta place quand tu viendrais au village...

— C'est une idée, ça... Une bonne idée !

Le soulagement de Cyrille s'accrochait enfin à du concret et il se traduisit par un large sourire.

— Merci, Judith, d'avoir pensé à tout ça... Tu vois, ça me fait un peu moins peur de partir, astheure que je sais que tu vas m'écrire... Ouais, un peu moins peur... Pour tout de suite, par exemple, on va arrêter de penser à ça. Après toute, c'est juste dans un mois que l'école va recommencer. En attendant, parce que j'suis obligé de rester ici pour la journée, j'vas essayer de me rendre utile. Viens-t'en, on va faire la vais-selle ensemble. Comme ça, ça va aller plus vite, pis après, on ira rejoindre ton père au bout du champ. Peut-être ben qu'on va trouver quelques épis assez mûrs pour être cassés, pis on pourrait les manger pour dîner. Que c'est que t'en penses ?

Un éclat de gourmandise traversa le regard de Judith.

— C'est une bonne idée que t'as là, Cyrille, j'suis ben d'accord avec toi. C'est tellement bon, du blé d'Inde !

Cyrille esquissa un sourire de complicité. Au fil des jours, il s'était rendu compte que sa cousine et lui avaient de nombreux points communs. Par moments, elle lui faisait penser à Agnès, avec qui il s'était toujours bien entendu, avec un petit quelque chose en plus qu'il aurait été bien en peine de définir.

Et lui, contrairement à bien d'autres, il trouvait que Judith avait la plus belle chevelure du monde !

Il tendit alors une main que la jeune fille s'empressa de prendre. Elle emmêla ses doigts à ceux de Cyrille et ainsi, main dans la main, comme ils l'avaient si souvent fait au cours de l'été, ils s'élancèrent en courant vers la maison, tandis que Cyrille se disait qu'à défaut de pouvoir dormir dans son lit, ce soir, il pourrait tout de même passer chez lui dans le courant de l'après-midi pour aller saluer son père, sa mère et son grand-père.

Au même instant, Géraldine arrivait tout essoufflée devant la demeure des Lafrance. Les fenêtres étaient grand ouvertes sur la douceur de l'été, pourtant nul bruit ne filtrait de la maison. Elle s'empressa de monter les quelques marches menant au perron et sans hésiter, elle frappa à la porte. Il y eut un bruit de pas, rapides, mais presque silencieux, et le battant s'ouvrit sur une Agnès visiblement curieuse.

— Ah! C'est vous matante. Entrez.

La pauvre Agnès semblait anxieuse, ce qui confirma aussitôt à Géraldine qu'elle ne s'était pas trompée. Elle esquissa un sourire.

— Si je me trompe pas, ta mère est encore au lit, hein?

— Ouais, vous avez raison... On dirait ben que le bébé s'en vient. Madame Morin est avec elle.

Agnès faisait ainsi référence à la sage-femme qui avait aidé à la naissance de la plupart des gamins du village.

— Même que popa est allé la chercher au beau milieu de la nuit, précisa Agnès en s'écartant pour laisser passer Géraldine. Comme moman dormait dans mon lit à cause de grand-père, j'ai toute entendu, pis ça m'a réveillée...

— Ta mère est dans ta chambre?

— Ben oui! C'est à cause de grand-père. Il a décidé de s'installer dans la chambre des parents pour tout le temps qu'il va rester avec nous autres.

— Ben voyons donc, toi!

— Je le sais que ça paraît drôle, mais c'est de même... Toujours est-il qu'à cause de ça, j'ai pas tellement dormi, moi non plus. Quand popa m'a réveillée, j'ai descendu Angèle avec moi, pis on s'est faite une sorte de paillasse avec des couvertes, là-bas, dans un coin de la cuisine, expliqua Agnès, en désignant le mur qui donnait sous la fenêtre de la cour. Quand madame Morin est arrivée, c'est là qu'on s'est installées, Angèle pis moi.

— Pis? demanda Géraldine. Comment ça se passe en haut?

Agnès haussa les épaules avec une certaine hésitation.

— Il se passe pas grand-chose, on dirait. Ça dure depuis des heures... Pourtant, madame Morin a dit que ça allait pas pire, déclara-t-elle tout en fouillant le regard de sa tante comme si elle y cherchait une certaine approbation. Moi, par contre, je trouve que c'est un peu long, pis ça m'inquiète.

— Voyons donc! Il y a pas deux bébés qui arrivent de la même manière. Si des fois, ça va vite, il y a d'autres fois où le bébé se laisse désirer jusqu'au boutte. Mais tu peux te fier à madame Morin. Elle connaît son affaire. Si elle dit que toute va ben, c'est que toute va ben... Pis ton père, lui? Où c'est qu'il est passé?

— Popa? Il est dans la cordonnerie.

— Ben là... En quel honneur, il est pas icitte à attendre avec toi?

Géraldine allait de surprise en surprise.

133

Le geste lui échappa et elle jeta un regard à la ronde, comme pour vérifier les dires de la jeune Agnès. Habituellement, si les pères étaient considérés comme de simples spectateurs lors de la naissance des enfants, il n'en restait pas moins que la plupart d'entre eux étaient nerveux et se tenaient non loin de leur femme. Souvent, ils marchaient de long en large dans la cuisine ou dans le salon, fumant comme des engins, incapables de se concentrer sur autre chose que la naissance imminente, sursautant et s'inquiétant au moindre cri, se tordant les mains à la plus petite lamentation qui provenait de la chambre à coucher. La chose était d'autant plus prévisible, chez les Lafrance, que Jaquelin avait toujours été heureux et fier de la naissance de ses enfants et il ne s'en était jamais caché.

— Cherchez-le pas, matante, il est pas là, affirma néanmoins Agnès en réponse à ce regard inquisiteur que Géraldine avait promené sur la cuisine. Ça a même causé une petite chicane, t'à l'heure, durant le déjeuner, quand popa a dit qu'il avait pas la tête à travailler. Mais finalement, il a pas eu tellement le choix, rapport que grand-père l'a traité de cave en disant que la naissance d'un bébé, c'était pas l'affaire des hommes, pis que c'était le bon moment d'en profiter pour prendre les bouchées doubles. Paraîtrait qu'ils ont ben de l'ouvrage devant eux autres, avant de réussir à remplir toutes les commandes.

— Hé ben! On aura tout vu... De l'ouvrage, ça peut toujours se rattraper, non? Comme ça, toi, tu t'es retrouvée tuseule à attendre qu'il se passe quelque chose en haut?

— C'est en plein ça. Les plus jeunes sont partis chez matante Henriette, tout de suite après le déjeuner. C'est matante Félicité qui est allée les reconduire avec son bogey. Apparence qu'elle a décidé de rester là-bas pour un boutte parce qu'elle est pas encore revenue. Peut-être qu'elle attend Benjamin, qui était supposé de les rejoindre là-bas après avoir faite le message à Cyrille.

— Le message est faite, inquiète-toi pas, mais Benjamin était encore chez nous quand j'suis partie. Pis toi?

— Moi? Pas question que je parte d'ici, même si grand-père m'a traitée de niaiseuse de tourner en rond comme je le fais, répondit Agnès sur un ton farouche.

— Niaiseuse? T'es ben sûre de ce que tu dis, toi là?

— Ben oui! Quand il est venu boire un verre d'eau, t'à l'heure, grand-père a dit que je ressemblais à matante Lauréanne pis que j'étais niaiseuse comme elle quand elle s'inquiète pour rien.

Géraldine se pinça les lèvres pour retenir que le «niaiseux» dans tout ça n'était peut-être pas la personne à qui on pensait. À la place, elle tenta de réconforter la pauvre Agnès qui ne méritait sûrement pas de se faire traiter de la sorte.

— Laisse faire ton grand-père, ma belle. Des fois, Irénée Lafrance dit un peu n'importe quoi.

La voix de Géraldine se voulait rassurante. Cependant, malgré cette tentative sincère de réconfort, le regard d'Agnès continuait de lancer des éclairs.

— Ben au lieu de dire n'importe quoi, il devrait apprendre à se taire, des fois, grommela-t-elle, sans égard aux conséquences que son impertinence pourrait engendrer. Comme hier, quand il a dit à ma mère que ça avait pas d'allure de faire du pâté à la viande pour souper. Que c'était trop riche… Pauvre moman ! Elle avait les yeux pleins d'eau.

— Pauvre elle ! Je comprends pas qu'on puisse dire des affaires de même.

— Nous autres non plus, on comprend pas. Hier soir, avant de se coucher, on en a parlé ensemble, Benjamin pis moi, avant que les parents viennent s'installer en haut. Mon frère avec était choqué après grand-père Lafrance. J'espère juste qu'il restera pas trop longtemps, même si je comprends qu'il peut aider à la cordonnerie.

— C'est à souhaiter, si ça se passe aussi mal que tu le dis. Vous êtes sûrement capables de trouver quelqu'un d'autre pour vous aider…

En prononçant ces derniers mots, Géraldine entendit résonner le nom de Cyrille dans sa tête.

Pourquoi pas? Après tout, il restait un bon mois avant qu'il parte pour le collège. Heureuse de cette idée, elle se promit d'en parler à son mari dès son retour à la maison. Après tout, Anselme avait l'habitude d'engager des journaliers quand venait le temps des récoltes. Il n'aurait qu'à trouver quelqu'un pour remplacer Cyrille. Cette décision étant prise, Géraldine reporta son attention sur Agnès pour ajouter:

— Dans le fond, Irénée est peut-être pas aussi nécessaire qu'il le pense, fit-elle, énigmatique. D'autant plus que vous allez avoir envie de vous retrouver entre vous autres après l'arrivée du bébé…

— C'est ce que je pense, moi avec.

Puis, fixant sa tante avec aplomb, Agnès précisa:

— Moman m'a souvent dit que c'était moi qui allais l'aider à s'occuper du bébé. Ça fait que j'attends qu'elle me demande de monter, pis il y a pas personne qui va m'obliger à partir. Pas plus grand-père Lafrance que les autres.

L'intention était touchante et l'attitude décidée d'Agnès plut grandement à Géraldine. En gage de solidarité féminine, elle tapota le bras de sa nièce qui se tenait à côté d'elle.

— T'es une bonne fille, Agnès! T'as ben raison de rester ici. Occupe-toi pas de ce que dit ton grand-père. Pour une fois qu'il a raison, range-toi à son idée: la naissance des bébés, c'est pas une affaire pour les hommes... Moi, vois-tu, j'suis fière de voir que t'es restée ici quand même, pis je trouve que ta mère est ben chanceuse de t'avoir... Sais-tu quoi ? Si ça peut te rassurer, j'vas aller voir ce qui se passe en haut.

— Oh oui ! Ça serait ben fin de votre part.

— Attends-moi icitte, ça sera pas long.

Toutefois, Géraldine n'avait pas posé le pied sur la première marche de l'escalier qu'un vagissement se faisait entendre, suivi aussitôt d'un pleur colérique. Une main sur la rampe, elle se tourna vers Agnès, toute souriante.

— Que c'est que je te disais, ma belle ? On dirait ben que c'est faite. Pis c'est un bon cri, ça là ! C'est clair que c'est un bébé vigoureux qu'on entend s'époumoner comme ça. Fais une petite prière pour remercier le Bon Dieu, ma belle fille, pis moi, j'vas aller aux nouvelles. Je reviens dans deux menutes. Le temps de savoir si t'as un petit frère ou une petite sœur, de dire à ta mère que tu penses ben fort à elle, comme de raison, pis je redescends !

— Pis moi, j'vas aller prévenir mon père.

Agnès avait le regard brillant de soulagement et d'excitation. Ça y était, le bébé était enfin là !

— Tant pis pour grand-père Lafrance, lança-t-elle joyeusement. Je le sais, moi, que popa va être soulagé de savoir que toute s'est ben passé. Je le sais aussi qu'il va vouloir monter voir moman tout de suite ! C'est toujours ce qu'il fait quand il entend le bébé se mettre à pleurer. J'suis contente, matante! Si vous saviez à quel point j'suis contente que notre bébé soye enfin arrivé!

CHAPITRE 4

À Sainte-Adèle-de-la-Merci, chez les Lafrance

━━◆━━

Le dimanche 5 août 1923, dans la chambre des filles, en compagnie de Marie-Thérèse et de sa belle-sœur Lauréanne

Jaquelin avait envoyé un télégramme, à la demande de son épouse.

— Je veux voir Lauréanne, pis ça presse, avait-elle expliqué à voix basse, peu de temps après l'accouchement. S'il y a quelqu'un sur Terre capable de faire entendre raison à ton père, c'est ben ta sœur.

— Tu penses? Tu penses vraiment que ma sœur est aussi importante que ça pour mon père?

Jaquelin parlait sur le même ton retenu que sa femme, inquiet à l'idée que son père puisse les entendre.

— Pas sûr pantoute, moi, que ma sœur a le pouvoir que tu lui donnes. Me semble que matante Félicité serait ben mieux placée qu'elle pour parler sans détour à mon père, avait alors proposé Jaquelin. Elle serait peut-être même capable de le convaincre que la chambre d'en bas, c'est pas vraiment sa place. Après toute, matante pis le père doivent avoir à peu près le même âge, non?

— Je dirais, oui.

— De toute façon, t'as-tu déjà vu quelqu'un tenir tête à Félicité Gagnon, toi?

— Pour ça, t'as pas tort, mon homme, j'ai jamais vu personne capable de s'opposer long- temps à matante. Mais c'est pas une raison de te servir de ça comme échappatoire, je le pren- drais pas, avait tranché Marie-Thérèse, d'une voix lasse, mais combien décidée. T'as beau dire ce que tu voudras, matante Félicité pourrait pas faire grand-chose face à ton père. Elle a beau être capable de s'imposer au besoin, je te l'accorde, mais avec ton père, elle chanterait peut-être une autre chanson. De toute façon, j'suis loin d'être certaine qu'elle accepterait de discuter avec le beau-père. C'est matante en personne qui m'a dit, un jour, qu'elle portait pas Irénée Lafrance dans son cœur, parce que, d'aussi loin qu'elle se rap- pelait, il avait toujours eu l'air bête pis qu'à cause de ça, elle lui avait jamais vraiment parlé. C'est même pour cette raison-là qu'à l'automne der- nier, quand il est venu faire son tour juste après l'incendie, il était pas question pantoute que ton père s'installe chez elle. C'est deux têtes dures, elle pis lui. Une fine, c'est ben clair, pis une moins fine, c'est aussi évident. C'est à cause de ça que je dis qu'il vaut mieux pas compter sur matante. Entre elle pis ton père, le torchon risquerait de se mettre à brûler, pis c'est pas ce qu'on veut... Non, non, Jaquelin, pour une fois, c'est moi qui décide, pis tu vas envoyer un télégramme à ta sœur. Pas besoin d'écrire des grandes phrases pour annoncer que le bébé est arrivé... Que les bébés sont arrivés... Te rends-tu compte, mon homme ? On a eu des jumeaux... Voir qu'on avait besoin de ça, deux bébés en même temps, avec la cordonnerie pis tout le reste... S'il te plaît, fais ce que je te demande sans m'ostiner, pis tarde pas trop. J'veux voir Lauréanne le plus vite possible, parce que moi, j'ai pas l'intention de passer mes relevailles icitte, dans la chambre des filles. Pas avec deux p'tits. Si tu savais comment je me sens pas à l'aise avec Agnès dans mon lit... Comment veux-tu que je me repose dans ces conditions-là ? Va falloir que ton père le comprenne, pis pour ça, il y a juste Lauréanne, je pense ben, pour arriver à lui faire admettre le bon sens.

Jaquelin avait alors compris qu'il ne servait à rien d'insister et le télégramme était parti dès le début de l'après-midi.

Lauréanne et son mari l'avaient reçu un peu avant le souper, et ce matin, ils avaient pris le premier train en partance pour Québec, avec arrêt à Sainte-Anne-de-la-Pérade, bien entendu.

— Te rends-tu compte, mon mari? Ça va nous faire deux bébés à aimer. J'en demandais pas tant.

— Probablement que Marie-Thérèse non plus, en demandait pas tant, avait souligné malicieusement Émile qui, malgré cette lapalissade, semblait aux anges.

— Ouais, tant qu'à ça, t'as ben raison... Avoir deux petits d'un seul coup, c'est quelque chose! La pauvre Marie-Thérèse doit en avoir plein les bras, c'est le cas de le dire. Deux bébés...

N'empêche qu'il y avait du rêve dans la voix de Lauréanne au moment où elle se pendait au bras de son mari pour se diriger à pas pressés vers la porte du wagon qui venait de s'arrêter devant eux.

Et voilà pourquoi, en ce moment, la sœur de Jaquelin était penchée au-dessus des deux berceaux qui occupaient un coin de la chambre, retenant quasiment son souffle pour ne pas troubler le sommeil des bébés. Elle enviait sa belle-sœur au point d'en avoir des larmes aux yeux.

Certes, Lauréanne savait se réjouir pour Marie-Thérèse, qu'elle aimait comme une sœur, et qui venait de donner naissance à un petit garçon et une petite fille en parfaite santé. Certaines de ses larmes en étaient d'émotion et d'affection sincère devant pareille merveille. Toutefois, emmêlée à sa joie, il y avait une telle déception devant sa propre réalité que la pauvre Lauréanne ne savait plus où elle en était.

Pourquoi le Ciel ne lui avait-il pas permis d'être mère, elle aussi? N'y avait-il pas suffisamment d'amour à donner au fond de son cœur?

Et que dire d'Émile? Lui aussi, il aurait bien aimé connaître la joie de fonder une famille et il le lui avait souvent dit, avec une pointe de déception dans la voix et comme une excuse dans le regard.

Peut-être était-ce pour camoufler ses émotions que, tout au long de la route, Émile n'avait cessé de jacasser comme une pie? Mais toujours est-il que le train avait à peine quitté le quai de la gare d'Hochelaga qu'il imaginait déjà sa nouvelle nièce au pied de l'autel, le jour où elle convolerait en justes noces.

— Ça fait ben des mariages en perspective, toutes ces filles-là, avait-il constaté tandis que le train, tout en crachant un panache de fumée grisâtre, tentait poussivement d'atteindre sa vitesse de croisière. On rit pus! Si je sais compter comme il faut, trois filles, ça fait trois mariages. C'est quelque chose, dans la vie d'un père, ça là! À moins qu'il y en aye une qui veuille devenir bonne sœur, comme de raison. Mais ça me surprendrait, parce qu'il y en a jamais eu dans ta famille... De toute façon, paraîtrait que pour entrer en communauté, une fille doit apporter une dot, comme pour un mariage. Pauvre Jaquelin! Ça va y en faire, des choses à prévoir. Pis là, c'est des jumeaux. Des jumeaux! Ça veut peut-être dire des études avancées aussi. Les garçons peuvent toujours ben pas toutes devenir cordonniers comme leur père, hein? Va falloir que tout un chacun prépare son avenir à sa manière... Quand ça sera le temps, on pourrait peut-être aider la famille de ton frère, hein, ma femme?

Le ton d'Émile s'était fait enjôleur comme s'il avait besoin de convaincre sa Lauréanne du bien-fondé de ses réflexions.

— Faut toujours ben que l'argent que j'arrive à engranger serve à quelque chose, bateau d'un nom! avait-il déclaré sur un ton qui n'avait rien d'interrogatif. Me semble que d'aider mes neveux pis mes nièces à s'installer dans la vie, ça vaut mieux que d'acheter un chalet...

— Ben d'accord avec toi, mon mari, avait réussi à glisser Lauréanne. J'étais d'accord avec le père pour dire que ça serait pas mal agréable une petite maison au bord de l'eau, mais l'avenir d'une trâlée de petits Lafrance, c'est pas mal plus important, si tu veux mon avis.

— Me semblait aussi que tu serais d'accord avec moi... Pis peut-être qu'à travers le lot, il va y en avoir un qui va vouloir devenir maître brasseur comme moi, avait suggéré Émile, sur un ton rêveur. Pourquoi pas? Nom d'une pipe que je serais content si ça arrivait un jour! Si jamais c'était le cas, c'est ben certain que je m'en occuperais personnellement.

Émile s'enflammait, minaudait, prévoyait, argumentait sans espoir de réponse. Ses grosses bajoues en tremblaient de plaisir anticipé. Puis, brusquement à court d'idées, il s'était tourné vers sa femme en fronçant les sourcils.

— Penses-tu, Lauréanne, que ça soye parce qu'on voit ton frère pis sa femme plus souvent que j'ai l'impression d'être plus heureux que d'habitude à l'idée qu'il y a deux bébés de plus dans la famille?

Devant le flot ininterrompu des paroles et des prédictions de son mari, et surtout devant cette dernière question, Lauréanne avait esquissé un sourire ému.

— C'est sûr que ça peut pas nuire. À voir Marie-Thérèse aussi souvent, c'est un peu comme si on les avait attendus nous autres mêmes, ces deux bébés-là. Que c'est que t'en penses? On en parlait, toi pis moi, il y a pas une semaine de ça : depuis quelques mois, on a enfin le sentiment qu'on fait toutes partie d'une même famille, pis c'est ben agréable.

— Pour être agréable, ça l'est en s'il vous plaît! J'ai-tu hâte un peu de voir ça, ces deux chérubins-là!

Cher Émile!

Par moments, malgré sa carrure de lutteur, il avait un cœur de guimauve, tout fondant d'émotion et jamais il n'avait semblé mal à l'aise de le laisser paraître. La pression de la main de Lauréanne s'était donc intensifiée sur le bras de son mari. Elle avait toujours été convaincue qu'Émile Fortin aurait été un bon, un très bon papa, et c'était aussi un peu pour cette raison qu'elle l'avait choisi entre tous.

À cette pensée maintes fois caressée depuis toutes ces années, Lauréanne s'était retournée vers la fenêtre pour camoufler une ou deux larmes silencieuses qui s'étaient présentées sans avertissement.

Alors, c'était aussi pour son mari si Lauréanne avait présentement les yeux pleins d'eau, tandis qu'elle était toujours penchée au-dessus des berceaux. Elle n'arrivait pas à comprendre la cause obscure qui avait poussé le destin à se montrer aussi mesquin à leur égard. Parce que le médecin consulté avait été formel : à première vue, rien n'empêchait une maternité. Alors, si les prières quotidiennes de Lauréanne étaient sincères quand venait le temps d'exprimer sa gratitude devant la vie relativement facile qui était la sienne, ses invocations n'en restaient pas moins teintées de reproches, à l'occasion. Comme en ce moment, alors que la joie ressentie était une proche parente de la désolation et que ce maelstrom d'émotions la faisait pleurer comme une Madeleine.

Au point où Marie-Thérèse s'en inquiéta.

Elle comprenait sans aucune difficulté

l'insondable tristesse que devait ressentir sa belle-sœur devant un nouveau-né, elle qui avait tant rêvé d'être mère. Lauréanne le lui avait spontanément confié lors de leur dernière visite, au moment où Marie-Thérèse lui avait dit de poser la main sur son ventre, car le bébé bougeait vigoureusement.

— Si tu savais comment je t'envie, Marie-Thérèse, avait alors murmuré Lauréanne, une main toute légère posée sur l'arrondi du ventre de sa belle-sœur. Même à quarante ans passés, j'en rêve encore, des fois. On sait jamais...

Toutefois, pour déclencher un déluge de larmes comme elle en était témoin, Marie-Thérèse se doutait bien que la douleur devait être beaucoup plus intense qu'un simple regret à la vue de deux beaux bébés tout roses.

C'était plutôt l'histoire d'une vie à deux que le chagrin de Lauréanne racontait.

C'était la triste histoire d'un homme et d'une femme qui, bien au-delà de l'espoir d'avoir des enfants, s'aimaient sincèrement depuis très longtemps, et espéraient probablement, encore aujourd'hui voir cet amour se concrétiser.

Quoi de plus normal, de plus simple, de plus banal?

Marie-Thérèse le savait d'instinct, car c'était exactement ce qu'elle-même vivait avec son Jaquelin. À ses yeux, ne pas avoir eu d'enfants avec son homme aurait été une tragédie, rien de moins.

À cette pensée, elle sentit son cœur se serrer, car elle aimait bien Lauréanne et son mari, et leur tristesse l'écorchait un peu au passage. Malheureusement, elle ne connaissait ni les mots ni les gestes qui sauraient les réconforter.

Alors, malgré sa grande lassitude et l'envie brûlante qui lui piquait le bout de la langue de demander à sa belle-sœur d'intervenir auprès de son père, Marie-Thérèse déclara tout bonnement :

— Ça arrive des fois que les sentiments soyent plus forts que notre bon vouloir pis que les émotions qui vont avec soyent ben difficiles à contrôler.

— Oh oui…

La voix de Lauréanne était chevrotante.

— Si tu savais comment c'est dur pour moi, de voir deux beaux bébés comme les tiens… Mais comprends-moi ben : j'suis heureuse pour toi pis Jaquelin, ben heureuse. Pis j'suis sincère quand je dis ça. J'suis juste triste pour moi pis Émile, ben triste de pas avoir la chance de connaître ça.

— Je doute pas de toi, Lauréanne. Je le sais que tu nous envies, mais que c'est pas malveillant de ta part. Je te comprends, glissa Marie-Thérèse avec sollicitude. Moi avec, tu sais, ça m'arrive des fois d'avoir des trop-pleins de larmes quand je me sens dépassée par les événements.

— Les événements ? Non, c'est pas les événements

150

qui me font mal, Marie-Thérèse. Ça serait rien, un seul événement. Je passerais par-dessus sans y laisser toutes les larmes de mon corps. Non, c'est toute la vie qui me déchire le cœur, des fois. Toute notre vie, à Émile pis moi.

Que répondre à ça? Mal à l'aise, Marie-Thérèse détourna les yeux.

Un ange passa.

Puis Marie-Thérèse, émue aux larmes à son tour, souffla:

— Je comprends ce que tu veux dire. Il y a de ces désolations, des fois, qui barbouillent jusqu'à nos joies.

Toujours debout devant les berceaux, Lauréanne tournait le dos à sa belle-sœur, tant par pudeur à cause de son visage ravagé par les pleurs que parce qu'elle n'arrivait pas à détacher les yeux des poupons profondément endormis.

— C'est pas juste, tout ça, constata-t-elle d'une voie navrée, sachant que Marie-Thérèse comprendrait ce qu'elle cherchait à exprimer. Tandis que moi j'arrive pas à tomber enceinte, toi tu fais les bébés à coup de deux. Non, je te le dis, par bouttes, je trouve que c'est pas juste pantoute ce qui nous arrive!

Malgré la détresse enveloppant cette réflexion, l'image arracha un sourire à Marie-Thérèse. Il était vrai que cette fois-ci, elle avait accompli tout un exploit. Quand elle avait entendu madame Morin lancer qu'elle voyait une seconde tête,

Marie-Thérèse avait continué de pousser de toutes ses forces, comprenant subitement pourquoi, cette fois-ci, elle était devenue aussi énorme.

— C'est vrai que vue de même, la situation est effectivement injuste envers toi, accorda Marie-Thérèse. Mais que c'est tu veux qu'on y fasse, ma pauvre fille, à part prier pour qu'à ton tour tu...

— Laisse tomber les prières, Marie-Thérèse.

Le ton employé par Lauréanne était dur, amer.

— Ça fait des années que j'ai compris que ça servait à rien de prier, déclara-t-elle, à l'instant où, incapable de se retenir, la jeune accouchée échappait un bâillement.

Ce fut en entendant cette manifestation d'immense fatigue que Lauréanne trouva enfin la force de se ressaisir.

— Pauvre Marie-Thérèse! s'excusa-t-elle sans toutefois tourner la tête vers elle. J'suis là à me lamenter sur mon sort tandis que toi tu dois tomber de sommeil, après la nuit que tu viens de passer avec deux petits à nourrir, pis l'autre d'avant à les mettre au monde.

Lauréanne jeta un dernier regard sur les berceaux de bois verni, esquissa un sourire un peu triste, puis elle se tourna finalement vers sa belle-sœur. Ébouriffée et les yeux cernés, Marie-Thérèse avait effectivement une triste mine. Lauréanne se doutait bien qu'elle aussi devait avoir piètre allure après un tel débordement d'émotion, et elle s'en voulut de s'être donnée en spectacle comme elle venait de le faire. Marie-Thérèse méritait de la joie autour d'elle, pas une inutile surenchère d'amertume. Prenant une profonde inspiration, Lauréanne s'obligea à réagir, essuyant son visage du bout des doigts, puis son corsage d'un petit geste nerveux comme pour y enlever quelques graines invisibles, avant de faire machinalement bouffer sa jupe.

— Me vois-tu l'allure? Ça a juste pas de bon sens, mon affaire. Excuse-moi encore, Marie-Thérèse. Depuis ces dernières années, voir un nouveau-né, ça me pince toujours un peu le cœur. C'est comme si à chaque fois, je m'approchais un peu plus d'un point de non-retour. Ça me donne le vertige, un vertige pas trop agréable à ressentir. Mais on dirait ben, ma grand foi du Bon Dieu, que voir deux bébés en même temps, c'est plus que ce que j'suis capable de supporter. M'en vas te laisser te reposer pis...

— Non! Non, pars pas, Lauréanne.

Marie-Thérèse s'était redressée sur un coude et, du regard, elle semblait supplier la sœur de Jaquelin.

— Viens, viens t'asseoir au bord du lit. J'ai le goût de jaser avec toi. Ben gros. Inquiète-toi pas pour ma fatigue, j'vas avoir toute le temps qu'il faut pour dormir t'à l'heure, quand les deux petits auront bu tout leur soûl. En plus, ma mère a promis de venir s'occuper du souper, pis paraîtrait que matante Félicité a cuisiné pour une armée. Elle est supposée nous amener tout ça t'à l'heure.

— Ben si c'est de même…

Lauréanne ne se fit pas prier. S'essuyant furtivement les yeux pour y sécher une dernière humidité, elle s'approcha de Marie-Thérèse.

— Pis? demanda-t-elle en s'assoyant du bout des fesses au pied du lit, comment vous allez les appeler, ces deux beaux bébés-là? Avec tout ça, j'ai même pas pensé à te le demander.

Curieusement, un éclat d'impatience ombragea le regard de Marie-Thérèse.

— Parlons-en, des noms! lança-t-elle, visiblement en colère.

— Ben voyons donc! Que c'est qui se passe, Marie-Thérèse? Tu t'entends pas avec Jaquelin pour choisir les noms?

— Inquiète-toi pas, c'est pas Jaquelin, le problème, rassura la jeune mère, tout en calant sa tête dans l'oreiller. Pour lui pis moi, c'était une question de réglée, rapport que ça fait déjà une couple de semaines que les noms étaient choisis. Un pour un gars, pis un autre pour une fille, comme on a toujours faite. On savait pas, par exemple, que cette fois-ci, on aurait besoin des deux.

En prononçant ces derniers mots, Marie-Thérèse ébaucha l'ombre d'un sourire moqueur, avant de se renfrogner et d'échapper un long soupir rempli d'amertume, ce qui alerta Lauréanne.

— Bonté divine! Que c'est qui se passe,

d'abord ? demanda-t-elle aussitôt. Je le vois ben que t'as pas l'air contente, mais je comprends pas pourquoi.

— Devine ?

Un simple mot qui fut cependant suffisant pour que Lauréanne fronçât les sourcils tout en secouant la tête avec exaspération.

— Ah non ! Tu me diras toujours ben pas que mon père a encore faite des siennes ? Dis-moi que c'est pas ça !

— J'aimerais ben... Malheureusement, t'as mis le doigt sur le bobo. C'est ben ton père, le problème, avec sa manie de pas se mêler de ses affaires, depuis qu'il est arrivé chez nous. Bonne sainte Anne, comme dirait matante Félicité, ça fait tout juste deux jours qu'il est là, mais j'ai l'impression que ça fait quasiment un mois !

— Je comprends ce que t'essayes d'expliquer, ma pauvre Marie-Thérèse. Oh oui, je te comprends ! Mais dis-moi donc... À propos des noms ? Que c'est que le père a encore faite ?

— Il a faite des siennes, comme tu le dis si ben... Ma grand foi, j'ai l'impression qu'il est pas capable de faire d'autre chose que de contredire le monde. Imagine-toi donc que tout de suite après la délivrance, il est venu dans ma chambre, sans même attendre que je l'invite, pis là...

Marie-Thérèse, trop heureuse de pouvoir enfin se vider le cœur, se mit alors à raconter ce qu'elle considérait comme un manque flagrant de bienséance et de respect. Elle avait été tellement blessée et choquée par l'attitude de son beau-père, qu'à raconter l'événement, elle en oubliait sa fatigue.

En effet, à l'instant où il avait entendu les deux prénoms choisis depuis quelque temps par son fils et sa belle-fille, Irénée Lafrance avait aussitôt opposé un refus catégorique en se moquant d'eux.

— Comme si c'était de ses affaires! commenta aigrement Marie-Thérèse, l'esprit vif comme jamais.

Tout en parlant, Marie-Thérèse soutenait le regard de Lauréanne. De toute évidence, celle-ci était exaspérée par tout ce qu'elle entendait.

— À la seconde où j'ai annoncé que ça serait Victor pour le garçon, pour faire plaisir à mon père, pis Roseline, pour une fille, en souvenir de la poupée d'Agnès qui s'appelait Rosette, ton père m'a pointée avec son index comme si je venais de dire une grossièreté. Ensuite, il a levé les yeux au plafond, pis il s'est mis à secouer son doigt comme si j'étais une petite fille de cinq ans qui venait de faire une grosse bêtise... Peux-tu croire ça, Lauréanne, que pour ton père, ça se fait pas de donner des prénoms différents à des jumeaux? Paraîtrait que ça va leur porter malheur durant toute leur vie, pis pour ça, il nous a traités de niaiseux de pas y avoir pensé... Ça se peut-tu?

— Oh oui! ça se peut. Même que je reconnais là les mots qu'il a l'habitude d'employer. C'est triste à dire, mais c'est le père tout craché, d'agir de même. Mais où c'est qu'il a pris ça, de dire que ça pouvait porter malheur?

— Aucune idée, mais c'est son opinion, pis elle est ben arrêtée. Même que pour être tout à fait certain qu'on en tiendrait compte, c'est lui qui s'est présenté au presbytère pour déclarer les naissances, sans même nous demander la permission. Comme il connaît le curé Pettigrew depuis toujours, sa visite a été ben accueillie, comme tu dois t'en douter, pis ton père nous est revenu, une petite heure plus tard, tout content de nous avoir rendu ce service-là. C'est ça qu'il a osé dire, imagine-toi donc! Moi qui avais jamais vu ton père sourire, ben là, j'y ai vu les dents au grand complet, je dirais ben. C'est tout fier de lui qu'il nous a annoncé que nos bébés, nos bébés à Jaquelin pis moi, ils allaient s'appeler Albert pis Albertine. Pas moyen de changer quoi que ce soit, c'était déjà écrit dans les registres de la paroisse, pis ça a ben l'air qu'on peut rien effacer, pis rien barrer dans ces livres-là.

Lauréanne était atterrée. Cette fois-ci, Irénée Lafrance avait dépassé les bornes!

— Veux-tu ben me dire quelle sorte d'éducation il a reçue, lui, coudonc? Me semble qu'il nous a pas élevés de même, Jaquelin pis moi.

— C'est sûr qu'il vous a pas élevés comme ça, rapport qu'avec lui, on a jamais le droit de rouspéter ni de décider quoi que ce soit.

— N'empêche... Je comprends pas que quelqu'un peut s'imaginer avoir toutes les droits de même, soupira Lauréanne, l'air contrit, comme si elle était responsable des agissements de son père. Albert! C'est un vieux nom... C'était celui de mon grand-père paternel.

— Pis Albertine, c'est le nom de ma nièce! compléta Marie-Thérèse avec humeur. C'est la plus vieille chez Anselme! J'ai eu beau dire à ton père qu'on avait déjà une Albertine dans la famille, pis que chez nous, ça se faisait pas avoir deux cousines du même prénom, il a rien voulu entendre. Pas question pour lui d'essayer de plaider notre cause auprès du curé. Un moyen cabochon, oui! C'est comme pour tout le reste, d'ailleurs...

— Quel reste?

— Toute!

Heureuse d'avoir enfin trouvé une oreille compatissante, Marie-Thérèse était intarissable.

— Depuis deux jours qu'il est arrivé, j'ai l'impression que ton père s'est mis dans la tête de changer toutes nos habitudes, les unes après les autres. Apparence qu'il y a rien qui fait son bonheur, parce qu'il a pas arrêté de chialer.

— Ben ça... C'est juste normal pour lui, ma pauvre Marie-Thérèse. Il passe sa vie à toute critiquer tout le temps. Il est de même, notre père, toujours de mauvaise humeur pis jamais content.

Faut remonter au vivant de notre mère pour que je me rappelle l'avoir vu de bonne humeur.

— Tu parles d'un aria, toi, dans une maison, un homme comme lui. Comment tu fais pour l'endurer, Lauréanne? Je m'excuse de parler de même, parce que c'est quand même ton père, mais j'suis pas habituée à ça, moi, des airs bêtes, pis j'aime pas ça pantoute le voir mettre son nez dans nos affaires.

— Inquiète-toi pas, tu peux ben dire ce que tu veux, c'est pas moi qui vas t'en vouloir parce que je te comprends tellement.

— Mais comment t'arrives à vivre avec lui? répéta Marie-Thérèse. De ce que je me rappelle, me semble que du temps qu'il vivait avec nous autres, au début de notre mariage, ton père était pas si pire que ça. Pis quand il vient nous visiter non plus. Il est marabout, c'est ben certain, mais ça s'endure.

— Pas sûre, moi, qu'il était plus gentil, dans le temps qu'il restait ici… C'est probablement parce que tu te sentais pas encore chez vous que t'acceptais son mauvais caractère. Tu devais te sentir mal à l'aise, un brin gênée de te voir là, dans ses affaires, ça fait que t'as rien dit, pis finalement le souvenir que t'en gardes est pas trop méchant. T'avais pas le choix, ma pauvre fille.

— Mettons que t'as peut-être raison… N'empêche que ça pourra pas durer de même ben ben longtemps.

— Que c'est que tu veux dire par là ?

— Ça dit ce que ça dit, Lauréanne, je pourrai pas endurer ça longtemps... Regarde-moi ben comme faut ! J'ai-tu l'air d'une femme heureuse ? Heureuse comme je devrais l'être, maintenant que la délivrance est en arrière de moi, que toute s'est ben passé, pis que les bébés sont en santé ?

— Ben... Je connais pas ça dans le détail, mais je dirais que t'as surtout l'air fatiguée. Ben ben fatiguée.

— C'est sûr que j'suis fatiguée, c'est juste normal. On l'est toutes ! Pis j'suis contente d'avoir des bébés en santé, ça c'est ben certain, mais pour le reste, par exemple, j'suis choquée en s'il vous plaît, pis ça, c'est pas normal. J'ai eu toute une nuit de douleurs pis une autre sans trop dormir pour réfléchir à ça, pis c'est pas vrai que j'vas vivre les prochaines semaines coincée dans la chambre des filles. C'est plate pour moi, pis ça l'est tout autant pour Agnès pis pour Angèle. Pauvre petite ! À cause du beau-père, elle se retrouve pognée à dormir sur un grabat.

— J'suis ben d'accord avec toi que ça a pas de bon sens, c'est surtout pas moi qu'il faut essayer de convaincre. Mais comment tu veux changer ça ? Le père est icitte pour un boutte, que tu le veuilles ou pas, pis s'il a décidé qu'il voulait votre chambre, il y a pas grand monde qui va arriver à le faire changer d'avis. Que c'est tu veux que je te dise ? Il s'est mis dans la tête que la cordonnerie pourrait pas marcher sans lui le temps que tu te remettes pis...

— C'est là que tu te trompes.

— Comment ça, que je me trompe ?

— C'est pas juste le fait que je viens d'accoucher qui a amené ton père chez nous.

— Ah non ? Pourtant il me semblait que c'était ça. Si c'est pas le cas, va falloir que tu m'expliques.

— C'est ben simple. Ça faisait pas deux heures qu'il était arrivé que le beau-père nous disait ben clairement, à Jaquelin pis moi, qu'une femme a pas la force pis le talent pour travailler dans une cordonnerie.

— P'tite misère ! Il est fatigant sans bon sens ! Où c'est qu'il est allé chercher ça, encore ? Qu'il prétende que ça se voit pas tellement souvent, je comprendrais, parce qu'on est habitué de voir surtout des hommes en train de réparer des chaussures, c'est un fait. Mais de là à parler de talent... Voyons donc ! Ça a juste pas de bon sens de dire des affaires de même.

— Ben pas pour lui. C'est dans la nature des choses, qu'il a répété au moins trois fois ! Laisse-moi te dire qu'il est pas allé par quatre chemins pour me renvoyer à mes chaudrons. Il a même ajouté que la place d'une bonne mère, c'était dans la cuisine avec ses enfants. Comme si j'étais devenue une mauvaise mère depuis que j'aide Jaquelin. C'est pas mêlant, j'en aurais pleuré si j'avais pas été aussi choquée... Ni aussi

161

enceinte ! Parce que pour un boutte, il a pas tort : c'est vrai que je serai pas ben ben utile à Jaquelin.

— Pis ? Que c'est que ça peut ben changer pour l'avenir ? Que c'est qui va se passer après, quand tu vas être remise de ton accouchement ? Quand tu vas être en forme ? Le père va-tu rester ici ? Tu m'inquiètes avec tes propos.

— C'est là que j'ai l'impression qu'il faudrait tout de suite mettre les choses au clair, tu penses pas ? Faudrait vraiment savoir ce que ton père a dans l'idée, bien que...

Marie-Thérèse poussa un long soupir avant d'ajouter :

— De toute façon, Lauréanne, quoi que ton père puisse en penser, moi, j'ai ben l'intention de reprendre ma place à côté de mon mari. On se débrouillait pas pire, tous les deux, pis on aimait ça, travailler ensemble.

Une onde de tendresse traversa le regard de Marie-Thérèse.

— Tu le sais, toi, combien on est heureux ensemble, Jaquelin pis moi, hein Lauréanne ? Dans le travail comme pour tout le reste. Faut pas oublier dans tout ça que les enfants grandissent. Ils sont capables de nous aider. Mais avant d'en arriver là, avant d'arriver au jour où j'vas être assez forte pour reprendre ma place autant dans la maison que dans la cordonnerie, va falloir que ton père accepte de s'installer dans la chambre des garçons, pour le temps qu'il va décider de rester avec nous autres. Avec Cyrille qui demeure chez mon frère pour l'été, on pourrait s'arranger pour que ton père aye un lit à lui tuseul. Pis comme ça, Cyrille pourrait nous visiter le samedi comme il en a l'habitude. La chambre des garçons est assez grande pour ajouter un lit. On pourrait même l'installer proche de la fenêtre pour que ton père puisse respirer du bon air. Dans le pire des cas, on pourrait ajouter un paravent, question d'y donner un brin d'intimité. Il y en a un dans le grenier de mes parents, pis il sert à rien. Me semble que ça devrait aller, non ?

Lauréanne avait l'air sceptique.

— Pas sûre, moi, que le père va accepter ça de bon gré.

— C'est justement parce que je pense la même affaire que toi que j'suis contente que tu soyes là, Lauréanne. À deux, pis à quatre s'il le faut, avec Jaquelin pis Émile, on devrait amener ton père à faire preuve de bonne volonté.

Au lieu de la rassurer, cette dernière proposition eut l'heur de faire sourciller Lauréanne.

— Non, c'est pas une bonne idée, ça là. S'ostiner avec le père quand il y a du monde, c'est jamais une bonne idée. Plus il va y avoir de personnes à discuter autour de lui pis avec lui, plus il va s'entêter, pis se choquer contre tout le monde, ça c'est certain.

— Ben là... J'vas-tu être obligée d'y dire de s'en aller ? Me semble que malgré toute ce que je viens d'enligner contre lui, ça a quasiment pas d'allure de faire ça.

— C'est sûr que de se faire montrer la porte, le père aimerait pas ça pantoute. Il tient ben gros au faite que la maison soye toujours à lui, je pense que tu le sais, non ? Pis malgré tout ça, que c'est que vous feriez de la cordonnerie si jamais tu demandais au père de s'en aller ? Comme il nous a dit, à Émile pis moi, la fin de l'été, c'est un gros temps dans l'année pour la réparation des souliers, surtout avec l'école qui s'en vient. Avec sa main morte, Jaquelin pourra pas s'en sortir tuseul.

Marie-Thérèse balaya l'objection du revers de la main en exhalant un long soupir.

— On trouverait ben... Du monde qui cherche de l'ouvrage, il y en a toujours. Si moi j'ai appris, quelqu'un d'autre pourrait le faire. N'importe quoi, plutôt que d'être obligée d'endurer ce que je suis en train de vivre là. J'ai besoin de ma chambre, Lauréanne, de mon intimité. Pis les bébés aussi. Si je veux les mettre à ma main le plus vite possible, c'est dans ma chambre que je peux faire ça. Des tout-petits, ça a besoin de calme pour ben partir dans la vie... Me semble que ça aurait été pas mal plus facile si ton père s'était montré d'adon, non ? Me semble qu'il aurait pu apprécier qu'on aye trouvé une solution sans lui demander son aide, parce qu'on le sait ben qu'il mérite de se reposer, chez vous en ville. Il a travaillé fort toute sa vie, pis c'est pas parce qu'il a mauvais caractère que Jaquelin pis moi, on est pas capables de le reconnaître... Mais non... Faut toujours que ton père aye raison au point où ça en devient insupportable... On dirait que ça l'amuse de pousser le monde à boutte... De toute façon, de la manière qu'il nous a parlé, on dirait vraiment que toute ce qu'il veut, c'est que je sorte de la cordonnerie, ce qui va l'obliger à reprendre sa place pour de bon, pis de nous en vouloir par après à cause de ça.

Lauréanne avait l'air navré.

— C'est ça qu'il a dit?

— Il l'a pas dit, ma pauvre toi, il l'a crié! Retourne à tes chaudrons pis remets pus jamais les pieds icitte! Vous me gâchez assez la vie comme ça, vous deux! C'est ça qu'il nous a dit, ton père. Me semble que c'est assez clair, non?

— Ouais, pour être clair, c'est clair. Pis Jaquelin, lui?

— Que c'est tu veux qu'il fasse, le pauvre homme?

D'un geste las de la main, Marie-Thérèse montra la chambre.

— On le sait ben, va, que rien icitte est à nous autres. Ça serait ben malaisant de la part de Jaquelin de dire à son père de retourner à Montréal, tu penses pas? Quand ben même c'est nous deux qui ont rebâti la maison, avec l'aide de ma famille, en plus, ce bâtiment-là, sur papier, il est encore à Irénée Lafrance. Comme tu dois t'en douter, il s'est pas gêné pour nous le rappeler. Les meubles sont peut-être à nous autres parce qu'on nous les a donnés après le feu ; mais la maison, elle, est ben à ton père. Pas de danger qu'on l'oublie.

— Mais que c'est tu vas faire, d'abord ?

— C'est un peu pour ça que j'ai demandé à Jaquelin de vous envoyer un télégramme, à Émile pis toi. Je pense ben que j'vas avoir besoin de ton aide pour faire entendre raison à ton père. Pis pour commencer, faudrait qu'il accepte de me redonner ma chambre, comme je viens de te le dire. Pour le reste, on verra plus tard. J'ai pas la force de me battre pour astheure.

— Parce que tu penses que j'suis capable de faire ça, moi, amener le père à changer d'idée ? Ma pauvre Marie-Thérèse… J'en mène pas beaucoup plus large que Jaquelin, face à notre père, tu sauras. Il y a Émile qui arrive à le calmer, des fois, mais dans un cas comme celui-là, je vois pas tellement ce qu'il pourrait faire ou dire de plus que moi… C'est pas parce que le père vit chez nous que ça change de quoi à son humeur vis-à-vis de nous autres. Le pire, ça serait qu'il fasse exactement le contraire de ce qu'on s'attend de lui, pis qu'il accepte de m'écouter pour faire son smatte devant tout le monde, pis après, quand Émile pis moi on va s'en retourner à Montréal, il vous le fasse payer en étant encore plus de mauvaise humeur. Il en est ben capable, crois-moi. Je le sais pas si t'as déjà vu ses colères, ses vraies colères, mais je te dis que c'est pas beau à voir! Faudrait pas qu'il en pique une devant tes enfants, ça serait ben assez pour leur donner des cauchemars.

— Ils ont surtout pas besoin de ça.

— C'est exactement ce que je pense, moi avec...

Au même instant, un des bébés fit entendre un vagissement, si ténu qu'il ressemblait au miaulement d'un petit chat. Lauréanne s'interrompit et se retourna vivement. L'envie de se relever et d'approcher des berceaux fut si instinctive qu'elle porta la main à son cœur pour lui intimer de se calmer. Que ne donnerait-elle pas pour entendre tous les jours de ces petits cris qui résonnaient en elle comme un appel à la vie? Comme un rappel de la normalité de la vie?

Ce fut à cet instant bien précis que l'idée s'imposa d'elle-même.

Lauréanne se sentit rougir, car l'intention lui parut aussitôt teintée d'égoïsme. Mais qui s'en soucierait si elle finissait par trouver une solution aux angoisses de Marie-Thérèse?

Lauréanne resta silencieuse un moment, triturant la dentelle qui garnissait joliment le poignet de sa robe. Dans sa tête, les idées se bousculaient, se chevauchaient, louables et inavouables en même temps. Avoir Marie-Thérèse et les bébés, chez elle, pour un certain temps, serait comme un pied de nez fait au destin et Lauréanne en avait grande envie.

Pourquoi pas ?

Et Émile serait si content !

Lauréanne revint aussitôt à Marie-Thérèse, qui tendait le cou pour voir qui, de son fils ou de sa fille, était en train de s'éveiller. Le soupir de lassitude qu'elle échappa redonna le don de la parole à Lauréanne.

— Mais attends donc menute, toi là…

Sourcils froncés, Lauréanne semblait réfléchir intensément, même si tout au fond d'elle-même, la réflexion était bel et bien terminée. Jusqu'à son regard qui s'était mis à briller de malice, mais Marie-Thérèse était trop fatiguée pour s'en apercevoir.

— Au lieu de se chicaner avec le père en lui demandant de s'installer en haut, dans la chambre des garçons, proposa-t-elle, si on faisait exactement le contraire ?

Marie-Thérèse poussa un second soupir rempli de langueur, ne voyant pas du tout où sa belle-sœur voulait en venir. À première vue, Lauréanne ne semblait pas pouvoir l'aider, alors, à quoi bon poursuivre une discussion inutile ? Tout à coup, Marie-Thérèse avait très envie de dormir, ne serait-ce que quelques minutes avant le réveil des bébés.

— Le contraire ? demanda-t-elle, par simple politesse. Je peux toujours ben pas passer le…

— Attends, attends... Laisse-moi finir. Je pense que j'ai une idée...

Lauréanne était si émue qu'elle en tremblait, ce qui donna un certain regain de vigueur à Marie-Thérèse. Après tout, qu'avait-elle à perdre à l'écouter ?

— T'as l'air de penser que le père a décidé de revenir s'installer icitte pour de bon, analysait justement Lauréanne. Pis je t'ostinerai pas là-dessus, ça serait son genre de vouloir le faire juste pour vous montrer que vous pouvez pas vous passer de lui.

— Je sais pas si c'est exactement ça que ton père veut, modula Marie-Thérèse, mais chose certaine, il a laissé entendre qu'il était pas question que je retourne à la cordonnerie.

Au fur et à mesure qu'elle enchaînait les mots, l'absurdité des mois à venir lui sauta en plein visage et Marie-Thérèse sentit la colère refluer en vagues lentes.

— Même plus tard, quand les bébés vont être moins demandants, j'suis pas sûre que ton père va vouloir s'en aller. Je viens de te répéter ce qu'il nous a dit : ma place est dans la cuisine. Comme Jaquelin a besoin d'aide, je vois pas comment on pourrait faire autrement que d'accepter sa présence chez nous, parce qu'à part ton père, pour le long terme, je sais pas qui...

— C'est ben ce que j'avais compris, interrompit Lauréanne, toute fébrile... Si c'est de même, pis que le père veut revenir s'installer à Sainte-Adèle-de-la-Merci pour de bon, du moins si c'est là ce qu'il veut ben qu'on comprenne, tu vas faire comme il demande, pis tu vas y laisser toute la place.

Une telle proposition fut amplement suffisante pour réanimer Marie-Thérèse. Elle se redressa et, assise en tailleur sur son lit, elle fixa Lauréanne durant un court moment pour finalement lui demander, interloquée :

— Toute la place ? T'es-tu en train de me dire que c'est moi, Marie-Thérèse Lafrance, qui devrais m'en aller ?

— Pourquoi pas ?

Marie-Thérèse leva les deux bras au ciel.

— Ben voyons donc, Lauréanne, à quoi tu penses ? Pis mon mari, lui ? Pis mes enfants ? Je viens tout juste d'accoucher, je peux pas m'en aller comme si de rien était. Ça tient pas deboutte ton affaire.

— Au contraire... Laisse-moi t'expliquer...

Au fur et à mesure que Lauréanne tentait de préciser sa pensée, le visage de Marie-Thérèse commença à se détendre. Après tout, il y avait peut-être du bon dans ce que sa belle-sœur lui proposait.

En bref, pour éviter les irritants, Marie-Thérèse irait vivre en ville, chez Émile et Lauréanne, le temps qu'Irénée comprenne par lui-même que l'idée de reprendre sa place comme cordonnier n'avait non seulement aucun bon sens, mais qu'elle était tout aussi inutile.

— C'est ridicule de s'entêter à dire que t'as rien à faire dans une cordonnerie. Ça marchait, non? Pis en plus, vous aimez ça travailler ensemble, Jaquelin pis toi. Inquiète-toi pas, Marie-Thérèse, j'suis sûre que d'une manière ou d'une autre, le père va finir par le comprendre pis l'accepter. Le temps de reprendre tes forces, de partir les bébés, comme tu dis, pis tu reviens. Votre manière de vivre, ça regarde pas le père, de toute façon.

— Ben d'accord avec toi. Mais comment on va pouvoir y dire ça sans le choquer ben noir?

— Le père a beau être malcommode, il est pas imbécile pour autant. Il va s'en rendre compte tuseul. On aura pas besoin de parler. Personne va avoir besoin de dire quoi que ce soit, parce qu'au fond de lui, j'suis sûre que ça y tente pas pantoute de se voir icitte jusqu'à sa mort! Pendant ce temps-là, toi, tu vas pouvoir reprendre des forces. C'est comme rien que tu vas en avoir besoin! Si le père veut prendre ta chambre, laisse-le faire. Toi, tu vas venir prendre la sienne à Montréal. C'est une belle grande chambre, qui donne sur la rue.

Lauréanne alignait les suppositions avec enthousiasme tandis que Marie-Thérèse se laissait bercer par sa voix.

— C'est sûr que l'idée d'avoir une grande chambre pour moi pis les bébés, plus toi pour m'aider, c'est ben tentant. Je peux pas dire le contraire. Malheureusement, c'est ben que trop beau pour être vrai. C'est comme un rêve, Lauréanne, pis les rêves, tout le monde sait qu'ils finissent le matin, au chant du coq. Faut pas oublier que j'suis pas tuseule, moi, là-dedans. Il y a toute ma famille. Déjà qu'on a été séparés l'hiver passé, pas sûre que ça ferait le bonheur des miens de me voir partir... Merci quand même, Lauréanne. C'est ben fin d'avoir pensé à ça, mais je peux pas accepter ton invitation.

— Ben voyons !

— Rends-toi compte ! Je peux pas m'en aller en laissant tout mon monde en arrière de moi... De toute façon, j'ai promis à Agnès qu'elle pourrait m'aider avec les bébés. Elle en parle depuis le début de l'été. C'est même grâce à ça qu'elle a arrêté de faire des cauchemars à cause du feu... Je pourrais pas m'en aller sans elle en reniant ma promesse. Ça serait pas correct pour elle.

— Si c'est juste ça qui te retient, Agnès a beau venir avec toi ! L'appartement est en masse grand.

— Ben là...

Marie-Thérèse s'agita dans son lit, tira sur les couvertures, les repoussa aussitôt avec les pieds. Elle semblait agacée. Brusquement, tout allait trop vite pour elle.

— Pis Angèle, elle ? demanda-t-elle sur un ton inquiet, après avoir jeté un coup d'œil vers les berceaux où les bébés semblaient s'être rendormis. Elle est ben petite encore. Elle a besoin de sa mère, d'autant plus que Jaquelin est dans la cordonnerie à longueur de journée ou presque... Pis il est pas question qu'Angèle retourne chez ma sœur, au cas où tu y penserais. Elle s'est trop ennuyée pis moi avec. Tu vois ben que...

— Angèle vient aussi! coupa Lauréanne qui sentait, malgré les apparences, que les réticences de sa belle-sœur commençaient à s'estomper tranquillement. Je viens de le dire : c'est grand chez nous.

Devant tant de détermination, Marie-Thérèse sembla brusquement à court d'arguments et un fin silence se glissa dans la chambre.

On entendait des rires d'enfants, venus de l'extérieur, quelques cris, des voix qui s'apostrophaient. Lauréanne entendait surtout son cœur qui battait la chamade, emmêlé au bruit des talons qui claquaient sur le trottoir. Alors, elle tourna la tête vers la fenêtre et elle prit conscience que le soleil entrait maintenant à flots dans la pièce. Les rideaux de popeline fleurie gonflaient mollement, soulevés par la brise.

— Pis? osa-t-elle demander d'une voix tendue, sans avoir l'audace cependant de ramener les yeux vers Marie-Thérèse. Que c'est que t'en penses de mon idée?

— Je le sais pas, je le sais pas pantoute... Mettons que j'admets que d'aller chez vous, ça me tente un peu, murmura alors Marie-Thérèse, le regard vague. Va falloir quand même que j'en parle à Jaquelin pour avoir son opinion. Faut qu'il soye d'accord pour que...

— Pourquoi?

Lauréanne avait délaissé la fenêtre pour se concentrer sur Marie-Thérèse, qui la fixait, sourcils froncés.

— T'oses me demander pourquoi? Venant de ta part, Lauréanne, ça me surprend un peu. Me semble que c'est juste normal de consulter son mari quand vient le temps de prendre des décisions d'importance, non? Pis ça vaut pour toi avec. Que c'est qu'Émile va penser de ta proposition? Faudrait peut-être lui demander ce qu'il...

— Inquiète-toi pas pour mon mari, trancha Lauréanne avec beaucoup de chaleur dans la voix, car elle comprenait que l'acceptation de Marie-Thérèse ne tenait plus qu'à un fil. Je connais ben Émile, pis je sais qu'il va être d'accord.

— Quand même... Faut pas croire que ça dérangera personne, si je m'en vas. C'est sûr que ça va chambarder toute notre vie pour un boutte, pis j'suis pas certaine que Jaquelin va l'apprécier. Deux fois de suite dans la même année, ça fait beaucoup.

— Pis?

— Ben voyons donc! Tu vois pas? Me semble que c'est clair... De toute façon, on prend pas des décisions aussi graves que celle-là sans au moins en discuter ensemble.

— Venir passer quelques semaines chez nous,

le temps de te remettre d'aplomb, pour moi c'est pas une décision si grave que ça.

Lauréanne avait la désagréable sensation que bien au-delà d'une invitation qui pourrait se voir rejetée, il y avait leur amitié qui était en train de se jouer. La gorge serrée, elle poursuivit:

— La décision à prendre maintenant est pas plus grave que celle que Jaquelin a prise l'an dernier, rappela-t-elle. Quand il a choisi de partir pour les chantiers, sans te consulter, il disait que c'était pour le bien de la famille, pis tu l'as accepté, même si ça t'avait blessée qu'il prenne cette décision-là tuseul. Pis j'invente rien en disant ça, c'est toi-même qui m'en as parlé.

Lauréanne avait évoqué cet événement d'une voix très douce, mais si ferme qu'elle n'appelait aucune riposte. Marie-Thérèse se sentit rougir. Sa belle-sœur n'avait pas tort en parlant de la sorte.

— Vu de même, admit-elle évasivement, faisant facilement le lien entre la situation présente et celle vécue au moment de l'incendie.

Lauréanne profita de ce semblant de laisser-aller pour insister, mais elle le fit d'une voix très calme.

— À mon grand malheur, j'ai jamais connu d'accouchement, concéda-t-elle, mais je me doute ben qu'une femme doit être plus émotive que de coutume, une fois que toute est fini. Un peu comme Jaquelin devait l'être après le feu, précisa-t-elle pour rendre la comparaison encore plus flagrante. Lui, pour gagner l'argent nécessaire à la reconstruction, il a décidé de partir. Pis au bout du compte, t'as accepté son point de vue. Si Jaquelin avait pas eu son accident, tout le monde dirait aujourd'hui qu'il avait pris la meilleure décision possible.

— C'est vrai.

— Aujourd'hui, c'est à ton tour d'avoir à choisir. Si j'ai ben compris, ton but, c'est de retrouver ta place à la cordonnerie le plus vite possible. Mais pour ça, faut que tu soyes en forme pis faut aussi que les bébés soyent des bons bébés.

— Ça aussi, c'est vrai.

— On comprend donc la même affaire. Par contre, si je me fie à ce que tu m'as raconté, c'est pas en restant sous le même toit que mon père que ça risque d'arriver. Je le connais assez pour deviner qu'il tolérera pas les cris, que ça va l'impatienter, avec tout le chialage entre vous autres que ça risque de donner. Pis ça, c'est sans parler de la chambre. J'suis loin d'être certaine qu'il va accepter de te la laisser, pis inévitablement, d'une affaire à l'autre, l'air va vite devenir difficile à respirer. D'un autre côté, même si Jaquelin t'aime ben gros, je pense pas qu'il va avoir le culot de tenir tête à notre père. Ni pour la chambre ni pour y dire d'arrêter ses lamentations. C'est peut-être pas ben fin de dire ça comme ça, aussi platement, mais c'est la réalité, ma pauvre Marie-Thérèse : Jaquelin a toujours plié devant notre père.

— Je le sais.

— Bon... Tu vois ben que j'ai raison.

— Peut-être, oui...

Marie-Thérèse sentait ses hésitations tomber les unes après les autres.

— Si tu restes icitte, plaisanta Lauréanne en dernier lieu, vous allez finir par vous arracher les cheveux, mon père pis toi.

Les deux femmes échangèrent alors un sourire empreint d'une certaine dérision.

— Ça pourrait arriver, oui, concéda Marie-Thérèse. Quand je viens d'accoucher, on dirait que j'suis moins tolérante. Une chance que ça passe avec le temps.

— Je le sais que ça te passe facilement, parce que d'habitude, t'es une femme jasante pis souriante. Mais en attendant le jour d'en arriver là, à vivre sous le même toit que mon père, tu vas être malheureuse comme les pierres pis tes enfants aussi...

Marie-Thérèse eut alors l'impression de tourner en rond. Pourquoi fallait-il que la vie se montre si capricieuse, depuis bientôt un an ? Le Ciel allait-il enfin les laisser tranquilles, Jaquelin et elle ?

Fragilisée par l'accouchement, Marie-Thérèse ne put retenir deux grosses larmes qui perlèrent à ses cils.

— C'est ben compliqué, tout ça, soupira-t-elle.

— Ben non ! tenta de la rassurer Lauréanne. Dis-toi que tu prends des vacances, comme du temps de la petite école. Avec ta grosse famille, la construction de la nouvelle maison, pis la cordonnerie, je pense que t'as le droit de te reposer. Tu viens de connaître une grosse année!

— C'est vrai que ça a été dur...

Marie-Thérèse avait l'air exténuée. Elle promena un regard désabusé autour d'elle, quand soudain, un regain d'énergie la fit se redresser.

— Mais j'y pense! J'ai pas juste des filles. Les garçons, eux autres? Que c'est que j'vas faire de mes garçons? À part Cyrille qui est chez mon frère, il reste toujours ben Ignace, Conrad pis Benjamin. Je peux pas les traîner en ville, eux autres avec!

— C'est sûr que notre logement serait pas assez grand... Mais entre gars, pour une couple de semaines, tu penses pas qu'ils pourraient s'organiser? À moins de demander à ta tante Félicité ou à ta mère d'y voir un peu.

— C'est sûr. De toute façon, elles devaient venir m'aider... Si j'explique toute ben comme il faut, ma mère pis matante devraient comprendre pourquoi je m'en vas en ville, pis l'approuver... Si tu savais comment on était ben, Jaquelin pis moi, avant que ton père nous tombe dessus. Matante Félicité le sait pis ma mère aussi. On avait trouvé une solution pour que notre famille recommence à vivre comme avant, une solution qui nous convenait, pis à part ton père, tout le monde trouvait que c'était une bonne idée.

— Émile pis moi aussi, on trouve que c'est une très bonne idée.

Lauréanne n'osa ajouter que s'il n'avait pas été question de chalet, probablement qu'Irénée Lafrance lui-même aurait été satisfait de la solution trouvée par Marie-Thérèse. Toute cette mésentente, finalement, découlait d'une grande déception.

— Ouais, répéta-t-elle, c'est une bonne idée que vous avez eue là, surtout si en plus, ça vous fait plaisir de travailler ensemble. Laisse faire mon père. Il va se tanner, j'en suis certaine. Pis d'ici à quelques semaines, c'est lui qui va revenir en ville en courant parce qu'il va en avoir plein le casque des enfants pis du travail. Faut juste qu'il aye l'impression que c'est lui qui décide de toute, pis ça va aller comme sur des roulettes!

— Que le Bon Dieu t'entende... J'avoue que ton idée m'apparaît un peu comme une montagne. Je me sens tellement fatiguée. Mais si d'aller en ville permet de rabibocher tout ça, j'suis sûre que tout le monde va vouloir m'aider, nous aider, Jaquelin pis moi, pis j'suis prête à essayer. Tout ce que je veux, c'est reprendre ma place ici, dans la maison avec les enfants, pis dans la cordonnerie, avec Jaquelin...

Sur ce, Marie-Thérèse ferma les yeux. Mais au moment où Lauréanne s'apprêtait à quitter la chambre silencieusement, elle les rouvrit précipitamment.

— C'est ben beau tout ça, ma pauvre Lauréanne, mais comment c'est que j'vas me rendre en ville, moi là ? Il est pas question que je prenne le train. Pas après avoir accouché, pas avec les filles, les bagages, pis deux bébés naissants.

— Ben là, c'est pus notre problème, ma belle Marie-Thérèse.

Lauréanne avait l'air sûre d'elle-même, comme chaque fois qu'elle s'apprêtait à s'en remettre à son Émile. Sans plus attendre, elle expliqua :

— Comme je connais mon mari, juste à l'idée d'avoir des enfants chez nous, il va trouver une solution... Il va remuer ciel et terre, si jamais c'était nécessaire. Pis j'vas lui demander de parler à Jaquelin. Entre hommes, des fois, il y a des affaires qui passent mieux.

— Si tu le dis...

De toute évidence, maintenant que chaque élément de l'équation semblait prendre sa place, Marie-Thérèse n'avait plus une once d'énergie à investir dans le projet ni l'envie de protester. Épuisée, elle n'arrivait plus à réfléchir froidement. Si on lui promettait un lit pour la nuit suivante, et quelqu'un sur qui compter pour la remplacer auprès des bébés ne serait-ce que pour quelques heures, elle suivrait sans dire un mot.

Dans l'état de quasi-catatonie qui était le sien en ce moment, Marie-Thérèse était donc prête à s'en remettre au bon vouloir de Lauréanne. D'un mot à un autre et d'une idée à une autre, sa belle-sœur avait fini par la convaincre qu'un petit séjour en ville ne ferait de mal à personne.

«À la grâce de Dieu», pensa Marie-Thérèse avant de refermer les yeux, n'aspirant qu'à un peu de repos.

Ce fut à cet instant que les jumeaux poussèrent un cri à l'unisson.

DEUXIÈME PARTIE

—◆—

Automne 1923

CHAPITRE 5

Au collège de Trois-Rivières

◆

Le lundi 10 septembre 1923, dans la salle
des pas perdus, avec le nouvel étudiant
Cyrille Lafrance

Monsieur Cyrille Lafrance, comme on
nommait pompeusement les élèves du
collège, était tellement en colère contre l'un des
supérieurs du collège que la main tenant les
quatre morceaux de sa lettre en tremblait.

Le père Auguste avait été inébranlable : nul
n'avait le droit, sous son toit, car bien entendu, il
considérait le collège comme étant son bien per-
sonnel, nul donc n'avait le droit d'entretenir des
échanges épistolaires avec une représentante du
sexe faible. C'était l'expression que le préfet avait
employée, avec une pointe de condescendance
dans la voix : le sexe faible. Cyrille, qui l'entendait
pour la première fois, avait cependant compris

à qui le père Auguste voulait faire allusion. Il s'était dit machinalement qu'à Sainte-Adèle-de-la-Merci, aucune des femmes qu'il connaissait n'avait l'air faible. Toutefois, intimidé par le supérieur, il n'avait osé demander une quelconque explication qui aurait pu l'éclairer, et il s'était abstenu de toute remarque.

Assis derrière un lourd pupitre en bois verni si bien poli que la fenêtre s'y reflétait, le grand homme osseux, en soutane lustrée par un trop long usage, se tenait bien droit. « Raide comme la justice », aurait sans doute dit la tante Félicité, avait alors pensé Cyrille.

Le préfet de discipline, car c'était là le nom de la fonction du père Auguste, tel qu'inscrit sur la porte de son bureau, avait longuement dévisagé Cyrille avant d'émettre le moindre commentaire sur ces feuillets curieusement arrivés entre ses mains, puisqu'ils avaient été glissés sous sa porte. Le préfet les tenait présentement du bout des doigts en les secouant comme une vieille guenille.

— Pas question que j'autorise l'envoi de cette lettre, avait-il enfin laissé tomber, brisant un silence qui commençait à se faire lourd.

— Mais c'est pour ma cousine ! avait tenté d'expliquer Cyrille, sur le ton le plus poli qu'il avait pu découvrir au fond de lui-même, passant par-dessus le fait qu'il estimait l'interdiction à tout le moins exagérée.

De quel droit pouvait-on l'empêcher d'écrire à sa cousine ?

— Votre cousine… Vous m'en direz tant ! C'est ce qu'ils disent tous.

À ces mots, empreints de morgue, le sang de Cyrille n'avait fait qu'un tour. Mais qu'est-ce que c'était que cette insinuation ? Le préfet de discipline était-il en train de le traiter de menteur ?

Le jeune homme avait aussitôt senti monter en lui l'envie brûlante de répliquer, car c'était dans sa nature de ne pas s'en laisser imposer. Ne disait-on pas de Cyrille Lafrance qu'il n'avait pas la langue dans sa poche ? De plus, lui qui avait toujours fait de la vérité une vertu, il n'en revenait tout simplement pas que, sans le connaître, on puisse lui prêter de telles intentions. Cyrille avait dû fournir un effort titanesque pour ne rien laisser transpirer de cette colère qui bouillonnait de plus en plus fort en lui et qu'il considérait comme étant tout à fait légitime.

Était-ce un collège, ici, ou une prison ?

Malheureusement, le pauvre Cyrille allait apprendre dans l'instant que l'un pouvait être le synonyme de l'autre, sous le couvert d'intentions plus ou moins sincères. Seule consolation au tableau : son désaccord n'avait pas semblé être remarqué, puisque le supérieur avait continué sur le même ton glacial, d'une voix nasillarde et agaçante, sans laisser transparaître la moindre émotion, autre que cette espèce de mépris permanent qui affaissait le coin de ses lèvres minces et pâlottes.

Fixant un point invisible sur le mur d'un beige déprimant, juste au-dessus de la tête de Cyrille, le religieux avait poursuivi.

— Votre cousine? Vous dites que cette... cette Judith serait votre cousine? Grand bien vous fasse, monsieur. Je serai bon prince et je vais donc vous accorder le bénéfice du doute, en vous avisant tout de même que c'est là une raison de plus pour ne pas permettre un contact assidu entre vous et cette jeune personne qui vous est liée par les liens du sang. Autoriser un échange régulier entre deux êtres vulnérables, comme vous l'êtes tous à votre âge, pourrait s'avérer néfaste au bon cheminement de vos études qui devront, à partir de maintenant, se dérouler quotidiennement dans un climat calme, studieux et pieux, loin des tentations du monde extérieur. Vous êtes ici pour préparer votre vocation, monsieur, il ne faudrait surtout pas l'oublier, et vous avez promis d'y réfléchir avec la conviction d'une foi profonde en notre Seigneur Jésus-Christ. Quoi qu'il en soit, peu m'importe que ce soit votre cousine, ou votre sœur, le règlement est et restera le règlement. Vous ne l'aviez pas lu, n'est-ce pas? Vous auriez dû, car présentement, vous me faites perdre un temps précieux. J'ai autre chose à faire, moi, monsieur, que réprimander un ignare qui ne s'est pas donné la peine de vérifier les us et coutumes de notre bien-aimée institution, comme il vous avait été recommandé de le faire, au soir de votre arrivée. Apprenez donc que ces règlements ont été instaurés dans l'unique but de fournir, aux jeunes gens qui nous sont confiés, l'environnement adéquat afin de poursuivre un cursus qui fera de vous un homme supérieur. Pour le moment, il est évident que vous n'y voyez que déplaisir, soit, mais viendra le jour où vous comprendrez le bien-fondé de nos décisions, et vous nous en remercierez.

Ce discours était insensé et, avouons-le franchement, un tant soit peu ridicule. À croire qu'il avait été planifié de longue date et que le préfet s'en délectait à la moindre occasion, tellement il coulait avec aisance et fluidité. Quand Cyrille en avait pris conscience, au bout de quelques instants à peine, la tentation de fermer les yeux en bâillant avait été grande devant ce monologue long, inutile et bêtifiant. Toutefois, Cyrille s'était privé de ce petit plaisir impoli, impressionné comme il ne l'avait été que peu de fois dans sa vie. Après tout, cet homme tout en arêtes pointues était son supérieur et Cyrille avait été élevé à respecter l'autorité.

Pendant ce temps, le préfet continuait sur sa lancée, ponctuant son envolée de petits coups secs de l'index sur le papier buvard qui protégeait le plateau de son pupitre. Agacé par ce cliquetis répétitif, Cyrille n'avait pu retenir son regard, qui avait naturellement bifurqué vers le bureau, pour découvrir que le préfet de discipline gardait ses ongles plutôt longs, et pas nécessairement très propres.

Cyrille avait trouvé l'image répugnante.

Il avait alors baissé les yeux sur la pointe de ses souliers neufs, ce qui l'avait amené à penser à son père, si fier de lui offrir ces chaussures en peau de vache, cousues expressément pour la rentrée au collège.

— Même ton grand-père est d'accord avec moi pour que t'ayes des beaux souliers. Pour le fils pis le petit-fils de cordonniers, ça s'imposait, tu crois pas ? Comme ça, on remarquera pas trop que tes vêtements, eux, sont usagés. Rien parle comme une paire de souliers, mon gars, rappelle-toi de ça ! Des souliers ben polis, ça donne de la classe à n'importe quel homme !

Ils étaient alors tous les trois dans la cordonnerie, où père et grand-père avaient cru bon d'y aller de quelques conseils d'usage, avant le départ pour le collège. Après tout, l'un comme l'autre, ils avaient brièvement fréquenté le couvent de la paroisse qui, à leurs yeux, en valait bien d'autres ! Et comme Marie-Thérèse n'était pas là pour voir à son fils...

Cyrille avait écouté poliment. Toutefois, les mots « fils et petit-fils de cordonniers » continuaient de tourbillonner dans son esprit, comme un ver d'oreille, tandis qu'Irénée y allait de ses recommandations, que Cyrille semblait accueillir avec le plus grand des respects.

Pourtant, l'occasion d'annoncer qu'un jour, il y aurait une troisième génération de cordonniers chez les Lafrance lui avait été offerte à ce moment-là sur un plateau d'argent. Mais Cyrille ne l'avait pas saisie, même s'il n'en tenait qu'à lui de le faire.

Peut-être était-il trop jeune encore pour savoir comment récupérer la fierté d'un père et d'un grand-père pour la faire passer adroitement de l'école à la cordonnerie ?

Sans doute.

Ou encore, était-il trop inquiet par la rentrée qui se précisait avec une implacable clarté, tout juste au bout de la fin de semaine ?

Peut-être.

Il n'en restait pas moins qu'à cause de son silence, à peine quelques jours plus tard, Cyrille se voyait contraint d'essuyer un discours assommant.

Le jeune garçon leva subrepticement les yeux.

Le père Auguste était un homme désagréable du bout de ses doigts pointus jusqu'à sa voix haut perchée. Si en plus il n'était pas très propre de sa personne, il devenait un être affligeant à supporter. Et que dire de ses cheveux gominés qui ressemblaient à un casque brillant soudé sur sa tête ?

À cent lieues d'imaginer l'inspection dont il

faisait les frais, le préfet continuait à pérorer. À défaut de toucher le cœur de Cyrille par le bien-fondé de ses opinions qu'il tenait en très haute estime, le préfet voyait en sa propre personne un excellent public et cela lui suffisait amplement pour étirer indûment cet instant de complaisance.

— De toute évidence, avait-il enfin semblé conclure, dans votre cas, il y a beaucoup de travail en perspective pour qu'un jour, on puisse arriver à dégrossir, éduquer et polir le curieux personnage que vous êtes…

Le préfet espérait-il une réponse, puisqu'il s'était donné la peine de délaisser le point invisible sur le mur afin de fixer Cyrille avec sévérité? Encore une fois, le jeune homme préféra se taire. Dans le doute, il vaut mieux s'abstenir, n'est-ce pas? Voilà une vérité que sa mère ne cessait de répéter et il allait, dès maintenant, en vérifier l'exactitude.

Cyrille baissa de nouveau les yeux dans une parfaite imitation de la soumission la plus totale. L'image avait dû plaire au préfet, car sa voix avait baissé d'un ton, la rendant tout à coup racoleuse.

— Seule votre mère, monsieur, aura le droit de vous écrire et vous d'y répondre, sous condition, bien entendu, que j'y appose mon tampon, en guise d'assentiment, avait précisé le préfet. Vous comprenez la nécessité d'une telle vérification, n'est-ce pas? Malheureusement, il n'y a pas que des âmes pures sous notre toit, comme vous pourrez sans doute le constater assez facilement. Ainsi, toutes les lettres écrites de votre main, sans la moindre exception, devront m'être soumises pour que j'en prenne connaissance, avant d'en autoriser l'envoi. J'espère n'avoir jamais à le répéter. Jamais. Quant à la présente missive...

D'un geste théâtral, le grand homme en soutane avait déplié sa longue silhouette en se levant de sa chaise garnie d'un gros coussin de velours élimé, puis, à demi penché vers Cyrille et tout en le regardant droit dans les yeux, il avait déchiré les feuillets que le jeune homme avait mis tant de soin à rédiger avant de s'en déclarer satisfait. Puisqu'il se doutait bien que ce premier envoi serait lu à tout un chacun dans la famille, Cyrille voulait que sa lettre soit parfaite.

Le préfet avait ensuite laissé tomber les bouts de papier sur son bureau avec une moue dédaigneuse.

Consterné, Cyrille avait tendu la main pour récupérer les restes de ce qu'il avait considéré comme une petite merveille de la langue française.

— Veuillez déposer vos papiers dans une corbeille et qu'on n'en parle plus. Comptez-vous chanceux que je ne sévisse pas. Maintenant, hors de ma vue, j'ai suffisamment perdu de temps à cause de vous !

C'étaient ces quatre mêmes bouts de papier que Cyrille tenait présentement d'une main tremblante de fureur, se demandant qui avait bien pu prévenir le préfet que l'élève Cyrille Lafrance avait écrit une lettre destinée à sa cousine.

Qui donc avait fouillé son casier, l'avait trouvée, puis remise à son supérieur? Y avait-il quelqu'un qui le détestât au point de manigancer dans son dos, pour que finalement, il soit demandé au bureau du préfet de discipline durant l'heure allouée aux devoirs?

Était-ce un confrère, un professeur?

Cyrille laissa échapper un long soupir d'incompréhension.

Mais qui donc avait bavassé de la sorte?

Et qui, surtout, savait que lui, Cyrille Lafrance, avait écrit une lettre? Il ne s'en était surtout pas vanté. À personne.

Cyrille avait beau se triturer les méninges, il ne voyait pas.

Comme, jusqu'à maintenant, il trouvait les devoirs plutôt faciles à faire, il les avait rapidement expédiés et il avait profité de deux périodes d'étude, en fin de journée, pour écrire sa lettre. Personne n'avait pu savoir ce qu'il faisait puisqu'il avait ouvert un cahier d'exercices devant lui pour y déposer ses papiers.

De toute manière, c'est à peine si Cyrille avait eu le temps d'apprendre le nom de ses plus proches voisins, tant au dortoir, dans la classe, qu'au réfectoire. Quant aux professeurs, avec toutes ces soutanes et ces petites lunettes cerclées de métal, à l'identique dans la plupart des cas, il en perdait le peu de latin appris jusqu'à maintenant, et il n'arrivait toujours pas à les distinguer entre eux!

Non, vraiment, Cyrille ne voyait pas qui était « l'ennemi à abattre », comme il le criait férocement à quelques amis du village, lors d'épiques batailles de boules de neige qui se terminaient toujours dans de formidables éclats de rire, ce qu'ils appelaient « le grand bain de sang » !

Immobile et le souffle court, Cyrille essayait de revoir les premiers jours passés au collège. Puis, il esquissa une moue dubitative.

Il tenait peut-être un indice...

Hier, à l'heure où les lumières se fermaient pour la nuit, une voix avait murmuré dans le noir de faire bien attention à chacun de ses gestes et de ses paroles, parce que les murs avaient des oreilles.

Ce message lui était-il destiné? Et si oui, de qui parvenait-il? D'un élève, sans aucun doute, mais lequel?

Dépassé par les événements, Cyrille laissa éclater sa colère en frappant bruyamment du plat de la main sur la longue table de réfectoire qui servait parfois aux jeux de société.

Un coup, deux coups, trois coups...

Comme l'heure de l'étude n'était pas encore terminée, il était seul dans la salle des pas perdus.

Heureusement, car il aurait dû expliquer au surveillant ce geste qui venait de lui échapper.

Le vieil homme à qui Cyrille faisait référence en ce moment était bien l'unique personne en ces lieux qu'il connaissait, et qu'il reconnaissait sans peine.

C'était un homme de petite taille et maigre comme un échalas. Le cheveu rare et la bouche pincée, il avançait dans la vie à tout petits pas silencieux. Tout de soutane vêtu, lui aussi, il dégageait de plus une forte odeur d'oignon qui le précédait partout où il allait. Cet homme-là avait comme mission, dans la vie, de surveiller le groupe des plus jeunes dont faisait partie Cyrille.

Frère Alfred était son nom.

En dehors des heures de cours, il ne les lâchait pas d'une semelle, les accompagnant au réfectoire et même à la douche ; assistant à leurs pratiques sportives sans jamais manifester le moindre encouragement ; et participant de loin à tous leurs jeux. Il couchait dans une sorte de cellule garnie de rideaux et située tout au bout du long dortoir qui faisait office de chambre pour les élèves des Éléments latins et de la Syntaxe. Ce petit homme alléguait qu'il devait être à portée de main en cas d'urgence. La rumeur circulait que pour ce faire, il dormait tout habillé.

Frère Alfred...

Cyrille n'était pas encore au fait de l'exacte hiérarchie qui régissait le collège, et il n'avait surtout pas osé le demander, par crainte de passer pour un ignare, justement. Toutefois, à première vue, il avait constaté qu'une grande différence semblait exister entre les pères et les frères, puisque ces derniers s'adressaient aux premiers avec une sorte de déférence dans la voix. De plus, les frères avaient une diction plutôt familière, lui rappelant agréablement les gens de son village, tandis qu'à l'opposé, les supérieurs et l'ensemble des professeurs donnaient l'impression de déclamer le dictionnaire dès qu'ils ouvraient la bouche.

De toute évidence, il n'y avait nulle familiarité entre les pères et les frères. Du moins, Cyrille n'en avait jamais été témoin.

Le jeune homme en avait donc conclu que les frères devaient être une sorte de vicaire de second ordre et il n'y avait plus pensé.

Tant de choses sollicitaient son attention et sa vigilance qu'il n'avait pas le temps de s'attarder sur de tels détails !

En effet, si le jeune garçon avait fait contre mauvaise fortune bon cœur et qu'il était parti de chez lui pétri de la meilleure volonté du monde pour plaire à ses parents, et finalement à son grand-père aussi, sans oublier le curé Pettigrew, bien entendu, ce qui faisait finalement bien des personnes à satisfaire, en ce moment, il avait tout oublié de ses louables intentions. Les poings crispés sur les lambeaux de sa lettre, sa résolution n'était plus qu'un vœu pieux.

En moins d'une semaine, le pauvre Cyrille avait facilement compris que la vie de pensionnat ne serait pas faite pour lui. Coincé entre des murs trop épais et trop sombres, il était déjà malheureux comme les pierres dans ce vaste collège qui, par moments, lui semblait être un maléfique assemblage de labyrinthes obscurs, conçus expressément pour confondre jusqu'au plus talentueux des élèves. Ceux qui vaincraient leur panique et l'imbroglio des corridors sans jamais être en retard à un cours seraient assurément voués au plus brillant des avenirs!

Maintenant qu'il avait été rappelé à l'ordre par le préfet, et convaincu que quelqu'un lui en voulait, allez donc savoir pourquoi! Cyrille venait de comprendre que tout ce qui lui restait comme désennui, désormais, était de plonger corps et âme dans ses études pour ne pas voir le temps passer. Il lui fallait oublier qu'il se languissait déjà de son village et de sa famille et ainsi, réussirait-il peut-être à se faire un nom auprès de la direction du collège, laquelle n'aurait assurément pas le choix de faire le bilan de ses résultats aux autorités concernées.

Et avec ces derniers mots, Cyrille ne faisait pas référence à ses parents. Non! Il pensait plutôt au curé Pettigrew à qui il devrait rendre des comptes.

Cela faisait beaucoup d'adaptation et de changements en peu de temps pour un jeune garçon de treize ans, habitué à être plutôt libre de ses mouvements. De voir les interdits se greffer maintenant à son intégration au collège faisait de l'expérience une réelle déception pour celui qui était habituellement traité en adulte par la plupart des gens autour de lui, et depuis quelque temps déjà.

Et ce n'était pas tout, loin de là.

Ici, tel un orphelin, Cyrille Lafrance était considéré, d'abord et avant tout, comme étant la pupille du curé Pettigrew. La chose avait même été rendue publique puisque le principal du collège l'avait mentionné, lors de la rencontre générale des nouveaux. Le ton employé permettait de supposer que c'était là tout un honneur et Cyrille avait aussitôt redressé les épaules.

Eh oui! C'était lui qui avait de bonnes notes et qui avait été remarqué par le curé de sa paroisse.

Toutefois, victime de nombreux regards narquois qui s'étaient spontanément tournés vers lui, Cyrille en avait aussitôt déduit que c'était plutôt une tare d'être l'élu d'un curé. Sourire effacé, il s'était aussitôt tassé sur sa chaise.

De ses parents, il n'avait été fait aucune mention, lors de cette réunion, alors que ses confrères avaient eu droit à un pedigree beaucoup plus élaboré, « fils de... » ayant été l'expression consacrée lors de cette présentation.

À croire que la famille Lafrance au grand complet avait subitement disparu.

Par la suite, Cyrille avait rapidement senti qu'il y avait une distinction entre lui et les autres élèves, et cet état de choses ajoutait à ses désillusions.

Pourtant, il avait sincèrement cru que l'expérience pourrait être agréable, et ce, dès le premier jour, alors qu'à son arrivée, le frère Alfred l'avait accueilli d'un sourire bon enfant.

— « Un esprit sain dans un corps sain », monsieur, avait-il déclaré, après les quelques salutations d'usage. C'est la devise de notre très chère institution.

Les deux phrases avaient sûrement été apprises par cœur, et probablement dictées par la direction, car le petit homme les prononçait sur un ton précieux, en articulant avec une exagération qui donnait envie de sourire.

Par la suite, le naturel avait repris le dessus quand il avait annoncé à Cyrille qu'il devrait immédiatement se rendre à la salle commune afin de choisir l'activité sportive qu'il comptait pratiquer.

— Pour ça, ben, il y a le ballon-chasseur, le hockey sur gazon, pis le baseball, de retour cette année, à la demande générale des anciens, avait-il énuméré. Les supérieurs sont pas mal généreux de tenir compte des préférences de nos élèves, comme ça. Vous allez donc avoir à choisir celui des sports qui vous convient le mieux, pour qu'on puisse former des équipes. Demain, vous pourrez consulter l'horaire des pratiques. On va l'afficher sur le babillard, qui, lui, est accroché sur le mur du réfectoire. Faut surtout pas oublier les pratiques. C'est ben important, parce qu'elles sont toutes obligatoires, comme le reste des cours, pis vous serez noté là-dessus aussi. Des élèves de Belles-lettres, les grands comme on les appelle, vous attendent dans la salle des pas perdus pour prendre les inscriptions.

— La salle des pas perdus?

— Ouais, la salle des pas perdus... Cette salle-là, on l'appelle de même parce que c'est là que les élèves tournent en rond le temps de la récréation, quand il pleut dehors. En sortant d'ici, tournez à gauche, c'est au bout du corridor. Bienvenue chez nous, monsieur... Au suivant!

Cyrille, qui n'avait guère eu l'occasion de pratiquer un sport bien encadré, avec équipement et entraîneur, cela va sans dire, y avait vu une occasion intéressante. Si tout le reste était à l'avenant, peut-être bien, après tout, que la vie de pensionnaire serait somme toute assez agréable.

Sans hésiter, Cyrille avait choisi le baseball, dont monsieur Touchette lui avait déjà glissé un mot en grande pompe.

— C'est un sport américain, mon jeune. J'ai déjà vu une *game* à New York, tu sauras. Au moins une fois dans sa vie, faut voir Babe Ruth courir tout le tour du terrain pour venir toucher la *plate* quand il fait un *home run*. C'est tout un athlète!

Cyrille n'y avait pas compris grand-chose, avec

tous ces mots anglais qu'il ne connaissait pas, mais il s'était dit que si quelqu'un se donnait la peine d'aller aussi loin que New York pour assister à une simple partie de balle, c'était que ça devait être particulièrement intéressant.

En donnant son nom au « grand » qui prenait les inscriptions, Cyrille avait déjà hâte d'en discuter avec monsieur Touche-à-Tout.

Finalement, les premières heures passées au collège avaient été plutôt sympathiques, d'autant plus que c'était l'oncle Anselme qui l'y avait emmené.

En effet, le frère de Marie-Thérèse, père de deux filles, s'était pris d'affection pour ce jeune neveu qui lui avait donné un sérieux coup de main durant l'été. Il s'était donc offert pour le reconduire au collège.

— Ben là, vous me faites plaisir, mononcle ! Je pensais que ça serait monsieur le curé qui ferait ça.

— Penses-tu que je t'aurais faite ce coup-là ?

Les yeux d'Anselme pétillaient de malice.

— Voyons donc, le jeune ! C'est ben que trop long d'icitte à Trois-Rivières, en compagnie d'un homme d'Église, habitué aux longs sermons. Tu connais notre curé comme moi, non ? Malheureusement, ton père a pas le choix de rester à la cordonnerie avec ton grand-père, pis ta mère est encore à Montréal avec les filles. Ça fait que je me suis dit que c'était à moi d'aller te reconduire à Trois-Rivières. Ça va me faire comme des petites vacances, une journée loin de la ferme. J'suis sûr que c'est ça que ta mère aurait voulu que je fasse.

Cette dernière précision avait fait rougir Cyrille et il avait baissé les yeux, subitement attristé. Anselme lui avait alors ébouriffé les cheveux avec affection.

Oui, heureusement qu'Anselme avait été là pour Cyrille !

En effet, l'oncle jovial et toujours de bonne humeur s'était avéré être d'un précieux secours quand Cyrille avait appris le départ de sa mère.

Dans les faits, depuis plus d'un mois maintenant, le jeune garçon n'avait vu Marie-Thérèse qu'à une seule occasion, au moment de la naissance des jumeaux. Quand il s'était présenté chez ses parents dès le lendemain, par un beau dimanche après-midi, avec un bouquet de fleurs des champs, Marie-Thérèse, les filles et les bébés étaient déjà partis en compagnie de sa tante Lauréanne et de son parrain Émile.

— Ben voyons donc ! Moman est partie ? Avec les petits ?

— C'est comme je te dis.

Jaquelin semblait exténué et sa voix était monocorde. En contrepartie, celle de Cyrille avait aussitôt retrouvé l'aigu de ses toutes jeunes années pour protester.

— Ça se peut pas ! Moman a pas pu partir pour Montréal comme ça, sans même me dire bonjour.

— Que c'est tu veux que je réponde à ça, mon

gars ? Va falloir que tu te fasses à l'idée parce que c'est comme ça que ça s'est passé. Des fois, dans la vie, les choses vont pas pantoute dans le sens où t'espérais les voir aller.

— Je veux ben croire, mais ça ressemble pas à moman, ça, de se sauver comme elle a faite.

— Elle s'est pas sauvée, voyons donc! Que c'est tu vas penser là? Ta mère est partie pour se reposer. Icitte, dans la chambre des filles, ça aurait pas été possible. C'est pour ça que ton parrain a loué les services d'un chauffeur de taxi pour amener tout ce beau monde-là en ville. Ils ont pas eu le choix de partir ben vite, parce que le chauffeur était juste de passage dans le village, pis il voulait retourner chez eux avant le souper... Dis-toi ben, Cyrille, que ça me fait pas plus plaisir qu'à toi, mais je comprends... Oh oui, je comprends le désir de ta mère de vouloir être en paix avec ses bébés.

Ce jour-là, Cyrille avait quitté la maison de ses parents en claquant violemment la porte et les vociférations de son grand-père l'avaient poursuivi jusque dans la rue sans qu'il en soit gêné. Tant pis si toute la paroisse l'entendait. Bien au contraire! Cyrille voulait que tout le monde comprenne qu'il était choqué par tout ce qui se passait dans sa famille depuis ces trois derniers jours.

Il avait jeté ses fleurs dans le premier fossé croisé.

Tout en se dirigeant vers la ferme de son oncle

Anselme, il n'avait cessé de se répéter que si le grand-père Lafrance n'avait pas été là, tout aurait été différent. C'était lui, le fauteur de troubles, avec sa manie de toujours tout décider! Sa mère n'avait certainement pas voulu partir pour rien! À la maison, ça devait être intolérable. À commencer par le fait que Marie-Thérèse n'avait plus de chambre à elle, pour se remettre tranquillement de son dernier accouchement. Cyrille se souvenait très bien de la naissance d'Ignace et d'Angèle, alors que Marie-Thérèse avait gardé le lit durant plusieurs jours, tandis que leur grand-mère Gagnon et leur tante Félicité avaient pris la relève dans la cuisine, aidées par quelques voisines bien intentionnées. Les enfants devaient même marcher sur la pointe des pieds pour ne pas déranger leur mère.

Si le grand-père Lafrance n'avait pas été là, sa mère n'aurait pas senti le besoin de fuir vers la ville pour se reposer, Cyrille en était persuadé. Et lui, pendant ce temps-là, il aurait pu la remplacer à la cordonnerie.

En effet, qui d'autre, au village, aurait pu occuper le poste à sa place?

Il apprenait vite, au moins aussi vite que sa mère, et il aurait pu aider son père avec efficacité, de telle sorte que, de fil en aiguille, il n'aurait pas été obligé de partir pour le collège, puisqu'il aurait été jugé irremplaçable.

Cyrille avait marché d'un bon pas, tout le long

du chemin menant de chez ses parents à la ferme de son oncle, martelant du talon la terre battue.

Chaque fois que le nom de son grand-père lui traversait l'esprit, la bouffée de rancune ressentie rendait sa respiration difficile. Sa frustration n'avait d'égale que la tristesse provoquée par le départ de sa mère sans qu'elle ait pensé à le saluer avant de partir. Un petit message laissé à son attention aurait fait l'affaire.

Ce fut à partir de cet après-midi-là qu'Anselme avait pris Cyrille sous son aile, avec un étalage d'affection nettement plus manifeste que durant le premier mois de cet été qui s'achevait. À la seconde où le fermier avait vu son neveu revenir chez lui en bottant du pied les petits cailloux qui semaient sa route, il avait compris que le jeune garçon était bouleversé.

Une courte explication de la part de Cyrille avait suffi pour qu'Anselme passe un bras protecteur autour de ses épaules.

— Moi, vois-tu, mon jeune, je pense que c'est une bonne affaire pour ta mère, avait-il tenté de concilier. Je sais ben qu'on va toutes s'ennuyer un peu, moi le premier. Après toute, Marie-Thérèse, c'est ma sœur. Mais à Montréal, elle va pouvoir se remettre d'aplomb. Icitte, avec ton grand-père Lafrance à la maison...

Cette phrase laissée en suspens en disait beaucoup sur ce qu'Anselme pensait d'Irénée Lafrance.

Sans plus de détails, Cyrille avait compris que son oncle avait la même opinion que lui, en ce qui avait trait à son grand-père. Il avait alors poussé un long soupir de découragement, au point d'inciter Anselme à déclarer avec enthousiasme, sachant que son neveu allait apprécier sa proposition :

— Viens-t'en, mon Cyrille, on a du blé d'Inde à casser. Il est encore un peu petit, mais j'suis d'avis que c'est le meilleur. On va en profiter pour faire ça entre hommes, pendant que les femmes sont toutes parties au village, ben endimanchées, pour visiter la parenté Gagnon. La jument est déjà attelée à la charrette, elle nous attend en arrière de la grange. Envoye, grouille-toi, mon homme, va te changer ! On s'en va au bout du rang, de l'autre bord du champ de tabac. Quand on aura fini, on se fera beau, à notre tour, pis on ira chercher les filles chez tes grands-parents Gagnon. Peut-être ben qu'ils vont nous garder à souper, surtout si on leur apporte une poche d'épis !

Le mois d'août avait passé à la vitesse de l'éclair, puis l'oncle Anselme avait pris une journée de congé pour venir reconduire son neveu au collège.

— Les ouvriers que j'ai engagés sont capables de voir au tabac sans moi. C'est toutes des vieux de la vieille qui connaissent ça aussi ben que moi, avait-il déclaré.

La route s'était faite sous un soleil radieux. Une fois la ville en vue, l'oncle Anselme avait dû demander son chemin, mais plutôt que d'en être agacé, il en avait ri. Cyrille avait alors compris qu'il s'ennuierait de son oncle, de sa tante et de ses cousines, et de leur bonne humeur contagieuse, tout autant qu'il allait s'ennuyer de sa propre famille, même si elle était un peu plus terne.

Pourtant, chemin faisant, Cyrille avait été passablement taciturne, ce qui n'avait pas trop paru, vu qu'Anselme parlait pour deux. Trop nerveux pour s'attarder à quoi que ce soit d'autre que le vertige qui lui donnait des crampes dans le ventre, le jeune garçon n'avait pas remarqué, non plus, que la calèche de son oncle détonnait à travers toutes ces automobiles rutilantes qui s'arrêtaient en toussotant devant le gros bâtiment de pierres grises, plutôt austère. Ça avait été plus tard, durant la soirée, quand le principal l'avait présenté, que Cyrille avait compris que la plupart de ses confrères ne venaient pas du même milieu que lui et c'est alors qu'il s'était souvenu de toutes ces autos devant le collège. Dommage qu'il n'ait rien vu au moment opportun, car il aimait bien les automobiles.

Et voilà qu'en ce moment, triste et fâché, il n'avait personne vers qui se tourner, personne à qui se confier pour alléger son cœur.

Cyrille Lafrance était le préféré d'un curé et les ouï-dire avaient vite fait le tour de la cour de récréation. En moins de deux, on avait décidé que Cyrille Lafrance était un profiteur, un lèche-bottine et, de toute évidence, les élèves préféraient s'en tenir éloignés.

En fait, et c'était bête comme chou, la seule personne à qui il aurait pu parler librement, avec qui il aurait pu laisser éclater sa colère ou couler ses larmes et même confier son désir de devenir cordonnier un jour, c'était Judith, et il n'avait pas le droit de lui écrire.

Cyrille lissa alors les bouts de papier, les plia consciencieusement avant de les glisser dans la poche arrière de son pantalon. Tant pis pour la désobéissance, il n'était pas question de jeter cette lettre aux ordures, il y avait trop travaillé. Il trouverait bien moyen de la recopier discrètement, et quand il serait de passage au village, à la Toussaint, il la remettrait à Judith en s'excusant platement de ne pas avoir pu correspondre avec elle, comme ils en avaient eu l'intention, car ce petit plaisir lui était défendu.

Au même instant, seule dans sa cuisine trop grande et trop silencieuse, Félicité Gagnon était penchée, elle aussi, sur une lettre qu'elle tentait péniblement de rédiger. Elle mordillait son crayon, effaçait, raturait et recommençait, poussant une multitude de soupirs agacés.

Sa patience mise à mal, la vieille dame était exaspérée par sa propre lenteur. Elle irait cependant jusqu'au bout.

Jamais de toute sa vie la tante Félicité ne s'était ennuyée à ce point. Marie-Thérèse, qu'elle avait toujours aimée comme une fille, était partie depuis plus d'un mois, et la pauvre femme ne s'y était pas encore faite.

Comment l'aurait-elle pu ?

Depuis sa plus tendre enfance, Marie-Thérèse la visitait, arrivait à l'improviste, quêtait un biscuit, un verre de lait, lui tenait compagnie avec son babil d'enfant et tous ses éclats de rire. Puis avec le temps, Marie-Thérèse avait appris à se confier à sa vieille tante et les liens entre elles s'étaient précisés, de femme à femme.

Au fil des années, Marie-Thérèse avait remplacé à elle seule toute la famille que Félicité n'avait pas eue. Et l'an dernier, au moment où Jaquelin avait regagné la forêt pour tenter de gagner sa vie dans un camp de bûcherons, un long hiver de vie commune avait tissé entre les deux femmes des liens de plus en plus forts et scellé à tout jamais cette relation privilégiée qui existait déjà entre elles.

Comble de bonheur, pour une toute première fois dans sa vie, Félicité avait pu suivre une maternité au quotidien, à travers celle de Marie-Thérèse. La célibataire qu'elle était y avait vu une bénédiction du Ciel.

Mais voilà que les bébés lui avaient été enlevés dès leur naissance et la vieille dame ne s'en était pas encore remise, elle qui rêvait du jour où elle aiderait Marie-Thérèse à s'en occuper.

Bien entendu, auprès de Marie-Thérèse, il y aurait eu la grand-mère Gagnon, qui était la belle-sœur de Félicité, et Agnès, cela allait de soi. Il y aurait eu aussi toutes celles qui l'auraient bien voulu, comme il était d'usage dans un petit village comme le leur. Ça aurait été à qui aurait apporté une soupe, une tarte, à qui aurait gardé les plus jeunes pour une couple d'heures. C'était ainsi que ça se passait à Sainte-Adèle-de-la-Merci, quand il y avait une naissance. On savait se tenir dans la paroisse.

Et cette fois-ci, Félicité Gagnon, la vieille fille du village, n'aurait pas été reléguée à la cuisine. Elle aussi aurait eu une place auprès des bébés, malgré son peu d'expérience. Marie-Thérèse le lui avait promis.

— Quand ben même ça serait juste pour le bercer, matante, si jamais vous vous sentiez pas à l'aise d'en prendre soin, ça serait toujours ça de gagné. Pis pour moi, vous saurez, c'est ben important. Un nouveau-né, faut cajoler ça autant que d'y donner à manger !

Au lieu de quoi, présentement, la vieille dame devait s'en remettre à un bout de crayon et à quelques feuilles lignées pour tenter de se rapprocher de sa nièce bien-aimée.

C'était bien peu.

De toute façon, où trouver les mots pour dire à quelqu'un qu'on s'ennuie jusqu'aux larmes sans vouloir paraître pitoyable ?

Avec quelles phrases peut-on parler de son vague à l'âme sans blesser l'autre ?

Comment déclarer qu'on a très hâte de voir revenir celle qui est partie comme une voleuse sans avoir l'air de s'acharner?

Et pourquoi, grands dieux, Marie-Thérèse n'avait-elle pas encore donné de ses nouvelles? Depuis le temps qu'elle était partie, elle devait commencer à se sentir en forme, non?

Félicité avait beau chercher et chercher à travers ses expériences et ses souvenirs, elle ne trouvait pas les mots à écrire.

Elle avait toujours été une femme d'actions, de paroles dites et de décisions. Alors non, elle ne savait pas par quel bout prendre sa lettre pour arriver à exprimer tout ce qui bouillonnait en elle. Elle ne connaissait pas les mots qui sauraient parler de ce qu'elle ressentait au plus profond de son cœur. L'exercice la dépassait. Occuper toute une heure à tenter de coucher sur le papier ce qui ne prendrait finalement que quelques minutes à dire, les yeux dans les yeux, lui avait toujours semblé une perte de temps inouïe.

Un regard ou un geste valent mille mots, n'est-ce pas?

Du moins, c'était là ce que Félicité avait toujours cru.

La vieille dame poussa un soupir à fendre l'âme.

Qu'importe ce qu'elle pensait. Pour Marie-Thérèse, elle était prête à consacrer le temps de toute une journée, s'il le fallait, pourvu qu'au bout du compte, les mots arrivent à dire l'ennui sans blesser, la tristesse sans accuser, et l'espoir de se revoir bientôt sans paraître insistante. Toutefois, ce faisant, Félicité ne pouvait s'empêcher de penser que si Marie-Thérèse avait été là, tout près, elle n'aurait eu qu'à tendre les bras pour résumer éloquemment tout ce qu'elle tentait d'écrire si laborieusement.

De longues minutes plus tard, épuisée et la tête lourde, Félicité laissa enfin tomber le crayon sur la table en soupirant une dernière fois.

Elle allait se préparer un souper frugal qu'elle mangerait en compagnie du tic-tac monotone de l'horloge. Ensuite, elle ferait infuser une bonne cuillérée de feuilles de thé dans sa plus belle tasse et elle irait boire l'infusion chaude tout doucement, dans le salon près de la fenêtre, en regardant les gens passer devant chez elle, dans l'illusion d'un semblant de compagnie. Par après, à tête reposée, elle relirait avec soin ce qu'elle avait difficilement composé. Après tout, si un homme aussi timide que Jaquelin avait su écrire à sa femme depuis son campement dans le bois, y mettant tout son amour et toute son âme, elle-même devrait y arriver, non ?

Quand Félicité serait satisfaite de ses écrits, elle recopierait le tout sur une ou deux feuilles de son plus beau papier, celui à fleurs roses qu'elle utilisait pour les anniversaires, et elle glisserait sa lettre dans une enveloppe. En écho à la requête de Jaquelin, qui avait demandé un peu de parfum à sa femme pour entretenir le souvenir, Félicité ferait tomber quelques gouttes de son eau de toilette sur le papier fleuri. Sait-on jamais, Marie-Thérèse y serait peut-être sensible?

Après quoi, elle irait dormir, sans avoir oublié de nourrir sa vieille jument, comme elle le faisait tous les soirs, beau temps mauvais temps.

Elle dormirait profondément parce que jusqu'à maintenant, rien, jamais, ne l'avait empêchée de dormir, et demain, à la première heure, elle irait confier sa lettre parfumée au maître de poste, espérant de tout cœur que Marie-Thérèse ne mette pas trop de temps à lui répondre. Pour une femme d'action s'appelant Félicité Gagnon, l'attente était le pire des supplices.

Voilà pourquoi, demain, pour passer le temps, elle occuperait la journée à faire des conserves, parce que le jardin avait bien produit, cette année, et que la tristesse ou l'ennui n'étaient pas des excuses valables pour laisser se gaspiller tant de beaux légumes. Pas pour une femme comme elle.

Après tout, comme Félicité se le répéta, tout en réchauffant un peu de soupe aux pois, Marie-Thérèse allait bien finir par revenir un jour, n'est-ce pas? et ce n'était sûrement pas en ville qu'elle aurait pu faire des conserves en prévision de l'hiver. Y avait-il même des potagers, à Montréal? De la ville, Félicité ne connaissait pas grand-chose, sinon une certaine école, jadis fréquentée, et le quartier des spectacles, où elle était allée à l'occasion avec quelques compagnes d'études.

Et si jamais demain, en fin de journée, il lui restait un peu de temps, et elle l'espérait ardemment, Félicité se promit d'aller faire un tour au couvent. Cela faisait bien des semaines qu'elle n'avait pas touché au clavier d'un piano et pour le professeur de musique qu'elle avait été durant des décennies, cet abandon aux notes lui manquait terriblement.

CHAPITRE 6

À Montréal, sur la rue Adam

━━◆━━

**Le vendredi 21 septembre 1923, dans la
chambre d'Irénée Lafrance, occupée pour
l'instant par Marie-Thérèse et les jumeaux**

La lettre de la tante Félicité avait mis une bonne dizaine de jours avant de se rendre jusqu'à l'adresse des Fortin, sur la rue Adam, à Montréal.

Assise au pied de son lit, Marie-Thérèse venait de la relire pour une troisième fois au moins depuis hier matin, toujours aussi émue de retrouver le parfum de sa tante, cette odeur de bois de santal, piquante et un peu masculine, qui lui allait à ravir.

Elle n'eut qu'à fermer les yeux pour avoir l'impression d'être assise dans la cuisine de la petite maison au toit de tôle noire et l'ennui d'une bonne et longue conversation avec la vieille dame fut immédiat et violent.

Le temps de se ressaisir en inspirant longuement, puis Marie-Thérèse replaça la lettre dans son enveloppe, se promettant de rédiger une réponse dès cet après-midi, au moment de la sieste des jumeaux. Sa tante Félicité n'aimait pas les points de suspension dans sa vie, Marie-Thérèse le savait depuis qu'elle était toute petite, et la vieille dame n'avait pas tort quand elle soulignait que cela faisait maintenant un bon moment que sa nièce avait quitté mari, maison et enfants et qu'elle, la tante restée au village, n'avait toujours pas reçu de nouvelles.

Combien de jours déjà, depuis ce fameux dimanche où Marie-Thérèse avait quitté Sainte-Adèle-de-la-Merci sans crier gare, épuisée au point de s'en remettre à Lauréanne pour tout décider à sa place?

La jeune femme secoua la tête dans un geste de grand étonnement devant les semaines qui s'additionnaient. En fait, le temps avait passé si vite en compagnie de Lauréanne qu'elle en fut toute surprise. Il faut quand même dire qu'elle était choyée, chez sa belle-sœur! N'empêche... La tante Félicité avait eu raison de se rappeler à son bon souvenir.

Marie-Thérèse jeta un regard sur la chambre plutôt confortable qu'elle occupait depuis son arrivée à Montréal. Elle eut un sourire attendri quand elle survola des yeux les berceaux appuyés contre le mur. C'est Émile qui les avait achetés dès le lendemain de leur arrivée.

— Il est pas dit que ces bébés-là vont devoir se contenter d'un bout de divan pour dormir, avait-il déclaré au déjeuner. Pis j'aurais peur qu'ils finissent par gigoter assez fort pour tomber! Finis ton gruau, ma belle Agnès, nous deux, on s'en va magasiner. J'ai pris congé de mon travail pour toi pis les jumeaux.

Les jumeaux, un garçon et une fille...

Si petits encore, mais déjà si différents, et leur père Jaquelin les avait à peine entrevus et jamais tenus dans ses bras.

Marie-Thérèse échappa un soupir. Dans leur cas, à Jaquelin et elle, elle avait l'impression que l'histoire des derniers mois était en train de se répéter, à travers l'éloignement et l'ennui.

Mais comment avait-elle pu quitter les siens ainsi?

La question n'avait toujours pas trouvé de réponse probante, sinon qu'au moment du départ, Marie-Thérèse était persuadée que son absence ne durerait qu'une semaine ou deux. Le temps, se disait-elle, de reprendre des forces et de laisser son beau-père en avoir par-dessus la tête de la cordonnerie et de la vie de famille. Pourquoi pas? L'idée de Lauréanne était suffisamment séduisante pour tenter d'y donner suite, sachant que son beau-père avait déjà juré qu'il ne remettrait jamais les pieds à la campagne pour y vivre.

Marie-Thérèse se rappelait fort bien le matin où Irénée avait annoncé qu'il partait pour Montréal et qu'il ne reviendrait jamais.

Elle se souvenait aussi de l'immense soulagement qui l'avait alors envahie.

Voilà pourquoi elle avait aussitôt pensé que, dans le cas présent, un court séjour à Montréal permettrait peut-être de remettre les pendules à l'heure sans brusquer personne.

Il ne fallait jamais brusquer Irénée Lafrance, en aucune circonstance, et Marie-Thérèse le savait depuis fort longtemps.

C'était pour cette unique raison qu'elle avait endossé la proposition de sa belle-sœur : elle irait donc attendre à Montréal qu'Irénée Lafrance soit suffisamment exaspéré par ce retour dans le passé pour que lui vienne l'irrépressible envie de retourner chez sa fille et d'y réclamer sa chambre. Pendant ce temps, tout en vivant en ville, Marie-Thérèse ne serait pas obligée d'endurer son humeur impossible.

Quarante-huit heures en sa compagnie lui avaient amplement suffi !

D'autant plus que Jaquelin avait facilement endossé la suggestion de sa sœur et n'avait émis aucune objection.

— Si tu penses que ça serait l'idéal pour toi, Marie, vas-y ! C'est vrai que tu vas être mieux chez Lauréanne... Plus tranquille, mettons. Pis ça va te donner l'occasion de découvrir la ville. On y est jamais allés, toi pis moi.

Un regard appuyé avait souligné éloquemment qu'il comprenait la situation.

— J'suis d'accord avec ma sœur pour dire que ça va être mieux pour tout le monde, avait-il ajouté, en l'embrassant sur la joue. Pis inquiète-toi pas pour nous autres, on va arriver à se débrouiller sans toi.

Au souvenir de ces quelques mots, Marie-Thérèse sentit son cœur se serrer et elle ferma les yeux sur son chagrin.

Pauvre Jaquelin! Il faisait pitié à voir, ce dimanche-là, écartelé entre sa femme qui venait d'accoucher et qui s'en allait, et son père qui n'en faisait qu'à sa tête…

N'empêche! Quelle drôle d'idée d'avoir choisi de partir ainsi, à brûle-pourpoint. Avec le recul, Marie-Thérèse elle-même n'en revenait pas. Fallait-il qu'elle ait été dans un état second pour prendre la fuite d'une manière aussi expéditive!

Cependant, il faut dire à sa décharge que la jeune femme avait pris sa décision dans un moment de grand désarroi. Elle était si fatiguée qu'elle ne voyait que palabres inutiles, larmes amères et manque de confort pour les semaines à venir, obligée qu'elle serait de vivre en compagnie d'Irénée Lafrance, lui qui n'était pas particulièrement reconnu pour son bon caractère et qui avait des exigences à propos de tout. C'était donc en désespoir de cause que Marie-Thérèse s'en était remise à Lauréanne qui, de son côté, semblait tellement sûre d'elle-même quand elle avait affirmé que ça ne serait que pour un bref moment!

— Tu vas voir! Ça durera pas longtemps. Je connais assez le père pour savoir qu'il a pus pantoute envie de travailler à réparer des souliers. Il passe son temps à dire comment c'est qu'il est content d'être libre de faire ce qu'il veut tout le temps...

— Ah oui? Il dit ça?

— Comme j'suis là, devant toi! Pour moi, c'est ben clair que c'est par sens du devoir si notre père s'est présenté chez vous.

Les deux femmes étaient à préparer les valises. Marie-Thérèse, les paupières lourdes et les jambes flageolantes, se contentait de vider machinalement le contenu de ses tiroirs dans une vieille malle de couventine, relique qu'ils avaient reçue lors de l'incendie.

— Ah oui? avait-elle répété sans se retourner, visiblement sceptique. Le beau-père a le sens du devoir développé à ce point-là? Eh ben, j'aurais pas cru ça de lui, pas envers nous autres, en tout cas... Quand même, il aurait pu nous demander notre avis.

— Irénée Lafrance demande jamais l'avis de personne! avait alors rétorqué Lauréanne sur un ton péremptoire.

Tout en parlant, la sœur de Jaquelin pliait

de minuscules chandails et des jaquettes de flanelle, des couches et des brassières roses et bleues, pour venir les placer dans la lourde malle, avec les vêtements de Marie-Thérèse. Quant à Agnès et Angèle, tout leur bagage était déjà rangé dans le grand sac de voyage ayant servi à Jaquelin quand ce dernier était monté au chantier, l'hiver précédent. À l'annonce de leur prochain départ, Angèle avait affiché une certaine indifférence en raison de son jeune âge. En autant qu'elle reste avec sa mère, le reste lui importait peu. Quant à Agnès, elle avait été plutôt excitée à la perspective de connaître Montréal.

— Ça va m'en faire des choses à raconter quand on va revenir !

Les bagages des filles s'étaient donc faits rondement.

— Profite donc du fait que tu sais que la cordonnerie va continuer de rouler, même si t'es pas là, conseilla finalement Lauréanne, tout en rangeant les derniers vêtements de bébé dans la lourde malle. Laisse-toi donc gâter, pour une fois ! Tu l'as pas volé, Marie-Thérèse ! Ça fait un an que tu cours à droite pis à gauche, pour la maison, pour les enfants, pour ton mari... Arrête donc de t'en faire pour tout le monde, pis pense à toi. Dis-toi ben que ça dérangera pas une miette que tu t'installes chez nous. Au contraire, ça nous fait plaisir, à Émile pis moi, de te rendre ce service-là.

Ça serait bête de laisser passer une occasion comme celle-là, voyons donc!

Sous le regard consterné de Jaquelin, qui n'en voulait qu'à son père, Marie-Thérèse et son escorte étaient parties dans l'heure.

Les jours avaient passé, se transformant en semaines, et bientôt on parlerait de mois, mais de toute évidence, Irénée Lafrance n'avait pas l'intention de revenir tout de suite en ville.

Que se passait-il vraiment à Sainte-Adèle-de-la-Merci pour que le vieil homme, qui avait juré que jamais il ne reviendrait vivre au village, ait subitement décidé d'y rester aussi longtemps?

Marie-Thérèse n'arrivait pas à se faire une idée claire de la situation, car les lettres de Jaquelin ne disaient pas grand-chose. En fait, il n'y en avait eu que deux, et elles n'avaient, en aucune façon, abordé le sujet du père ou de la cordonnerie. En fait, Jaquelin s'était contenté de parler du quotidien, contrairement aux lettres de l'an passé, alors qu'il avait laissé son cœur s'épancher.

À la première lettre, Marie-Thérèse s'en était attristée; à la seconde, elle s'était inquiétée.

Jaquelin ne s'ennuyait-il pas, lui aussi? Malgré la difficulté qu'il éprouvait à écrire de la main gauche, il aurait pu ajouter quelques lignes à ses lettres, non?

À première vue, il semblait que non. À moins qu'il soit débordé par la cordonnerie et l'ordinaire de la maison et qu'il soit fatigué au point d'en perdre ses mots.

Ce soir-là, Marie-Thérèse avait versé quelques larmes, la tête enfouie dans l'oreiller.

Mais à quoi donc ressemblaient leur vie de couple et leur vie de famille depuis bientôt un an?

Serait-elle condamnée à vivre loin de son mari encore bien longtemps, loin de cet homme qu'elle aimait toujours autant, envers et contre tout?

Durant quelques jours, la mélancolie avait été si grande que Marie-Thérèse en était venue à se dire qu'elle n'avait pas pris la bonne décision. L'épuisement l'avait mal conseillée et, à cause de cela, depuis l'incendie, les époux n'avaient habité ensemble que durant quelques semaines. Ce n'était pas normal pour un couple qui s'aimait d'être si souvent éloigné.

Ce n'était pas normal non plus, pour les membres d'une famille unie, de vivre ainsi, séparés les uns des autres.

Maintenant qu'elle s'était remise de son accouchement, en grande partie grâce à Lauréanne, Marie-Thérèse en était tout à fait consciente, il serait peut-être temps de rentrer chez elle pour apprendre à concilier son rôle de jeune mère avec celui de cordonnière.

Certes, avec deux bébés, le projet était ambitieux, et serait probablement épuisant. Cependant, elle était encore jeune et elle avait une bonne santé. De plus, avec l'aide de sa tante

Félicité, qui ne demandait qu'à rendre service, comme la vieille dame venait tout juste de le lui écrire, Marie-Thérèse devrait y arriver sans trop y laisser de plumes.

Ne restait que le beau-père...

En effet, comment dire à Irénée Lafrance qu'on le remerciait du plus profond du cœur, que sa présence avait été appréciée, mais que puisque maintenant Marie-Thérèse avait retrouvé la forme, il serait peut-être temps qu'il s'en aille ?

Pas faciles à dire, ces choses-là !

Surtout à quelqu'un qui s'appelait Irénée Lafrance !

Pas plus facile que de tenter de le convaincre qu'une femme pouvait fort bien travailler le cuir et réparer les chaussures, au même titre qu'un homme, sans déclencher une discussion interminable où tant Jaquelin qu'elle-même risquaient de ne pas avoir le droit d'exprimer leur point de vue.

Le simple fait d'imaginer la scène, à l'instar de celle qui s'était déroulée dans la cordonnerie le jour où Irénée était arrivé à l'improviste, et Marie-Thérèse en avait des frissons dans le dos !

Le jeu en valait-il vraiment la chandelle ?

Marie-Thérèse n'en était pas du tout certaine et elle détestait entendre les gens crier de colère. Ça lui faisait peur et elle en perdait tous ses moyens.

À vrai dire, si, d'une part, elle s'ennuyait sincèrement des siens, de Jaquelin surtout, de sa présence, de son corps lourd dormant à ses côtés, et de cette complicité dans le travail qu'ils avaient appris à faire à deux, d'autre part, Marie-Thérèse devait reconnaître qu'elle n'arrivait pas à se languir du village, ni même de cette maison qu'elle avait aidé à construire et dont elle était si fière, mais qui n'était pas la sienne.

Lauréanne aussi devait y être pour quelque chose dans cette ambivalence qu'elle sentait grandir en elle, chaque fois qu'elle pensait à la vie qui l'attendait au village. Sa belle-sœur était une amie agréable, comme une grande sœur. En sa compagnie, les journées passaient vite sans pour autant être épuisantes, puisque tout se faisait à deux, dans l'harmonie.

Qu'en serait-il à Sainte-Adèle-de-la-Merci en présence du beau-père ?

Ensuite, contrairement à la tante Félicité qui parlait comme un moulin, il arrivait fréquemment que Lauréanne se taise, ou fredonne, tout simplement, comme Jaquelin s'était mis à le faire, au courant de l'été qui venait de finir.

Marie-Thérèse aimait bien les entendre chanter, l'un comme l'autre, tout comme elle appréciait un peu de silence à l'occasion.

Avec Irénée Lafrance sous leur toit, la chose ne serait plus possible, puisqu'il revendiquait tous les droits, clamant qu'il était l'unique propriétaire des lieux et que le chant était pour lui une source de distraction inutile.

Il y avait aussi les bébés. Être deux pour s'occuper des nourrissons était un réel plaisir, tant pour Lauréanne que pour Marie-Thérèse, et certaines petites corvées inévitables n'en étaient plus vraiment, car elles étaient partagées, de jour comme de nuit, ce qui ne risquait pas de se produire à la maison, malgré la bonne volonté de sa tante Félicité ou celle d'Agnès.

Quant à Émile, il s'était avéré être un véritable boute-en-train. Avec ses blagues irrésistibles, il provoquait souvent de grands éclats de rire si libérateurs. Émile lui faisait penser à Anselme, celui de ses nombreux frères avec qui elle s'entendait le mieux, et il était un père d'emprunt nettement plus présent que Jaquelin ne l'avait jamais été, lui qui se disait craintif à manipuler les nouveau-nés.

En un mot, contre toute attente, Marie-Thérèse admettait, un peu étonnée, que la vie à Montréal était pleine d'agrément et de découvertes, et elle ne s'en était pas encore lassée.

Il n'en restait pas moins que leur vie de famille lui manquait de plus en plus, au point de se dire qu'il serait peut-être temps de retourner à Sainte-Adèle-de-la-Merci, envers et contre tout, malgré la présence de son beau-père qui ne semblait pas vouloir en repartir et la perspective d'un quotidien lourd et chargé.

Les bonnes choses finissent toujours par avoir une fin, n'est-ce pas ?

Montréal aura été une belle découverte, son

amitié avec Lauréanne s'était bonifiée et elle avait appris à mieux connaître et apprécier son beau-frère, c'était déjà beaucoup. Tant pis si elle devait se retrouver dans sa cuisine à cause de son beau-père, car il lui semblait que sa famille devait être enfin réunie.

Par contre, devant le visible bonheur que Lauréanne semblait éprouver à s'occuper des jumeaux avec elle, Marie-Thérèse n'avait pas encore osé lui toucher un mot de son projet de rentrer au bercail. Elle se doutait bien que sa belle-sœur serait infiniment déçue de la voir repartir avec ses trésors, comme Lauréanne appe-lait les nourrissons. Alors, soir après soir, emmêlé à ses prières, Marie-Thérèse s'en remettait au Ciel, l'exhortant de lui offrir bientôt, sur un plateau d'argent, l'occasion de parler.

Septembre tirait déjà à sa fin. Les jumeaux étaient de bons bébés, calmes et affamés. Ils pro-fitaient à vue d'œil et le petit Albert avait com-mencé à sourire, tandis que sa sœur Albertine, l'aînée de quelques minutes à peine, observait la vie avec le plus grand des sérieux, fronçant les sourcils dès qu'on s'approchait d'elle pour lui faire la risette. La petite Angèle, pourvu que sa mère ne soit pas très loin, suivait Lauréanne comme son ombre, curieuse comme une belette et bavarde comme une pie. En dernier lieu venait Agnès qui, tout en attendant leur retour à Sainte-Adèle-de-la-Merci, avait commencé son année scolaire à l'école du quartier.

— Comment ça, l'école au bout de la rue? s'était-elle insurgée à l'instant où Marie-Thérèse avait abordé le sujet avec elle.

— Parce qu'il est pas question que tu restes à la maison sans rien faire, lui avait répondu sa mère du tac au tac. Le mois de septembre arrive, pis ici comme chez nous, c'est le temps de la rentrée.

On était alors aux derniers jours du mois d'août.

— À ton âge, ça serait pas normal pantoute de rester dans l'appartement, à tourner en rond à la journée longue.

— Ben voyons donc…

Le jour où elle avait quitté son village, en quasi-catastrophe, Agnès y avait vu une sorte d'aventure qui occuperait la fin des vacances. Elle était tout excitée d'avoir cette chance inespérée de visiter Montréal et elle s'était dépêchée d'écrire à son amie Geneviève, au lendemain de son arrivée chez son oncle et sa tante, lui décrivant en long et en large la ville et ses attraits.

« *Tu devrais voir ça! C'est plein de rues pis de ruelles, pis il y a des bâtisses de quatre étages au moins, comme sur les photos! En plus, j'ai pris les petits chars, t'à l'heure, pour aller faire un tour. Ça fait un vacarme d'enfer, mais ça va plus vite qu'à pied pis c'est ben moins fatigant. C'est mon oncle Émile qui m'a emmenée jusqu'au pied du mont Royal. Il avait pris congé de son travail juste pour moi pis pour acheter des berceaux à*

nos bébés! Laisse-moi te dire que c'est pas mal plaisant,
en ville, à Montréal. »

Puis elle avait parlé des jumeaux, qui restaient sa priorité du moment, comme s'ils étaient ses propres enfants.

« *Je trouve ça plate que t'ayes pas eu le temps de venir les voir avant que je parte. Ils sont tellement beaux, pis doux. Je pense qu'il y a pas de plus beaux bébés dans toute la province de Québec! »*

Toutefois, quelques semaines plus tard, quand elle avait compris que le séjour en ville allait se poursuivre au-delà de l'été, la jeune fille avait déchanté.

« *Ça a ben l'air que je reviendrai pas tout de suite, avait-elle déploré sur une carte postale envoyée à son amie. Je trouve ça plate. C'est ben beau, les bébés, pis je les aime toujours, mais je pensais pas que ça prendrait autant de temps dans une journée. »*

Après avoir écrit ces mots, Agnès avait déposé son crayon, songeuse. Allait-elle ajouter que, finalement, une poupée comme sa Rosette était nettement moins exigeante qu'un vrai bébé?

Agnès esquissa une moue, reprit son crayon, le mordilla. Puis, dans un soupir, elle décida qu'il valait mieux s'abstenir de faire une telle confidence. Même si Geneviève Dumouchel était sa meilleure amie, elle ne comprendrait peut-être pas ce qu'elle cherchait à dire et c'est alors Agnès qui passerait pour une capricieuse. À la place, elle écrivit : « *Je m'ennuie de toi, tu sauras. De toi, de Lucie, pis du village.* »

À l'endos de la carte illustrant justement un wagon de tramway, Agnès avait sorti ses pattes de mouche pour arriver à tout écrire.

Enfin, l'annonce qu'elle prendrait le chemin de l'école au bout de la rue avait eu raison de ses derniers vestiges de patience.

— Comment ça, aller à l'école par icitte ?

— Parce qu'il faut que tu continues de t'instruire, ma fille. Le fait qu'on soye en ville change rien à ça.

— Pas de problème pour l'école, moman. J'aime ça pis vous le savez. C'est juste que j'aimerais mieux continuer à étudier au couvent du village, par exemple. Avec mes amies.

— Ben des amies, ma fille, tu t'en feras d'autres à l'école au bout de la rue.

— J'en veux pas d'autres, lança catégoriquement Agnès. C'est quoi l'idée ? Ce que je veux, c'est retrouver Geneviève, Lucie pis...

— Sois polie, toi là ! avait tranché Marie-Thérèse qui détestait entendre les enfants lui tenir tête sans raison valable, du moins dans le sens où elle-même l'entendait.

— Ben quoi ?

Toute rougissante, Agnès avait baissé les yeux. Il était rare qu'elle s'obstine avec quelqu'un, d'autant plus avec sa mère, mais comme l'ennui commençait à se faire sentir par moments avec

232

une insistance quasi douloureuse, et que l'attrait de la nouveauté s'estompait, Agnès n'avait pu se retenir.

— Me semble que c'est pas impoli de dire que je m'ennuie de mes amies, fit-elle sur un ton boudeur... Pourquoi on retourne pas chez nous, moman?

— Parce que c'est comme ça pour l'instant, pis je veux pus en entendre parler!

Toutefois, à voix basse, Marie-Thérèse avait ajouté:

— Pense à ta tante Lauréanne, ma belle. C'est comme un cadeau qu'on y fait de vivre chez elle avec les bébés. Tu le sais comme moi que ça y fait ben de la peine de pas en avoir à elle... Donne-moi encore une couple de semaines, veux-tu, pis on reparlera de notre retour chez nous, c'est promis. C'est sûr que ça s'en vient, ma belle. On vivra pas ici jusqu'à la fin des temps!

— Ben pourquoi, d'abord, si on est pour partir dans une couple de semaines, pourquoi moi, je m'en retournerais pas tuseule tout de suite? Ça doit pas être ben ben compliqué de prendre le train. On embarque à un boutte pis on débarque à l'autre. Je devrais être capable de rentrer chez nous sans problème, je suis assez grande pour ça. Pis si vous dites oui, je pourrais commencer l'école par chez nous, comme ça me tente, pis je pourrais même aider popa avec Ignace pis Conrad. De toute façon, les sœurs du couvent doivent m'attendre comme d'habitude parce qu'on a pas eu le temps de les prévenir que je partais. S'il vous plaît, moman, dites oui!

— Il en est pas question.

Agnès avait les yeux pleins d'eau.

— Pourquoi?

— Parce que c'est ça qui est ça, ma fille. À date, c'est moi qui décide pour toi pis tu t'en iras pas tuseule en train jusqu'à La Pérade, pour ensuite prendre un bogey jusqu'au village, avec on sait pas trop qui. Je serais ben trop inquiète. Pis c'est pas toute, Agnès. Une fois rendue à la maison, j'aimerais pas te savoir seule de fille avec une bande de garçons. Ça se fait pas. De toute façon, ça serait juste un paquet de troubles pour ton père, pis la discussion va s'arrêter là-dessus. Astheure, Agnès, prends ta veste de laine. On s'en va magasiner, toi pis moi. Ton oncle Émile a eu la bonté de nous laisser un peu d'argent pour que tu puisses t'acheter des cahiers pis des crayons neufs. Tu voudrais toujours ben pas y faire de la peine en disant que tu veux retourner tusuite à la maison, hein?

— Ben non, avait soupiré Agnès qui avait fort bien compris qu'il ne lui servirait à rien d'insister. Vous le savez que j'aime pas ça faire de la peine au monde. Surtout pas à mononcle Émile, il est trop gentil.

— Me semblait aussi... Pis si jamais il restait un peu de sous, que c'est que tu dirais d'une robe neuve pour la rentrée dans ta nouvelle école?

— Une robe neuve ?

Les quelques larmes d'Agnès qui persistaient au coin des paupières brillaient maintenant d'un éclat de convoitise.

Dès le mardi suivant, après avoir souligné la fête du Travail par un pique-nique, Agnès avait donc pris le chemin de l'école. Robe marine sur le dos et bas blancs dans ses souliers encore presque neufs, elle avait fière allure et elle le savait très bien.

— Pis on y va, moman ?

Comme il continuait de faire beau et relativement chaud, Marie-Thérèse avait vite pris l'habitude d'aller conduire Agnès à l'école, tous les matins. Ça permettait à Lauréanne d'être seule avec les bébés et Angèle, qui n'avait plus du tout besoin de la présence de sa mère pour être heureuse. C'était un peu comme si Lauréanne avait une petite famille bien à elle. Marie-Thérèse savait pertinemment que ce bref moment d'illusion faisait très plaisir à sa belle-sœur, au point où elle-même étirait sa promenade juste pour ajouter quelques minutes au bonheur de Lauréanne.

Puis, petit à petit, Agnès s'était faite à l'idée qu'une nouvelle école n'était pas une catastrophe dans la vie d'une jeune fille comme elle.

— Des filles gentilles, il y en a ici aussi, avait-elle décrété quelques jours après la rentrée, tandis qu'elle revenait à la maison pour le repas du midi. Marie-Paul Gingras est pas mal fine, pis

Louisa j'sais-pas-qui aussi. Elle, c'est la cousine de Marie-Paul. Mes nouvelles amies demeurent dans la rue juste en arrière d'ici. On va pouvoir se voir souvent. Encore plus souvent que Geneviève pis Lucie au village, je dirais. C'est vous qui aviez raison, moman, on peut se faire des amies partout. Vous allez les connaître tantôt, parce qu'elles sont supposées venir me chercher après le dîner pour qu'on retourne à l'école ensemble. Pis en plus, ici en ville, après la huitième année, les filles sont pas obligées de faire les arts ménagers, comme au couvent chez nous. On peut continuer à faire du calcul pis du français, pis toutes sortes d'autres cours aussi… C'est la maîtresse qui nous a expliqué ça, à matin, juste après la prière pis avant la dictée. Elle a dit que c'était important d'en parler avec nos parents pour qu'on sache quoi décider pour l'an prochain. Je sais pas trop ce que vous allez en penser, moman, ce que vous allez en dire, mais moi, toutes sortes de cours, ça me tente pas mal. J'suis un peu comme Cyrille, j'aime ça apprendre !

À croire qu'Agnès avait oublié qu'en principe elle ne terminerait pas l'année à sa nouvelle école.

— Bon, tu vois ! s'était quand même exclamée Marie-Thérèse, sans toutefois s'aventurer plus loin dans la discussion.

Ce jour-là, cependant, dans la tête et dans le cœur de Marie-Thérèse, l'idée d'annoncer à Lauréanne qu'elle aimerait bien retourner à

Sainte-Adèle-de-la-Merci recula dans l'ombre encore une fois, à cause d'Agnès.

D'un repos forcé à la ville, son séjour était en train de se transformer en geste de pure générosité à l'égard de son beau-frère et de sa belle-sœur et sur une ouverture probable concernant l'avenir de sa fille. Chaque fois qu'Agnès parlait de ses amies et de ses études avec enthousiasme ou chaque fois qu'elle surprenait les regards qu'Émile et Lauréanne échangeaient, penchés ensemble au-dessus des berceaux, l'intention de Marie-Thérèse d'aborder la question de son départ était moins ferme. Elle se demandait alors où puiser le courage de parler à Émile et Lauréanne, sachant qu'elle allait probablement leur arracher le cœur.

Quant à Agnès...

Que dirait-elle aujourd'hui, si on lui demandait de repartir tout de suite ? Une bonne crise de larmes était à prévoir !

Alors, l'éventualité d'un retour prochain au village était devenue une sorte d'obsession qui tournait en boucle dans la tête de Marie-Thérèse.

Pourquoi, grands dieux, les choses d'importance étaient-elles toujours aussi compliquées ?

De matin en matin, Marie-Thérèse essayait de se changer les idées en modifiant son parcours. Chaque jour, elle empruntait des ruelles différentes, s'obligeant à bien observer la ville autour d'elle pour en graver les images afin que le souvenir reste bien clair dans son esprit. Ce fut ainsi qu'elle découvrit des arrière-cours minuscules, mais toutes fleuries, puis, un peu plus loin, des jardins où des tomates bien rouges rivalisaient avec celles de son propre potager, dont elle gardait un fier souvenir.

Tout à l'heure, elle avait même aperçu des gens qui faisaient la cueillette en parlant de sauce à mettre en pots et de soupes aux légumes qui embaumeraient leur maison.

Ces quelques mots l'avaient fait soupirer d'envie.

Marie-Thérèse avait aussitôt accéléré le pas, car cette vision lui rappelait trop intensément tout ce qui avait de l'importance dans sa vie. Jamais elle ne s'était autant ennuyée de sa famille, de son mari, des petits gestes du quotidien qu'elle aimait poser. Comme en ce moment, alors qu'elle se demandait qui allait bien pouvoir faire les conserves à sa place, cette année.

Serait-ce la tante Félicité? Sa mère? Personne?

Quand elle entra dans la cuisine de Lauréanne, Marie-Thérèse avait l'air songeuse et c'est à grand-peine qu'elle arrivait à contenir ses larmes.

— C'est dommage que t'ayes pas de jardin, déclara-t-elle en retirant son chandail, essayant ainsi de reprendre contenance. On aurait pu faire des conserves. J'aime ben ça faire des provisions quand vient l'automne. Je pense que ça va me manquer pas mal, cette année.

— Tu t'ennuies, hein, Marie-Thérèse?

La réplique de Lauréanne, sous forme de

question, ouvrait tout naturellement la porte aux confidences. Marie-Thérèse se dit alors que c'était peut-être là la réponse du Ciel à ses prières et ses réticences habituelles tombèrent aussitôt.

— C'est sûr que je m'ennuie, avoua-t-elle bien simplement. De plus en plus. Comment ça pourrait être autrement ? J'ai la moitié de ma famille qui vit loin de moi, pis Jaquelin connaît pas encore les jumeaux.

— C'est sûr, ça. Je te blâmais pas quand je t'ai demandé si tu t'ennuyais. Va surtout pas croire ça.

— J'espère ben ! Mais en même temps, j'aime ça être ici, avec toi, Lauréanne. Moi non plus, je voudrais surtout pas que tu te méprennes sur mes sentiments. On s'adonne ben, toi pis moi, pis je trouve ça agréable.

— Moi avec, j'aime ça t'avoir ici, avec tes filles pis les bébés. Émile aussi, il me l'a dit...

Puis, malicieuse, Lauréanne précisa :

— C'est pas mal mieux que d'avoir le père dans les pattes !

Les deux femmes échangèrent un sourire de connivence avant que Lauréanne ajoute sur un ton nettement plus sérieux :

— Crains pas, je le sais, va, que t'es à veille de partir. Ça se sent, ces choses-là. De toute façon, j'ai pas oublié que ta vie est pas ici, avec nous autres à Montréal. Elle est à Sainte-Adèle-de-la-Merci avec ta famille.

— C'est vrai, mais... mais c'est peut-être un peu dommage.

Les mots avaient glissé des lèvres de Marie-Thérèse sans même qu'elle eût besoin d'y penser. Tout à coup, en ce moment, la possibilité d'un retour à la campagne lui avait semblé si réelle que l'évidence du bouleversement que cela allait causer lui avait sauté aux yeux. Dans son cœur, il n'y avait plus aucune ambiguïté : elle aimait la ville et ses infinies possibilités, bien plus que son village.

Toutefois, devant la multitude d'hypothèses que pouvaient laisser entendre les quelques mots que Marie-Thérèse avait échappés, Lauréanne fronça les sourcils.

— Ben voyons donc, toi ! Pourquoi tu dis que c'est dommage ? T'es pas heureuse avec mon frère pis...

— Non, non, non, interrompit vivement Marie-Thérèse. Que c'est que tu vas penser là, toi ? Je te vois venir avec tes suppositions, pis je te répondrai ben vite que tu te trompes. J'aime Jaquelin, j'aime ma famille, pis j'aime ma vie avec eux autres... Faut que ça soye ben clair pour tout le monde. C'est tout le reste alentour qui pourrait être pas mal différent.

— C'est sûr que toute peut être différent. Regarde-moi ! J'ai décidé de venir m'installer en ville pis je pense que ça a été une bonne affaire. Pourtant, c'étaient pas les prétendants qui manquaient à Sainte-Adèle-de-la-Merci. Mais c'était pas mon choix de passer ma vie là-bas. Peut-être que j'avais juste besoin de mettre ben des milles entre le père pis moi, je le sais pas. Mais toujours est-il que pour moi c'était évident : pas question que je passe toute ma vie au village. Si ça manquait pas d'air frais, ça manquait de… comment dire ? Ça manquait d'agrément… Ouais, ça manquait d'agrément pis de nouveautés… Au village, c'est toujours les mêmes affaires, le même monde, les mêmes ramassis de placotages, pis c'était pas pour moi, tout ça. Même si j'allais laisser en arrière de moi du monde que j'aimais pis une couple de bonnes amies, j'ai choisi la ville. Je l'ai jamais regretté. Pis en plus, c'est ici que j'ai rencontré mon mari. En fait, la vie c'est un peu ça, non ? C'est faire des choix.

Tandis que Lauréanne parlait, Marie-Thérèse s'était approchée d'elle. Elle se tira une chaise et s'y laissa tomber avant de répondre.

— C'est en plein ce que je me dis, moi avec. La vie, c'est juste ça, faire des choix… Choisir son mari, choisir de faire une chose ou ben une autre, choisir ce qu'on va manger… Pis savoir faire la différence entre les choix pis les rêves.

— Les rêves ?

— Ben oui… Moi, vois-tu, ça arrive que je me surprenne à rêver… J'aimerais ça, des fois, être une autre, être ailleurs. J'aimerais ça aussi faire d'autres affaires que toute ce qu'on est obligée de faire chaque jour, pis qui nous tente pas tout le temps... C'est pas parce qu'on a choisi notre vie pis toute ce qui va avec que ça devient pas ennuyant par bouttes... C'est peut-être pour ça que j'ai eu envie d'aider Jaquelin à la cordonnerie, juste pour le changement... pis pour le bien de notre famille, c'est ben certain. C'est pas parce que j'aime ma vie pis ma famille que j'espère jamais d'autre chose... Pis pour astheure, maintenant que j'ai connu la ville, pis ta compagnie, comme de raison, je me dis que l'idéal, ça serait que tout le monde vive ensemble, pas trop loin les uns des autres, constata-t-elle en soutenant le regard de Lauréanne qui, assise dans la chaise préférée d'Irénée, était en train de bercer les deux bébés en même temps.

De plus en plus éveillés, ils regardaient avec attention tout autour d'eux. Aux derniers mots prononcés par Marie-Thérèse, Lauréanne sentit son cœur bondir dans sa poitrine et par réflexe, ses bras se refermèrent un peu plus étroitement autour des corps tout chauds des jumeaux.

— Pis? demanda-t-elle, quasiment dans un souffle. Pourquoi tu me dis tout ça?

— Pour rien, laissa tomber Marie-Thérèse en soupirant. Entre le rêve pis la réalité, des fois, il y a tout un monde. C'est juste ça que je voulais dire.

Curieusement, à ces mots, ce fut Marie-Thérèse qui sembla la plus déçue.

— C'était juste une idée comme ça, rien de plus, répéta-t-elle attristée, parce que je le sais ben, va, que c'est pas réalisable mon affaire... Nous vois-tu arriver en ville, Jaquelin pis moi, avec les enfants pis toute notre butin? De quoi on vivrait, je me le demande un peu! Le travail de Jaquelin, il est à Sainte-Adèle-de-la-Merci, pas icitte en ville. Mais ça m'empêche pas de penser pareil que c'est peut-être un peu de valeur de pas avoir le choix de décider où c'est qu'on aimerait vivre... Peut-être ben que Jaquelin aimerait ça, lui avec, venir s'installer en ville... Peut-être. On le saura probablement jamais... Ça fait que pour donner suite à ce que t'as dit, t'à l'heure, c'est vrai que je commence à penser qu'il serait temps de retourner chez nous. Malgré la présence de ton père qui est en train de prendre racine dans ma chambre à coucher...

Cette dernière phrase, tout en images, tira un sourire à Lauréanne tandis que Marie-Thérèse poursuivait.

— C'est une affaire que je comprends pas pantoute... Comment ça se fait que ton père reste au village aussi longtemps?

— Parce que Jaquelin peut pas travailler tuseul, me semble que c'est pas dur à deviner.

— C'est ben beau ce que tu dis là, pis tout le monde en est conscient, mais faudrait pas oublier que j'suis là. Je l'ai même écrit dans ma dernière lettre que je me sentais vraiment pas pire. Je pensais que ça suffirait pour que Jaquelin rapplique aussi vite en écrivant qu'il allait s'occuper de parler au beau-père pour que je puisse revenir bientôt, mais j'ai eu aucune réponse là-dessus.

— Ma pauvre Marie-Thérèse... Si Jaquelin en a pas parlé, c'est probablement qu'il le sait pas plus que toi, quand c'est que le père va décider de partir. Pis je pense qu'il se ferait revirer ben raide s'il décidait de mettre de la pression. C'est ben mal connaître Irénée Lafrance que d'imaginer qu'il va changer d'idée sur un claquement de doigts, juste pour t'accommoder. Non ! Je connais assez mon père pour savoir que s'il t'a dit que ta place était dans la cuisine, il va pas changer d'avis comme ça.

— Ben voyons donc ! On aurait dû parler de tout ça ben avant, toi pis moi... Le temps passe pis j'suis encore en ville. C'est pas normal. J'ai l'impression de tourner en rond pis ça m'agace, tu sais pas comment. À t'entendre parler, c'est comme si le beau-père allait rester chez nous pour l'éternité !

— Pense pas ça. Malgré toute ce que je viens de te dire, je le sais qu'il va finir par revenir. C'est clair comme de l'eau de roche. Faut juste attendre que ça soye lui qui le décide... Le matin où il va se lever avec l'envie d'être à Montréal, il niaisera pas longtemps, même si pour ça, va falloir qu'il laisse Jaquelin se débrouiller tuseul.

— C'est pas ben ben logique, ça là !

— Ben pour Irénée Lafrance, ça l'est... En autant que ça soye lui qui prenne la décision, il y a pas personne qui va avoir le droit de dire un mot contre. Le jour où il va juger avoir faite sa part, il y a rien qui va le retenir. Par après, t'auras beau reprendre ta place dans la cordonnerie, distoi ben qu'il dira pus jamais rien sur la situation. Il est de même, le père. Je pensais juste que ça se ferait plus vite que ça.

— Pis moi avec...

Découragée, Marie-Thérèse jeta un regard autour d'elle en soupirant.

— Bonté divine que c'est toujours compliqué quand ton père s'en mêle ! sans vouloir t'offenser, comme de raison.

La pauvre Marie-Thérèse poussa un second soupir.

— N'empêche que je trouve ça dur, ben ben dur, d'être obligée de m'en remettre à la décision d'un autre qui pense pas nécessairement comme moi.

— Je peux comprendre ce que tu ressens. Moi non plus, j'aime pas ça dépendre du bon vouloir de mon père, une fois sur deux. Pis j'exagère à peine... Mais si tu veux mon avis, tu serais mieux d'attendre encore un peu avant de te montrer la face à Sainte-Adèle-de-la-Merci. Si le père se sent bousculé, ça risque de faire des étincelles, même si j'suis à peu près certaine que le jour où il va te voir arriver, ça va probablement y donner l'envie de s'en aller. Mais dans quelles conditions?

En prononçant ces derniers mots, Lauréanne repensait à cette idée un peu saugrenue qui devait continuer de trotter dans la tête de son père. Si jamais il fallait qu'Irénée Lafrance mette en branle le projet d'avoir un chalet, uniquement par esprit de contradiction, c'était toute la famille de Jaquelin qui en souffrirait.

— Non, je te le dis, Marie-Thérèse, répéta-t-elle, attends encore un peu. Juste un peu... Mettons une semaine. On en reparlera dans une semaine.

— Si tu veux, même si moi je vois pas ce que ça pourrait changer... Pis pourquoi pas? En me disant qu'une semaine de plus, ça devrait faire plaisir à Agnès, ça va m'aider à prendre mon mal en patience... Non, c'est pas vrai ce que je viens de dire là, ajouta-t-elle précipitamment. J'ai pas besoin de prendre mon mal en patience, rapport que j'suis ben avec toi.

— Moi aussi, tu sais... Pis t'as pas tort quand tu dis qu'Agnès a l'air d'aimer sa nouvelle école... Mais en attendant de voir ce qui se passe au village, il y a rien qui nous empêche de faire des conserves. Que c'est que t'en dis?

— Des conserves? Mais avec quoi, ma pauvre Lauréanne? Ça prend des légumes pour faire du cannage. Ben des légumes. Pis ta cour est même pas assez grande pour y mettre un carré de laitue!

— Je sais toute ça! Mais dis-toi ben qu'en ville, on a pas besoin d'avoir un jardin pour faire des conserves. Je dirais même que c'est la beauté de la chose parce qu'on a juste à aller au marché.

— Au marché?

— Ouais, au marché Maisonneuve. Pas de terre à retourner, pas de graines à planter, pas de binage pis d'arrachage de mauvaises herbes, nous autres, on va au marché quand on veut des légumes frais. Il y a là plein de fermiers qui demandent rien que ça, vendre des légumes. Pis pas cher, à part de ça. En plus, c'est pas trop loin, on peut même y aller à pied. On y va assez souvent, Émile pis moi. Au mois de juillet, il m'a même aidée à faire des confitures de fraises. Il y a rien de plus drôle que de voir mon mari avec un de mes tabliers autour de la taille! Avec son gros ventre, c'est ben juste si j'arrive à faire un petit nœud avec les cordons! Si ça te tente, on pourrait peut-être canner des légumes pis des tomates?

— Ben là, tu parles!

La morosité de Marie-Thérèse semblait s'être évaporée et le soulagement de Lauréanne fut instantané. Elle venait de gagner une semaine!

— C'est comme si c'était déjà faite! lança-t-elle joyeusement. Demain matin, comme c'est samedi, toi pis moi, on s'en va au marché, pendant que mon mari pis Agnès s'occuperont des plus jeunes.

— Bonne idée! Mais j'y pense... C'est ben beau

tout ça, mais comment on va rapporter toutes nos légumes? Sur notre dos? On est pas fortes comme des hommes, nous autres, surtout pas comme ton Émile. Dis-toi ben que ça prend pas mal plus qu'un panier de tomates pis une couple de bottes de carottes pour faire des conserves. Que c'est que tu fais, toi, d'habitude?

— Inquiète-toi pas, j'ai tout ce qu'il faut...

Curieusement, la voix de Lauréanne avait changé, comme si brusquement un voile de tristesse ou de nostalgie l'avait éteinte.

— On a ce qu'il faut, murmura-t-elle, les yeux tournés vers la fenêtre.

Il y eut un silence, puis, dans un soupir, Lauréanne confia:

— Tu vois, au début de notre mariage, Émile avait faite une voiturette en bois, toute rouge, avec des belles roues vernies. On t'en a déjà parlé, hein, du fait qu'Émile aimait ça travailler le bois? Toujours est-il qu'il avait construit cette petite voiture-là en cachette, dans le hangar au fond de la cour, pis il me l'avait donnée pour la fête des Mères, en disant que ça serait pour notre premier garçon... Comme tu le sais, on a jamais eu de garçon. Ça fait qu'avec le temps, la voiture d'Émile est devenue la « barouette » aux légumes quand on va au marché, pis chaque fois qu'on la prend, Émile pis moi, on a une petite tristesse dans le cœur. Mais c'est notre chagrin à nous deux pis on y tient. Comme on a fini par s'habituer à notre vie sans enfants, pis qu'on s'aime toujours autant, on prend la voiturette de temps en temps, pis on en profite pour imaginer la famille qu'on a pas eue, chaque fois qu'on va au marché.

Sur ce, Lauréanne secoua la tête et ramena les yeux sur Marie-Thérèse.

— C'est cette même voiture-là qui va ramener tous nos légumes, demain. Tu vas voir! Elle loge pas mal, parce qu'Émile voyait grand. Comme il me disait souvent, au début de notre mariage, il voulait toute une trâlée d'enfants.

La jolie histoire de Lauréanne avait touché Marie-Thérèse.

— Je m'excuse, fit-elle alors d'une voix contrite, tout en cueillant une larme au coin de sa paupière.

— Ben non! Tu pouvais pas savoir...

De son côté, Lauréanne s'était redressée sur sa chaise et les yeux dans ceux de sa belle-sœur, elle avait poursuivi:

— À part Émile pis moi, t'es la seule à connaître l'histoire de la voiturette... J'aimerais ça que tu la gardes pour toi. Astheure, va chercher Angèle, demanda-t-elle en souriant. Ta fille voulait jouer avec les poupées de carton qu'on lui a offertes la semaine dernière, pis je lui ai donné la permission de s'installer par terre au pied de ton lit. On va coucher les jumeaux qui doivent commencer à être fatigués, pis on va se mettre au dîner. J'ai justement une couple de carottes à peler. Ça te tente-tu de m'aider? On pourrait faire ça ensemble, pis après, on fera la liste des légumes qu'on va acheter pour faire les conserves... Que c'est que t'as l'habitude de faire, toi? Tu cannes juste des légumes ou ben t'ajoutes aussi des marinades?

— Je fais de toute, Lauréanne, de toute! Pis j'aime ça! Dis-toi ben qu'avec la famille que j'ai, ça m'en prend pas mal, pis il y a jamais de restants!

— Ben moi, avec le mari que j'ai, ça m'en prend pas mal aussi, pis il y a jamais de restants non plus!

Elles finirent la journée en préparant celle du lendemain, qui commença au lever du soleil avec le boire des jumeaux, suivi d'un déjeuner expéditif.

— Pis inquiétez-vous de rien, les femmes.

Sérieux à cause de la tâche qui lui était confiée, mais tout de même souriant, Émile tenait le petit Albert au creux d'un bras tandis qu'Agnès s'amusait avec Albertine, ravie de voir sa petite sœur « sourire aux anges », comme le disait la tante Félicité devant un bébé heureux. La voiturette attendait au pied de l'escalier, dans la cour, brillante d'avoir été bien frottée, tandis que les femmes enfilaient un chandail, car à cette heure matinale, il faisait encore frais. Quant à Angèle, selon sa nouvelle habitude, elle s'était installée dans la chambre de sa mère pour jouer avec ses poupées de carton.

— Agnès pis moi, on va toute faire comme il faut, craignez pas ! rassura Émile, devant une Marie-Thérèse qui, du regard, refaisait l'inventaire de tout ce qu'elle avait déposé sur le comptoir en fait de couches, crèmes, pommades et biberons. Je commence à avoir pas mal le tour avec les jumeaux, vous pouvez pas dire le contraire, souligna alors Émile.

— C'est vrai, admit enfin la jeune mère, en se tournant vers son beau-frère. Vous êtes même capable de changer une couche. Je peux pas en dire autant de Jaquelin pis on en est pas à nos premiers bébés... Vous avez raison, je m'en fais pour rien.

— Bon ! C'est ben ce que je me disais, aussi. Prenez tout votre temps, pis tantôt, à votre retour, on va préparer les pots de légumes ensemble... Nom d'une pipe que j'aime ça, moi, une maison ben remplie ! Hein, ma femme, que c'est agréable avoir plein de monde chez nous ?

Devant un tel enthousiasme, Marie-Thérèse se détourna vivement, car elle se sentait rougir comme une pivoine. Comment, bonne sainte Anne, allait-elle pouvoir partir d'ici un jour, sans provoquer de tragédie ?

— Envoye, Lauréanne, viens-t'en ! lança-t-elle, faussement autoritaire, pressée de se soustraire au regard d'Émile, qui lisait parfois en elle avec une acuité déroutante. On a toute une journée qui nous attend, faudrait pas prendre du retard pour rien !

— J'arrive !

Quand elles quittèrent la maison, l'instant d'après, Lauréanne et Marie-Thérèse avaient l'air de deux gamines partant pour un pique-nique.

La journée était belle et la brise avait juste ce qu'il fallait de fraîcheur pour rendre la promenade agréable. Côte à côte, les deux femmes tiraient la voiturette à deux mains, tout en jasant comme de bonnes amies, les bonnes amies qu'elles étaient devenues, au fil des derniers mois.

C'était un très beau samedi d'automne. Petit à petit, les feuilles se coloraient de rouge et d'or, et le soleil avait gardé une petite chaleur qui chauffait les épaules sous le chandail. C'était bien la première fois, depuis plusieurs semaines, que Marie-Thérèse avait laissé de côté le fameux problème du retour à la maison. Elle préférait nettement penser aux conserves qu'elle pourrait finalement faire ; à Agnès qui devenait une très jolie jeune fille, heureuse de son sort ; aux jumeaux qui se ressemblaient de moins en moins et qui se développaient chacun à sa manière et à son rythme. Marie-Thérèse trouvait fascinant de les voir grandir, à la fois si pareils et si différents. Et que dire de la petite Angèle, qui n'était plus un bébé... Ce n'étaient là que les pensées banales d'une mère de famille, certes, mais c'était avec le plus grand des plaisirs que Marie-Thérèse les partageait avec Lauréanne.

Oui, c'était vraiment une belle journée d'automne, en apparence sans surprise ni attente.

Pourtant, ce fut au détour d'une rue que l'avenir donna rendez-vous à Marie-Thérèse et jamais, de toute sa vie, elle n'oublierait ce merveilleux samedi de septembre où, curieuse, Lauréanne, profitant d'un bref silence, lui montra la devanture d'un commerce qui semblait fermé.

— Regarde ! Il y a une pancarte sur la porte. Je me demande ben ce que c'est… Me semble que c'était une petite épicerie qui se trouvait là. On va voir ?

— Si tu veux.

Elles traversèrent donc la rue, et se dirigèrent vers la bâtisse de deux étages, recouverte en entier par un assemblage un peu particulier de briques rougeâtres et beiges, comme si on avait profité de la construction de cette maison pour se débarrasser d'un tas de vieux restants.

— On dirait que la maison a la picote, fit remarquer Marie-Thérèse en riant, alors qu'elle s'approchait de la vitrine.

Puis, les mains en coupe autour de son visage, elle écrasa son nez contre la vitre pour tenter d'apercevoir ce qu'il y avait à l'intérieur.

— On dirait ben que t'as raison, Lauréanne, je pense que c'est une épicerie, confirma-t-elle au bout d'un instant. Je vois du cannage sur les

tablettes, pis il y a plein de gros bocaux de bonbons à la cenne en arrière du comptoir.

Sur ce, Marie-Thérèse recula d'un pas.

— Bizarre que ça soye fermé en plein samedi,
par exemple, analysa-t-elle. Me semble que c'est
une bonne journée pour les affaires.

Pendant ce temps, Lauréanne, à quelques pas
d'elle, se tenait devant la porte pour lire la feuille
qui avait été collée à l'intérieur de la vitre.

— Normal que ça soye fermé, ma pauvre
Marie-Thérèse, l'épicerie est à vendre pour cause
de mortalité.

— C'est ben triste, une affaire de même, souligna alors Marie-Thérèse. Il y avait pas d'enfants
pour prendre la relève ?

— Aucune idée. Probablement qu'il y en avait
pas, ou ben que personne en voulait, parce que
c'est exactement ça qui est marqué sur le papier :
à vendre pour cause de mortalité. Pis c'est suivi du
numéro de téléphone d'un notaire. Maître Antoine
Galipeault... Ce nom-là me dit rien pantoute.

Les deux femmes se tournèrent l'une vers
l'autre, à l'instant précis où Marie-Thérèse
demanda, avec un curieux reflet dans le regard :

— Penses-tu ce que je pense, Lauréanne ?

— Je sais pas trop mais me semble que...

— Me semble que ça serait parfait, enchaîna
Marie-Thérèse sans permettre à sa belle-sœur de
terminer sa phrase. Surtout pour un homme à
qui il reste juste une main pour travailler. À mon

avis, c'est pas mal plus facile de compter les cennes que de piquer une semelle.

Lauréanne dessina un large sourire en gage d'approbation.

— On pense donc la même affaire, décréta-t-elle, en même temps qu'elle opinait vigoureusement du bonnet. Ça serait-tu plaisant, rien qu'un peu, de demeurer proches de même, toi pis moi... Parce que si on regarde ben comme faut, on dirait qu'il y a un logement à l'étage, ajouta-t-elle en se cassant le cou. La maison est pas ben belle, c'est le moins qu'on peut dire, mais c'est pas ça l'important... Tu pourrais t'installer là avec ta famille. Agnès aurait même pas besoin de changer d'école!

À ces mots, Marie-Thérèse éclata de rire.

— Nous entends-tu parler? On te règle ça une affaire, nous autres, juste sur une peanut! Puis, au bout d'un court silence:

— Ça serait ben beau, je dis pas le contraire, admit-elle avec une pointe de déception dans la voix.

Brusquement, Marie-Thérèse était devenue toute sérieuse.

— Mais comment veux-tu que ça soye possible? Ça prend de l'argent pour acheter une épicerie, ben de l'argent, probablement, pis Jaquelin pis moi, on en a pas. En fait, tu le sais comme moi, on a même pas de maison à nous autres. C'est te dire comment c'est qu'on a pas grand-chose!

Ce fut à ce moment que Lauréanne repensa au

projet de son père, comme un éclair qui traversa son esprit. Finalement, il allait peut-être l'avoir, son chalet. Pourquoi pas ? Vendre la cordonnerie serait peut-être une bonne solution pour tout le monde. Mais comme il y avait encore loin de la coupe aux lèvres, elle préféra ne pas en parler tout de suite.

— C'est toi qui le disais, hier : on peut ben rêver, proposa-t-elle à la place, tout en glissant une main sous le bras de Marie-Thérèse pour l'amener à poursuivre leur route. N'empêche que j'aimerais ça, te savoir pas trop loin. Pis c'est vrai que ça serait un bon travail pour Jaquelin. Pas besoin d'avoir l'usage de ses deux mains pour taper sur une caisse enregistreuse, pis faire des calculs.

— Ouais, ça, c'est ce qu'on pense, toi pis moi... Mais quand ben même on aurait l'argent, j'suis pas sûre pantoute que ça ferait l'affaire de Jaquelin, de changer de métier comme ça. Je sais même pas s'il aimerait déménager pour venir vivre en ville, on en a jamais parlé ensemble. De toute façon, mon mari ressemble un peu à ton père quand vient le temps de prendre des décisions : il aime pas trop ça qu'on le fasse à sa place. Rappelle-toi son départ pour les chantiers ! Laisse-moi te dire que des fois, ça prend ben de la patience, de la jarnigoine, pis des détours pour amener Jaquelin à penser comme on veut.

— Je le sais, j'ai déjà vécu avec lui... Mais dans le cas présent, si tu le demandes pas, tu le sauras jamais, si la ville peut l'intéresser. Ça serait déjà un bon début, non, de savoir si Jaquelin aimerait vivre en ville ?

— Tant qu'à ça... Je risque pas grand-chose à le demander, c'est vrai. Je peux ben y écrire.

— Pis moi, j'vas demander à Émile de s'informer auprès du notaire. On sait jamais. Si y a personne pour prendre la relève, on veut probablement se débarrasser du commerce pis c'est peut-être pas si cher que ça... On repassera par là en revenant pour que je puisse prendre le numéro de téléphone en note... Pis en parlant de téléphone, que c'est que tu dirais qu'on se fasse installer des appareils ? Un chez nous, pis un chez vous, à Sainte-Adèle-de-la-Merci ? Comme ça, on pourrait se jaser de temps en temps, dans le cas où tu partirais bientôt...

Ces derniers mots apportèrent un certain réconfort à Marie-Thérèse. Après tout, si on faisait abstraction d'Agnès, qui allait sûrement regimber, son départ serait peut-être moins pénible que tout ce qu'elle avait anticipé jusqu'à maintenant. Elle donna donc suite à l'idée de Lauréanne avec beaucoup d'enthousiasme.

— C'est une bonne idée que t'as là. Ça pourrait même être utile à Jaquelin, quand vient le temps de passer des commandes. C'est comme rien que monsieur Touche-à-Tout doit ben avoir ça, lui, un téléphone !

— Et comment ! Depuis l'an dernier, à part

de ça... Laisse-moi te dire qu'il était ben fier de nous annoncer ça, pis de nous le montrer... Il l'a accroché dans sa cuisine, proche de sa table, pour pouvoir prendre des notes en parlant. Bon, c'est ben beau rêver, parler de téléphone, pis faire des projets, mais on a des légumes à acheter, nous autres là! Suis-moi, Marie-Thérèse! Faut se dépêcher un peu si on veut avoir le temps de canner tout ça durant la fin de semaine! Pendant notre absence, Émile m'a promis de sortir mes deux grosses chaudronnes du hangar, pis de les laver ben comme il faut. Il m'a promis aussi que tantôt, c'est lui qui va s'occuper des tomates. Je le sais pas quelle épice il ajoute, il veut surtout pas le dire, mais elles sont pas piquées des vers, ses tomates.

— Émile? Ton mari Émile s'occupe des tomates? Depuis quand il t'aide à préparer de la nourriture?

— Depuis toujours...

Lauréanne fit mine de chercher dans ses souvenirs.

— Ouais, confirma-t-elle assez rapidement. C'est depuis qu'on est mariés qu'Émile m'aide dans la cuisine, pis laisse-moi te dire que c'est pas moi qui vas m'en plaindre... Oh! Regarde, Marie-Thérèse! On est rendues. C'est la grosse bâtisse, là-bas. Amène-toi, on va choisir les plus beaux légumes qu'ils ont en étalage!

CHAPITRE 7

À Sainte-Adèle-de-la-Merci, dès le mardi suivant,
soit le 25 septembre 1923

Chez les Lafrance, dans la chambre des
garçons, où Jaquelin, enfin seul, était allé
se réfugier

La lettre lui était parvenue en fin d'avant-midi,
apportée exceptionnellement par monsieur
Touche-à-Tout. Jaquelin n'avait pu s'empêcher de
sourire devant l'air faraud du marchand ambulant qui lui tendait l'enveloppe du bout des doigts.

— C'est pour vous, monsieur Jaquelin.

— Ben voyons donc! Vous voilà rendu facteur, à présent? avait demandé ce dernier, pince-
sans-rire.

Gédéon Touchette avait redressé les épaules, se
donnant un petit air important, prenant la blague
pour un compliment.

— Ça m'en a tout l'air... C'est pas la première

fois, vous savez, que je fais le facteur comme ça. Je dirais même que ça arrive plutôt souvent qu'on me demande de porter du courrier, parce que le monde dit que j'suis plus vite que la Poste de Sa Majesté le roi Georges V. Quand on sait ça, pis que ça adonne, comme de raison, c'est pas mal dur de dire non, rapport que c'est mes clients qui me demandent le service. Prenez l'autre jour, par exemple…

Ça y était, la machine à commérages était partie !

Jaquelin aurait dû se méfier. Il ne fallait, en aucun cas, entrouvrir la porte au papotage devant monsieur Touchette. Le petit homme grassouillet aimait beaucoup trop s'écouter parler, mélangeant allégrement boniment, verbiage et potins, battant l'air de ses bras engoncés dans l'habit, et ponctuant les moments d'importance d'un ballet aérien de ses doigts boudinés. Comment Jaquelin avait-il pu espérer que ce matin serait différent et qu'on pourrait s'en tenir à quelques mots de politesse ?

Comme de fait, il n'en fallut pas plus que ce petit trait d'esprit pour que le colporteur, tout imbu de sa personne, se mette à raconter l'épopée de ce court billet, comme le roi lui-même aurait pu rapporter un fait d'armes !

— Imaginez-vous donc, monsieur Jaquelin, que c'est votre femme en personne qui m'a demandé de vous donner ça, dimanche en fin de journée, quand elle est venue nous offrir un pot de cornichons, à Janine pis moi. Janine, c'est ma femme. Vous le savez, hein, que j'suis le voisin de votre sœur Lauréanne ?

— Oui, monsieur Touchette, avait reconnu Jaquelin, avec sa patience coutumière. Vous m'avez déjà toute raconté ça, pis plus qu'une fois. Il y a votre appartement d'un bord, celui de ma sœur de l'autre, pis il y a vos balcons qui sont en commun entre les deux portes.

— C'est ben ça. Me semblait aussi que je vous en avais parlé… Toujours est-il que votre femme est venue frapper chez nous, dimanche en fin de journée, avec son bocal de cornichons dans une main, pis la lettre que je viens de vous donner dans l'autre. Comme je lui ai expliqué, le lundi, je reste toujours à Montréal. C'est le jour où je rencontre mes fournisseurs pis que je prépare les commandes à livrer durant les jours suivants. Mais j'avais l'intention de passer par icitte dans le courant de la semaine, par exemple ! Ça fait que j'ai répondu à votre femme que ça me ferait ben plaisir de lui rendre ce service-là. Elle m'a laissé sa lettre en disant, toute de bonne humeur, que ça faisait pas mal son affaire, parce que ça serait plus rapide que la poste. Apparence qu'elle avait ben hâte que vous lisiez ce qu'elle avait écrit pour vous. C'est là que je me suis dit que ça devait être important. Après ça, votre femme est retournée voir à ses bébés. En tout cas, c'est ce qu'elle m'a dit.

J'ai pas vérifié, comme de raison, parce que je l'ai crue tout de suite. C'est juste normal pour une mère qui a eu des jumeaux d'aller voir ce qu'ils deviennent. Ça fait qu'aujourd'hui, me v'là! J'ai devancé ma visite de deux jours, vous saurez, juste pour vous accommoder, parce que ça avait l'air vraiment important. Mais c'est pas ben grave. Comme on dit: en autant que la clientèle est contente...

— Inquiétez-vous surtout pas pour ça, monsieur Touchette, avait précipitamment interrompu Jaquelin, souhaitant de tout cœur qu'un compliment bien placé ferait perdre le fil des mots à ce bavard impénitent et que l'interruption de paroles mettrait un terme final à son interminable monologue. Avec vous, on est toujours ben servi. Pour ma part, dans tous les cas, vous m'avez toujours donné satisfaction, tant dans les accessoires que dans la qualité du cuir.

— Je l'espère ben! Avec toute le trouble que je me donne... Pis, la lettre?

— Quoi la lettre?

— Ben... Vous la lisez pas?

Du pouce, Gédéon Touchette avait pointé l'enveloppe que Jaquelin avait toujours à la main. De toute évidence, cet homme curieux se mourait d'envie de connaître le contenu de cette lettre. Surtout, comme il venait de le souligner, que Marie-Thérèse avait eu l'air vraiment pressée de la faire parvenir à son mari. Comme le marchand commençait à peine sa tournée du village, il s'était dit que quelques détails inédits à raconter, ici et là, rendraient assurément sa journée plus excitante. Même qu'avec un peu de chance, on lui offrirait un biscuit, un café. Malheureusement pour lui, Jaquelin savait très bien à qui il s'adressait. La réputation de Gédéon Touchette n'était plus à faire, n'est-ce pas ? et depuis belle lurette, elle le précédait partout où son travail le menait.

Jaquelin avait alors plissé les yeux à la recherche d'un prétexte satisfaisant, se disant qu'il n'était pas question de lire le message de sa femme devant le marchand pour ensuite en entendre des bribes racontées un peu n'importe comment, partout où il irait dans la paroisse !

D'un geste on ne peut plus éloquent, Jaquelin avait donc glissé l'enveloppe dans la poche de sa chemise. Il l'avait tapotée pour démontrer qu'elle y resterait pour un petit moment encore, puis il avait posé nonchalamment sa main valide sur le battant de la porte comme pour la refermer, espérant ainsi que le marchand saisirait enfin qu'il voulait être seul. Et pour être certain que le message serait bien compris, Jaquelin s'était empressé d'ajouter :

— C'est ben de valeur pour vous, mais j'ai pas le temps de lire ma lettre tout de suite. Je vous en reparlerai quand vous viendrez la prochaine fois, promis. Pour astheure, il y a plein de choses à faire qui m'attendent à l'étage.

À ces mots, Gédéon Touchette avait ravalé son sourire de vendeur. Brusquement, il avait tout de l'homme qui doute. Sourcils froncés, moue dubitative, il avait fixé Jaquelin droit dans les yeux pour dire :

— Ah ouais ? Des choses à faire plus importantes qu'une lettre de votre femme ? Eh ben... Quelle sorte de choses ?

— Du ménage !

Jaquelin avait lancé la première idée qui lui était passée par la tête. Tout et n'importe quoi pour se débarrasser du vendeur.

— J'ai plein de ménage à faire dans la chambre des garçons, avait-il précisé, poursuivant ainsi son improvisation. C'est de leur âge d'être en désordre, vous devez ben le savoir, pis comme leur mère est pas là...

Le ton était brusque, car Jaquelin commençait à en avoir assez. Si Gédéon était reconnu comme rapporteur de première et grand parleur devant l'Éternel, Jaquelin, quant à lui, avait la réputation d'être un homme fort peu bavard, et la conversation présente s'étirait en longueur, à son grand déplaisir. Si Marie-Thérèse avait été là, elle aurait su éconduire Gédéon habilement, car elle était passée maître dans l'art de se débarrasser des importuns d'une habile pirouette de l'esprit. Ce qui n'était pas le cas de Jaquelin. Devant le regard insistant de monsieur Touche-à-Tout, il avait la désagréable impression d'avoir utilisé tous les subterfuges de sa connaissance pour se libérer du visiteur et qu'il resterait ainsi sans mots jusqu'à la fin de la journée, à le fixer droit dans les yeux, un sourire un peu inutile sur les lèvres.

Comment, sans être impoli, faire comprendre à Gédéon Touchette que le moment de se retirer était venu pour lui ?

L'imagination de Jaquelin n'allait pas plus loin que ce grossier mensonge de rangement à faire. Pourtant, le jovial vendeur n'avait pas eu l'air pressé. Il avait regardé autour de lui en souriant, appréciant peut-être le soleil abondant de cette fin de matinée, ou encore attendait-il que la conversation reprenne d'elle-même, comme s'il n'avait rien de mieux à faire de toute sa journée. Allez donc savoir !

Devant le silence qui s'incrustait, monsieur Touchette était enfin revenu à Jaquelin.

À défaut d'une meilleure idée, ce dernier avait inspiré profondément, les narines dilatées. N'était-ce pas là un signe d'irritation ? Puis, pour donner un peu plus de poids à son impatience, il avait repoussé légèrement la porte, tout en réitérant ses remerciements les plus vifs.

— Vous êtes ben gentil d'être venu me porter la lettre, pis je vous en remercie, mais vous allez devoir m'excuser parce que…

— Parce que vous avez du ménage à faire, je le sais, avait sèchement coupé le vendeur qui, ce faisant, avait semblé rendre les armes, sans vraiment comprendre pourquoi il devait le faire, d'ailleurs.

Après tout, c'était lui, Gédéon Touchette, qui avait apporté la lettre, non ?

Le marchand avait froncé les sourcils.

Pourquoi cette brusque froideur de la part de Jaquelin Lafrance, qu'il avait toujours connu plutôt avenant, malgré une certaine tendance à la timidité ? Lui-même ne venait-il pas de spécifier qu'il était en avance sur son horaire, uniquement pour le bon plaisir du cordonnier de Sainte-Adèle-de-la-Merci ? Aux yeux du vendeur itinérant, une telle diligence donnait certains droits, dont celui de connaître la teneur du message si pressant, ou, à tout le moins, un bref aperçu du contenu, ce que, de toute évidence, Jaquelin Lafrance refusait de lui donner.

À son tour, le marchand avait respiré bruyamment, car les soupirs sont un langage universel !

Ça lui apprendrait, aussi, à toujours vouloir rendre service.

Cependant, si la curiosité est un vilain défaut, chez Gédéon, elle revêtait des habits de qualité, quand elle ne virait pas tout simplement à l'obsession. Voilà pourquoi, prenant sa voix la plus doucereuse, il avait décidé de tenter sa chance une dernière fois.

Cependant !

Couramment appelé à utiliser la ruse et la

poudre aux yeux pour convaincre sa clientèle de l'importance d'un achat à faire, quand Gédéon avait repris le dialogue, il l'avait fait par la bande.

— Je vous plains de pas avoir de femme à la maison pour s'occuper de l'ordinaire, avait-il déclaré d'une voix compatissante, espérant, cette fois-ci, toucher une corde suffisamment sensible chez Jaquelin pour que ce dernier ait envie de se confier à lui. Mon pauvre monsieur Lafrance ! Avec les enfants que vous avez, pis la maison, pis la cordonnerie, vous devez trouver ça dur... Sans vouloir être indiscret, vous devez ben vous demander quand c'est que votre femme va revenir, non ?

Comme la question était plutôt précise, la réponse avait été facile à trouver.

— Ce sera à elle de décider, avait alors répondu froidement Jaquelin.

Cette question un peu trop directe l'indisposait.

— On va la voir revenir quand elle sera suffisamment reposée, je suppose, avait-il aussitôt ajouté.

Sur ce, Gédéon Touchette avait haussé les sourcils, signe chez lui qu'il s'apprêtait à enfoncer son dernier clou.

— Reposée ? Ben coudonc... Sans vouloir parler de ce qui me regarde pas, ben entendu, à la voir aller, j'ai pourtant l'impression que madame votre épouse est pus tellement fatiguée. Samedi dernier, laissez-moi vous dire que ça courait pas mal dans l'escalier de la cour, pendant que les femmes montaient toutes leurs provisions de légumes. J'ai cru comprendre que ma voisine pis votre épouse faisaient toutes sortes de conserves, pas juste des marinades. Saviez-vous ça ? Apparence qu'elles avaient ben du plaisir, parce qu'on les a entendues rire, depuis chez nous, durant une bonne partie de la journée. Même monsieur Émile avait l'air de ben s'amuser, lui avec.

Cette dernière précision fut le coup de grâce assené à Jaquelin, chez qui la grisaille et la maussaderie s'étaient aussitôt emmêlées à l'impatience. Il imaginait sans peine sa Marie, dévalant les marches d'un escalier, pas du tout fatiguée et toute joyeuse, comme elle l'était habituellement au moment des conserves.

Toutefois, Gédéon Touchette n'avait pas à être le témoin privilégié de sa déception pour qu'ensuite il aille la raconter à tout un chacun à travers le canton.

Jaquelin avait alors haussé les épaules, cherchant à démontrer par ce geste un certain détachement, comme si la chose lui était connue.

— Tant mieux si elle va ben à ce point-là. C'est ce que j'avais cru comprendre, d'ailleurs, dans sa dernière lettre. Mais de là à dire qu'elle est prête à revenir... Ça, il y a juste elle qui peut le savoir... En fait, la meilleure façon de connaître quand c'est que ma femme va se décider à quitter Montréal, ça serait peut-être d'y demander, vous croyez pas ? Ça serait à elle de vous répondre, ben plus qu'à moi.

Cette fois-ci, le message envoyé, sur un ton très sec, avait été d'une grande limpidité. Admettant enfin l'inutilité d'insister, Gédéon Touchette avait reculé d'un pas, incapable, cependant, de résister à l'envie de lancer une dernière flèche.

— Choquez-vous pas, monsieur Jaquelin. Je voulais surtout pas vous froisser en parlant de même. Dans le fond, c'est vous qui avez raison : comme je vois votre femme pas mal plus souvent que vous, depuis ces derniers mois, j'aurai juste à y demander... Bon ben, si c'est de même, j'vas m'en aller... Je vous laisse à votre ménage. Votre père, lui, il est-tu dans la cordonnerie ? Il m'avait demandé des lacets noirs, la dernière fois que j'suis passé. Je les ai justement dans mon camion.

— On peut rien vous cacher, monsieur Touchette, mon père est bel et bien dans la cordonnerie...

Le ton était sarcastique, à un point tel que Jaquelin en avait été surpris lui-même. Il était épuisé par cette conversation inutile.

— Il passe ses journées là, vous devriez le savoir, avait-il poursuivi dans la foulée. Par contre, il m'avait pas dit qu'il vous avait commandé des lacets, parce que je lui aurais répondu qu'on en avait tout un lot dans le tiroir du bas.

À ces mots, Gédéon Touchette avait jeté un

regard agacé vers son camion, avant de ramener les yeux sur Jaquelin.

— Que c'est que je fais d'abord, avec mes lacets ? J'y donne ou je les retourne à mon fournisseur ? C'est tout un aria que de vouloir retourner quelque chose. Il y a le remboursement pis les…

— Vous lui donnez ses lacets, c'est ben certain, trancha Jaquelin. Si mon père les a commandés, c'est qu'il les veut… De toute façon, on va finir par les utiliser, craignez pas. Astheure, là c'est vrai, vous allez devoir m'excuser, mais j'ai de l'ouvrage qui m'attend en haut, dans les chambres.

— Votre ménage, ben sûr…

— C'est ça, mon ménage. À un autre tantôt, monsieur Touchette. Vous connaissez le chemin…

Sur ce, Jaquelin ferma la porte, un peu fort, et poussa un long soupir de soulagement. Enfin Gédéon Touchette était parti.

Jaquelin fila aussitôt vers l'escalier, à grandes enjambées. Il lui restait à peine quelques minutes avant le retour des garçons qui viendraient manger sur le coup de midi, et il était impatient de lire, en toute intimité, ce que sa Marie avait de bon à raconter.

À cette pensée, Jaquelin s'arrêta net, un pied sur une marche et l'autre pied dans le vide. Non, ce n'était pas tout à fait vrai, parce que dans le fond, il s'en fichait un peu de ce qui se passait à Montréal, après ce qu'il venait d'entendre de la bouche de monsieur Touchette. En autant que tout le monde soit en santé, le reste lui importait peu, et il semblait bien que ce soit le cas. En fait, il préférerait même oublier que Marie-Thérèse passait du bon temps à la ville, jusqu'à rire aux éclats, comme monsieur Touche-à-Tout l'avait insinué, alors que lui...

Jaquelin poussa un second soupir, de contrariété cette fois-ci, puis il reprit son ascension. En haut des marches, il tourna à sa gauche, entra dans la chambre des garçons, parfaitement à l'ordre, il va sans dire, puis il se laissa tomber sur le bord du lit qu'il partageait avec Benjamin.

En réalité, tout ce qu'il souhaitait, c'était lire en noir sur blanc que Marie-Thérèse s'apprêtait à revenir. Il n'en pouvait plus de jouer les maîtresses de maison, car c'était là le rôle que son père lui avait assigné, avant même que le taxi emportant sa femme, ses filles et les bébés ait quitté la paroisse.

— Bon! Astheure que Marie-Thérèse est partie, comment c'est qu'on va s'organiser, toi pis moi? avait brusquement demandé Irénée.

Jaquelin n'en avait pas la moindre idée. Tout était allé trop vite pour qu'il ait pu y réfléchir calmement. Comme il savait que son père n'aimait pas se faire imposer quoi que ce soit, il avait alors décidé de la jouer de prudence.

— Je sais pas trop, avait-il dit, évasif. Comment c'est que vous voyez ça, vous?

Loin de penser que son fils faisait preuve d'une certaine délicatesse à son égard en posant cette question, Irénée n'y avait vu qu'une façon malhabile de se débarrasser d'une corvée imprévue.

Le vieil homme avait alors levé les yeux au plafond. Pauvre Jaquelin! Il n'en ferait jamais d'autres! Comme si c'était à lui, Irénée Lafrance, de trouver une solution au problème que son fils avait lui-même créé.

— Que c'est tu veux que je te dise, mon garçon? avait-il rétorqué sèchement. Me semble que ça serait plutôt à toi de trouver, non? Mais bon, comme tu veux mon avis... Selon moi, c'est pas tellement compliqué: tu vaux pas grand-chose dans la cordonnerie, je m'en suis vite rendu compte, c'est donc pas là que tu pourrais être le plus utile. Ça paraît en sacrifice que t'as juste une main pour travailler. Ça te rend maladroit, c'est le moins que je peux dire.

Au fur et à mesure qu'Irénée parlait, Jaquelin avait semblé se tasser sur lui-même et son père s'en était rendu compte. En guise de réconfort, il avait assené froidement:

— C'est plate à entendre, j'suis ben d'accord, pis je dis pas ça pour te contrarier, mais faut ben voir les choses en face si on veut arriver à un résultat, mon pauvre garçon. C'est pas moi qui t'ai conseillé d'aller aux chantiers, ça fait que tu peux pas me blâmer pour ce qui est arrivé... Astheure, faut juste trouver une manière de faire qui va permettre à la vie de continuer, maudit sacrifice. D'un bord, je m'appelle pas Marie-Thérèse, pis travailler avec toi, j'ai jamais été fort là-dessus, tu le sais aussi ben que moi. Chacun pour soi, quand on se parle pas trop, ça peut toujours aller, mais ensemble, ça devient vite l'enfer. Pis de l'autre bord, t'as eu la calvaire de mauvaise idée de laisser ta femme s'en aller à l'autre bout du monde.

— Elle venait de donner naissance à deux bébés, son père. C'est quelque chose, non ? avait tenté de plaider Jaquelin. Fallait ben qu'elle se repose un peu.

— J'ai pas de trouble avec ça, mais elle aurait pu faire ça icitte sans problème, par exemple. Maudit batince, Jaquelin ! On dirait que t'as pas d'allure quand vient le temps de réfléchir. Que c'est que ça peut changer à la culture des choux, une chambre ou ben une autre ? C'était juste des enfantillages, son affaire, pis toi, t'aurais pu mettre tes culottes, pour une fois, pis dire comme moi. Ben non ! T'es trop mou ! Tu l'as toujours été, mon pauvre garçon. Ça fait qu'astheure, si tu veux toujours mon avis, t'auras pas le choix : va falloir que tu remplaces Marie-Thérèse dans la cuisine, sacrifice de baptême, parce que même si ta femme est pas là, va ben falloir manger trois fois par jour ! Pis va falloir, avec, que tu voyes à laver notre linge… Dans la famille, on est pas des guenillous pour se promener mal amanchés.

Par contre, avec juste une main, je me demande ben comment c'est que tu vas réussir à toute faire ça… *Anyway*, ça me regarde pas. À toi de te débrouiller, mon pauvre Jaquelin, moi, j'ai pas le temps de t'aider.

Là-dessus, Irénée Lafrance n'avait pas tout à fait tort. Le vieil homme n'avait rien perdu de son habileté avec le cuir et il travaillait comme s'il avait eu vingt ans, de l'aube au crépuscule, et Jaquelin reconnaissait aisément qu'il n'avait pas le temps de le seconder à la maison.

Devant cette évidence, Jaquelin n'avait donc rien répliqué.

En fait, la cordonnerie fonctionnait à plein régime, comme avant l'incendie, et si la clientèle semblait parfois surprise de retrouver l'ancien cordonnier à son poste, elle avait tout de même l'air heureuse de le voir là. Que demander de plus ?

De toute façon, Jaquelin n'avait jamais eu le culot de tenir tête à son père, ce n'était pas dans un moment de crise comme celui qu'ils étaient en train de vivre qu'il allait commencer.

Jaquelin avait donc quitté la cordonnerie pour regagner la cuisine, éprouvant à son tour la même frustration que celle vécue par Marie-Thérèse, quelques jours auparavant. Il venait de saisir douloureusement ce qu'elle avait ressenti et il comprenait un peu mieux qu'elle ait voulu se réfugier en ville.

Et le temps avait passé. À Sainte-Adèle-de-la-Merci tout comme à Montréal.

Deux mois!

Cela ferait bientôt deux mois que Jaquelin avait l'impression de vivre en périphérie de sa propre vie.

Bien entendu, Irénée s'était dépêché de modifier la cordonnerie, de la mettre à sa convenance, comme il l'avait dit. Mais comment lui en vouloir puisque c'était lui maintenant qui y travaillait? Sa mainmise sur le commerce était redevenue totale et le vieil homme acariâtre ne se gênait surtout pas pour renvoyer Jaquelin à ses fourneaux dès que ce dernier faisait mine de vouloir travailler avec lui.

— Que c'est que j'ai dit l'autre jour? Ôte-toi de mes jambes, Jaquelin! Tu fais juste me ralentir!

Irénée se contentait d'accorder à son fils quelques sous d'argent de poche chaque semaine et voyait à payer les factures lui-même, au grand dam de Jaquelin, qui trouvait pénible de se voir traiter comme un enfant.

Ne restait peut-être que la tante Félicité pour venir à son aide.

C'était donc le cœur rempli d'espoir que Jaquelin s'était dirigé vers la petite maison blanche au toit de tôle, quelques jours après le départ de Marie-Thérèse, espérant sincèrement pouvoir compter sur l'appui de la vieille dame.

Mais là encore, le mauvais caractère de son

père l'avait précédé et il allait lui jouer un vilain tour !

À peine Jaquelin avait-il exposé la situation qui prévalait chez lui que Félicité l'affrontait du regard.

— C'est quoi cette idée-là ? Tu t'imaginais peut-être que j'allais dire oui à ta requête, pis m'en venir chez vous ventre à terre, à tous les jours que le Bon Dieu amène ?

— Ben...

— Tu peux ben hésiter, Jaquelin Lafrance ! Sauf le respect que je te dois, il est pas question que je passe mes grandes journées dans la même maison que ton père, avait clairement précisé Félicité Gagnon. Penses-y même pas, mon homme. Fais juste regarder comment c'est qu'il te traite, qu'il vous a traités, Marie-Thérèse pis toi, en réclamant votre chambre, pis tu vas vite comprendre le pourquoi de mon refus. C'est pas mêlant, Irénée me fait devenir mauvaise, juste à l'idée d'y voir la face. Pis ça dure depuis la petite école, tu sauras. Ça date pas d'hier, sa manie de chialer sur toute, pis de bosser tout le monde. Ça me rend folle, du monde comme lui. Fait que viens pas me demander d'aller t'aider chez vous ! Faudrait surtout pas que l'envie de remettre ton père à sa place me pogne, parce que je suis pas sûre que je serais capable de me retenir. Si jamais ça arrivait, je sais d'avance que ça serait pas beau à voir. Non, je regrette, mon beau Jaquelin, mais c'est pas mal mieux que j'aille pas chez vous. Pour tout le monde… Si ça te dit, par exemple, je pourrais te préparer à manger. Ça serait toujours ben ça que t'aurais pas à faire. Je connais tes goûts pis ceux des enfants, pis ça me ferait plaisir de t'aider dans ce sens-là. Tant pis pour ton père, lui, il mangera ben ce que j'aurai préparé. Tu pourrais venir chercher tout ça chez nous, le matin après le déjeuner, pis durant la journée, je me mettrais aux fourneaux pour le lendemain. Comme ça, la table serait toujours ben garnie, pis vous manqueriez de rien, les enfants pis toi. Mais c'est à peu près toute ce que je peux faire pour t'aider.

C'était déjà beaucoup, et Jaquelin en avait aisément convenu. Mais il n'avait pas eu le temps d'ouvrir la bouche pour remercier la tante Félicité que celle-ci avait ajouté :

— Veux-tu que je te dise de quoi, mon garçon ?

Ne voyant pas où elle voulait en venir, Jaquelin avait acquiescé du bout des lèvres.

— Euh, oui ?

— Tu seras peut-être pas content d'entendre ce que j'ai à dire, mais je l'ai sur le cœur depuis l'autre dimanche, pis faut que ça sorte.

Félicité avait pris une longue inspiration. Il y avait une telle tristesse dans le regard qui se levait vers lui que Jaquelin en avait été mal à l'aise.

— Ben voyons donc, matante ! Que c'est qui…

— Laisse-moi parler, Jaquelin, avait coupé Félicité Gagnon, faut vraiment que je le dise parce que j'étouffe... Vois-tu, si t'avais ben réfléchi à ton affaire, on serait pas là à discuter sur la manière de t'en sortir sans ta femme... Je comprends pas que tu y ayes pas pensé tuseul.

— Pensé à quoi?

— Voyons donc, Jaquelin, viens pas me faire accroire que tu vois pas? C'est tellement évident... C'est à moi que t'aurais dû demander d'accueillir Marie-Thérèse. Pour moi, c'était clair comme de l'eau de roche. Elle aurait pu s'installer chez nous pour se reposer, pis elle aurait été aussi ben que chez ta sœur, je t'en passe un papier! En plus, elle aurait été proche des garçons, les filles seraient restées par icitte, dans leurs affaires, pis toi, de ton bord, t'aurais pu voir tes bessons aussi souvent que tu l'aurais voulu. Ben non! Fallait que tu dises oui à l'idée un peu folle d'aller faire un tour du bord de Montréal! C'est ben que trop loin, Montréal...

— C'est vrai que c'est pas la porte d'à côté.

— Bon! Enfin, un peu de bon sens... Ça changera rien à ce qui a été faite, mais maintenant que c'est dit, je me sens mieux. Astheure, mon homme, il te reste pus rien qu'à retourner chez vous. Envoye, sors d'ici! Va réfléchir à toute ce que je viens de te dire, pis tu viendras chercher ton manger demain matin... Pense ben à ça, Jaquelin: ça serait pas pire, des fois, que tu prennes l'habitude de regarder un peu plus loin que le bout de ton nez, avant de faire tes choix.

L'opinion que la tante Félicité avait de la situation sentait le reproche et la réprimande à plein nez!

Déçu par la tournure des événements et mortifié de s'être fait remonter les bretelles comme un gamin, Jaquelin était alors retourné chez lui pensif et désabusé. En entrant dans la maison, sa décision était prise: il se ferait un point d'honneur de se débrouiller sans aide.

Tant pis pour les bons petits plats de la tante Félicité, il allait y arriver tout seul!

Au bout du compte, d'essais en erreurs, Jaquelin avait tenu bon, et, ma foi, il ne s'en tirait pas si mal. Seuls Benjamin et Conrad lui donnaient un coup de main quand ils étaient à la maison, en dehors des heures de classe. Un court billet porté par Benjamin avait remercié la tante Félicité pour son offre, mais Jaquelin estimait être capable de s'occuper lui-même des repas de sa famille. Il ne voyait pas le plaisir qu'il y aurait à devoir transporter les plats d'une maison à l'autre.

La tante Félicité n'avait pas répondu à ce court message.

Quant au petit Ignace, du haut de ses quatre ans, il suivait son grand-père à la trace et, fort curieusement d'ailleurs, celui-ci tolérait sa présence à ses côtés, jusque dans la cordonnerie.

C'était à n'y rien comprendre et, aujourd'hui encore, Jaquelin s'y perdait en conjectures de toutes sortes!

Quand la cloche du couvent tinta les premiers coups de midi, Jaquelin sursauta et se décida enfin à décacheter l'enveloppe. Pressé par le temps, s'aidant de la main et de la bouche, il déplia vivement les deux feuillets, au risque de les déchirer, puis il se mit à lire avidement, survolant les mots à la recherche de la phrase qui parlerait de retour.

Il fut déçu, car de la première à la dernière ligne, il n'y avait rien en ce sens. Il n'y avait même pas un peu d'ennui, emmêlé aux phrases.

Les épaules de Jaquelin s'affaissèrent.

Mais que se passait-il à Montréal pour que sa femme ne soit pas plus pressée que ça de rentrer à la maison?

Bien au contraire, Marie-Thérèse l'invitait plutôt à venir passer quelques jours avec elle dans la grande ville.

« *C'est plein d'agrément, par ici*, écrivait-elle. *Plein de surprises, aussi, pis de distractions. J'en reviens pas moi-même. C'est pas mal agréable, tu sauras, vivre à Montréal. Être proche de ta sœur pis d'Émile, ça me plaît beaucoup. J'aimerais vraiment ça que tu viennes voir par toi-même.* »

Puis Marie-Thérèse avait signé.

— Comme si j'étais en mesure de faire ça! grommela Jaquelin, en soupirant. Je peux pas partir avec les garçons, j'ai pas l'argent pour ça, pis pas question de demander une cenne de plus au père. J'ai quand même ma fierté. Pis je peux pas, non plus, le laisser tuseul avec les enfants, c'est comme rien qu'il me le pardonnerait jamais.

Ce fut à cet instant que les derniers mots de Gédéon Touchette lui revinrent à la mémoire.

Se pourrait-il que le marchand ait eu raison et que sa femme soit réellement en pleine forme, mais que l'attrait de la ville soit si fort qu'il arrive à la retenir plus que de raison loin de chez elle?

Comment Marie-Thérèse avait-elle écrit ça, encore?

Jaquelin allait reprendre sa lecture, avec attention, cette fois-ci, quand il entendit la porte de la cuisine s'ouvrir et se refermer avec fracas.

— Popa? C'est moi… Où c'est que vous êtes?

C'était Conrad qui venait d'arriver.

De stature délicate, le gamin s'était mis à grandir rapidement au point où Irénée le traitait d'asperge. Plutôt timide en public, là-dessus, le jeune garçon n'avait pas changé, Conrad prenait cependant du poil de la bête dès qu'il entrait chez lui. À plusieurs égards, c'était celui des garçons qui ressemblait le plus à son père et ce dernier avait une affection toute particulière pour lui.

— J'suis en haut, Conrad, j'arrive! répondit Jaquelin en haussant la voix. Commence à mettre la table, on va manger dans deux menutes quand Benjamin va être là.

Au même instant, le bruit de la course du petit Ignace qui venait rejoindre son frère se fit entendre.

Sans avoir pu satisfaire sa curiosité, Jaquelin glissa promptement la lettre sous son oreiller. Il y reviendrait plus tard. Pour l'instant, deux de ses fils l'espéraient à la cuisine et pour Jaquelin, c'étaient eux qui méritaient toute son attention.

En effet, à partir du jour où les enfants avaient été assez vieux pour s'asseoir à la grande table familiale avec les adultes, l'heure des repas était devenue, aux yeux de Jaquelin, un moment sacré dans la journée.

Au tout début, c'était plutôt à la fin du jour que toute la famille se réunissait pour le souper et, pendant des années, ils en avaient profité pour faire le point sur la journée qui venait de se terminer. Certes, à cette époque-là, Jaquelin se contentait d'écouter plus souvent qu'autrement, mais pas un commentaire ne lui échappait.

Puis, il y avait eu l'incendie et leur vie de famille avait été fort différente durant de longs mois. Comme une interruption dans leur vie.

À l'été, puisque Jaquelin avait changé ses habitudes et que le midi il ne mangeait plus seul à la cordonnerie, la routine de se retrouver en famille avait été observée de façon plus aléatoire. C'était parfois le midi, parfois le soir, et parfois les deux. Il y avait eu de plus en plus de rires et de taquineries, autour de la table, ce qui plaisait autant à Jaquelin qu'à Marie-Thérèse. Ils en avaient parlé ensemble, à quelques reprises.

Cependant, depuis le départ de Marie-Thérèse,

c'était le repas du midi qui avait pris toute son importance, puisqu'Irénée restait à la cordonnerie pour avaler un bol de soupe en solitaire.

Ce fut d'ailleurs la première chose que fit Jaquelin en entrant dans la cuisine : servir son père, avant qu'un rugissement d'impatience, venu de la cordonnerie, ne le rappelle à l'ordre. Il irait donc lui porter sa portion dans l'instant, le temps que Benjamin arrive à son tour, et ensuite, tous ensemble, les garçons et lui, ils profiteraient du repas. Certes, les plats cuisinés par Jaquelin n'étaient pas aussi savoureux que ceux préparés par Marie-Thérèse, et parfois, ils étaient même insipides. Mais les garçons ne lui en tenaient pas rigueur et ils en riaient parfois entre eux. Seul Irénée trouvait matière à critique, le soir, quand il se joignait à la famille, mais comme personne ne lui répondait, il finissait toujours par se taire.

Ce midi fut à l'image des autres jours. Conrad et Benjamin racontèrent leur matinée avec moult détails, tandis que le petit Ignace les écoutait religieusement, les yeux écarquillés par l'envie.

— C'est quand, moi, que j'vas aller à l'école, popa ? demanda-t-il, interrompant effrontément Benjamin qui racontait la partie de ballon prisonnier où il avait été particulièrement productif.

— L'an prochain, mon homme, répondit alors Jaquelin, sans tenir compte du soupir d'impatience de Benjamin.

— C'est quand ça, l'an prochain, popa? insista alors Ignace.

Le petit garçon se dandinait sur sa chaise, regardant ses frères et son père à tour de rôle. Il avait tellement hâte d'être grand, lui aussi, et d'avoir des tas d'histoires intéressantes à raconter!

— C'est dans longtemps, répliqua Benjamin, irrité de s'être fait couper la parole par celui qu'il appelait de plus en plus souvent le moustique, s'en donnant parfois à cœur joie, depuis que Marie-Thérèse n'était plus là.

Déçu de s'être fait rabrouer de la sorte sans vraiment comprendre pourquoi, Ignace ouvrit les yeux encore plus grand et aussitôt, ils se remplirent de larmes. Ce fut suffisant pour que Jaquelin se sente obligé de lever la voix.

— Benjamin! C'est pas une manière de répondre à son petit frère. «Dans longtemps», pour lui, c'est comme si tu disais «jamais». C'est pas ben ben fin, ça là.

— C'est pas plus fin d'interrompre quelqu'un qui parle, grommela Benjamin qui, depuis le départ de Cyrille pour le collège, avait naturellement pris la place laissée vacante, quand venait le temps de faire valoir un point de vue.

Aussi vif d'esprit que son aîné, Benjamin, de par son âge et sa personnalité, manquait cependant de tact. La réaction de Jaquelin fut immédiate.

— Voyons donc, Benjamin! T'as quel âge, toi là?

— Euh… J'ai un peu plus que neuf ans, popa.

— Neuf ans… Ça commence à être sérieux, ça là. On est ben d'accord là-dessus, hein, mon gars ?

— Oui, je pense.

— Tant mieux. Pis Ignace, lui, il a quel âge, selon toi ?

— Je sais pas trop.

Benjamin jeta un regard en coin vers son frère. Depuis le départ de leur mère avec les filles, c'était Ignace qui était devenu le bébé de la maison, ce qui, à ses yeux, lui donnait le droit de le taquiner. Toutefois, Benjamin n'avait pas terminé sa réflexion que la voix de Jaquelin s'emmêla à ses pensées, le faisant sursauter.

— Ben, j'vas te le dire moi ! Ignace a pas encore tout à fait cinq ans. Il va les avoir au mois de décembre. Faudrait peut-être en tenir compte quand tu lui parles.

— C'est vrai, admit Benjamin, penaud.

— Pis ta manie de l'appeler le moustique, depuis quelque temps, je pense que je l'ai assez entendue ! C'est pas parce que ton frère est encore petit que c'est un insignifiant. J'aime pas ça quand on donne des noms au monde, pis tu le sais… On t'appelle-tu la carotte, toi, à cause de ta tignasse ?

Benjamin baissa la tête, le temps d'encaisser la réprimande. Mais comme il avait grand cœur, il se tourna aussitôt vers le petit Ignace pour faire amende honorable.

— Excuse-moi, Ignace... J'ai pas été ben fin avec toi. Faut pas que tu pleures à cause de ça. Popa a raison, c'est vrai que t'es petit encore, mais t'es pas le bébé de la famille, pis je l'oublie, des fois. N'empêche que tu peux pas toute savoir... Mais ça va changer, tout ça, parce que bientôt, tu vas aller à l'école... Ouais, bientôt. Dans moins d'un an...

Ignace renifla, regarda son père, qui l'encouragea d'un signe de tête, puis il revint à Benjamin pour demander encore une fois :

— C'est quoi un an ?

Ce fut irrépressible et Benjamin grimaça de désespoir tout en se tournant vers Jaquelin.

— Popa ! C'est ben fatigant les questions des plus petits ! Pouvez-vous lui répondre, vous ?

À cet appel au secours de Benjamin, Jaquelin répondit d'abord par un large sourire. Dire qu'il aimait ces échanges autour de la table serait un euphémisme. C'était en des instants comme celui-ci qu'il avait vraiment la sensation de donner le meilleur de lui-même à sa famille. En fait, il donnait ce que lui aurait aimé recevoir, quand il était gamin. Le petit garçon qu'il avait été aurait tant voulu être entouré d'attention et d'amour, au lieu de récolter des taloches en arrière de la tête quand son père trouvait qu'il ne travaillait pas assez vite et qu'il le traitait d'idiot. Ça avait pris un incendie et la peur viscérale de voir mourir un de ses enfants pour que Jaquelin s'ouvre véritablement les yeux sur cette chance inouïe qu'il avait d'avoir une si belle famille. Par la suite, il avait eu tout un hiver de solitude au fond des bois pour apprendre à dire les choses du cœur, tout doucement, à travers les lettres qu'il avait écrites à sa femme. Il n'avait surtout pas l'intention de retourner dans le passé.

Il se pencha alors vers Ignace.

— On refera pas le calendrier à midi, mon garçon, on a pas le temps. Tes frères doivent se dépêcher de finir leur assiette, la cloche de l'école va sonner bientôt. Mais tantôt, toi pis moi, on va essayer de comprendre c'est quoi que ça veut dire « un an ». Ça te va-tu, ça ?

— Ça va, popa...

— Bon tant mieux. Astheure, tu peux arrêter de pleurer, pis vous deux, ordonna-t-il à Conrad et Benjamin en se tournant vers eux, grouillez-vous ! Quand vous aurez fini, mettez vos assiettes dans l'évier, pis prenez-vous chacun une pomme dans la manne proche de la porte. Après, vous filerez à l'école. On se reverra t'à l'heure, pis tu finiras de nous raconter ton histoire de ballon, Benjamin. Ça m'intéresse.

Quand le petit Ignace eut rejoint son grand-père, avec la promesse formelle que, un peu plus tard dans l'après-midi, il ferait un vrai calendrier avec son père afin de comprendre le temps qui passe, Jaquelin repensa à la lettre qui l'attendait sous l'oreiller. Après avoir fait la vaisselle, ce qui lui prenait quand même un certain temps, compte tenu de sa main inutile, il monterait à la chambre et il la relirait posément.

— Il y a peut-être quelque chose qui m'a échappé, marmonna-t-il, en finissant de desservir la table. Peut-être que Marie a laissé entendre qu'elle s'ennuyait de nous autres, pis que moi je l'ai pas vu parce que je lisais trop vite.

Incapable d'essuyer la vaisselle avec une seule main, Jaquelin la mit à sécher sur un torchon propre étendu sur le comptoir, puis il monta à l'étage.

La seconde lecture le laissa tout aussi désappointé. À part l'invitation qu'elle lui faisait de venir la rejoindre à Montréal, Marie-Thérèse ne laissait absolument pas entendre qu'elle s'ennuyait des siens.

— Ben moi, d'abord, j'vas y dire que je m'ennuie, murmura Jaquelin pour lui-même. Jusqu'à date, j'ai pas osé parce que je voulais pas qu'elle se sente obligée de revenir à cause de moi. Mais là, ça suffit. Sa place est ici, avec nous autres. Moi j'ai besoin de ma femme, pis les garçons ont besoin de leur mère. De toute façon, que c'est que ça m'apporterait de plus d'aller en ville ? Si c'est aussi beau pis plaisant que ce que Marie en dit, peut-être que ça me donnerait l'envie de quelque chose qu'on aura jamais, elle pis moi, pis c'est pas pantoute agréable de se cogner le nez sur un mur... Non, non, non, pas question que j'aille tenter le diable. J'suis ben ici, je reste ici. J'irai même pas faire une visite. De toute façon, ça choquerait le père de se retrouver tuseul, avec ou sans les enfants, pis j'ai pas besoin de ça. C'est ben assez dur de même, avec lui. Non, m'en vas rester chez nous, pis j'vas écrire à Marie que j'veux qu'elle revienne le plus vite possible parce que les garçons pis moi, on a besoin d'elle... Non! Non, c'est pas ça que j'vas écrire. Elle pourrait penser que j'veux qu'elle revienne juste pour l'ordinaire de la maison, pis ça serait pas la vérité. La vérité, c'est que je m'ennuie sans bon sens. J'veux l'entendre parler, j'veux l'entendre rire, j'veux qu'on soye ensemble, elle pis moi... Ouais, je m'ennuie ben gros de ma femme pis de mes filles, qui doivent avoir encore changé, comme l'hiver dernier, quand j'étais au chantier... Je m'ennuie même des bébés que je connais pas... C'est ça que j'vas y écrire, à Marie. Pas besoin d'en dire plus, elle va comprendre, pis elle va revenir. Je le sais qu'elle va revenir. Pis après, quand elle va être là, avec nous autres, me semble que toute va aller mieux pour tout le monde. Même si le père décidait de rester. Ouais... À deux, elle pis moi, on devrait être capables d'y faire face.

L'instant d'après, Jaquelin s'installait à la table des jeunes, au bout du corridor des chambres, avec papier et crayon.

Durant le dernier hiver qu'il avait passé au chantier et qui lui avait paru si long, Jaquelin avait pris l'habitude de laisser parler son cœur pour ne pas crever d'ennui, et c'est ce qu'il ferait, aujourd'hui encore.

La lettre destinée à Marie-Thérèse ne fut donc pas très longue à concevoir. Toutefois, si les mots coulaient de source, la main, elle, peinait à suivre le rythme des pensées. L'écriture avec la main gauche restait un exercice difficile pour Jaquelin. Ce fut donc avec l'énergie de son ennui qu'il arriva enfin à la signature, de très longues minutes plus tard.

Après avoir relu sa lettre, il la cacha à nouveau sous l'oreiller. Il ne voulait surtout pas que son père la trouve.

Ce que Jaquelin Lafrance avait écrit à sa femme ne s'adressait qu'à sa femme.

Ce soir, après le souper, il irait en promenade, comme il le faisait de temps en temps quand la pression était trop forte à la maison et qu'il ressentait un urgent besoin de silence.

Depuis le début de l'automne, cela faisait bien cinq ou six fois que Jaquelin partait ainsi à l'aventure, sans trop savoir jusqu'où il irait.

Aujourd'hui, par contre, le cordonnier savait à l'avance que ses pas du soir le mèneraient jusqu'à l'hôtel Commercial.

C'était là que Gédéon Touchette avait ses habitudes.

En premier lieu, Jaquelin s'excuserait de son impatience du midi, prétextant un surplus de travail, et surtout beaucoup d'ennui à l'égard de sa femme. Il pouvait bien l'avouer puisque c'était la stricte vérité. Ce genre de confidence ferait assurément plaisir au vendeur ambulant. Qu'il l'ébruite aux quatre coins de la paroisse, par la suite, laissait Jaquelin totalement indifférent. Tout le monde, à Sainte-Adèle-de-la-Merci, savait que Jaquelin Lafrance et Marie-Thérèse Gagnon étaient profondément attachés l'un à l'autre.

Ensuite, Jaquelin demanderait au marchand de bien vouloir remettre un mot à son épouse, le prétexte invoqué en fin d'avant-midi demeurant très valable.

— J'sais qu'avec vous, mon message va arriver plus vite qu'avec la poste, lui dirait-il, un brin flagorneur, puisque rien ne plaisait autant à monsieur Touchette que de se faire complimenter.

Puis, sur le chemin du retour, Jaquelin s'arrêterait chez la tante Félicité. Cette visite n'avait que trop tardé. À chaque jour qui passait, il regrettait un peu plus cette bouderie digne d'un enfant gâté, mais jusqu'à maintenant, il n'avait pas encore trouvé les mots à dire pour faire amende honorable.

Chose certaine, il n'avait pas été très délicat à l'égard de la vieille dame et il tenait à s'en excuser, avant le retour de Marie-Thérèse. Après tout, le regret ne serait peut-être pas si difficile à exprimer, puisque Jaquelin comprenait fort bien que quelqu'un puisse ne pas avoir envie de passer toutes ses journées auprès d'Irénée Lafrance.

Finalement, il rentrerait à la maison en paix avec lui-même, car il ne doutait nullement du pardon de Félicité Gagnon, qui ne connaissait pas la rancune.

— Une vraie perte de temps, disait-elle invariablement quand le sujet était abordé devant elle.

À la suite de cela, Jaquelin pourrait enfin attendre le retour de sa Marie le cœur tout léger.

Ce fut cette lettre qui fit la différence.

Marie-Thérèse la reçut le vendredi, en fin de journée, quand monsieur Touchette revint chez lui après sa tournée de la semaine.

Cependant, le pauvre homme resta sur son appétit encore une fois, puisque Marie-Thérèse ne fut pas plus diserte que son mari.

— Je vous remercie, monsieur Touchette, vous êtes vraiment gentil de nous servir de facteur comme ça, à Jaquelin pis moi. C'est apprécié, soyez-en certain. Astheure, vous allez devoir m'excuser parce que j'aimerais ça lire cette lettre-là tranquillement, tuseule. En cas de besoin, je vous ferai signe.

Voilà comment Marie-Thérèse s'y prenait pour congédier les gens : elle ne faisait que dire la vérité !

La porte de chez Lauréanne se referma sur ces quelques mots et la jeune femme s'arrêta au passage dans la chambre d'Irénée, devenue la sienne pour un temps qui commençait à s'éterniser.

Elle déchira l'enveloppe avec empressement.

C'était précisément la lettre que Marie-Thérèse espérait, celle écrite avec le cœur, celle dont elle avait justement besoin pour trouver le courage de semer un peu de désolation derrière elle, car il était évident que son départ se ferait dans les larmes.

Jaquelin avait osé écrire qu'il s'ennuyait, que son lit lui paraissait froid, qu'il se languissait d'enfin connaître les jumeaux, et cela fut amplement suffisant pour que Marie-Thérèse s'élance aussitôt vers la cuisine.

— Regarde, Lauréanne !

Elle brandissait la lettre de son mari, à bout de bras.

— Monsieur Touchette m'a donné une lettre de Jaquelin.

Lauréanne se retourna vivement, tout en s'essuyant nerveusement les mains sur son tablier. Elle ne savait trop si elle devait se réjouir ou être désolée d'une réponse si rapide.

— Pis? demanda-t-elle avec prudence. Que c'est que mon frère avait de bon à dire? S'il a répondu vite de même, c'est-tu parce qu'il nous arrive demain?

Il y avait tant d'attente contenue dans ces quelques mots. Et d'inquiétude aussi.

Marie-Thérèse sentit sa gorge se serrer.

— Je pense pas, non, déclara-t-elle alors, avec une certaine retenue. C'est drôle, mais dans sa lettre, Jaquelin parle même pas de l'invitation que je lui ai faite… Faut croire que c'est ça, sa réponse, hein, Lauréanne ? On dirait ben que la ville l'intéresse pas pantoute.

— Ah oui ? Savoir que Jaquelin viendra pas en fin de semaine, ça te suffit, à toi, comme réponse ?

Marie-Thérèse hésita un instant.

— Pour astheure, je dirais que oui…

S'il y avait une certaine indécision dans la voix de Marie-Thérèse, il n'y en avait pas dans son regard, cependant, et Lauréanne s'en aperçut tout de suite.

De toute évidence, sa belle-sœur s'apprêtait à lui annoncer qu'elle allait repartir très bientôt.

Lauréanne eut alors l'impression que le plancher se dérobait sous ses pieds.

— Pis si c'était juste parce qu'il pouvait pas venir ? demanda-t-elle en désespoir de cause. C'est peut-être juste pour pas te décevoir que Jaquelin en a pas parlé.

Marie-Thérèse haussa les épaules, signifiant par là qu'elle n'était pas nécessairement en désaccord avec Lauréanne.

— Ça aussi, ça se peut, j'suis capable de le reconnaître, admit-elle… Avec ton père à la maison, tout est possible. Mais ça change rien au fait qu'il viendra pas. On verra à sa visite à

Montréal, plus tard, dans le temps comme dans le temps.

— Mettons… Pis toi, que c'est tu vas faire ? Si Jaquelin parle pas de ton invitation, de quoi il parle dans sa lettre ?

— Il dit qu'il s'ennuie ben gros. Même des bébés qu'il a pas eu la chance de bercer encore… Comme je connais Jaquelin, c'est sa manière à lui de me demander de revenir à la maison. Entre toi pis moi, il a pas tort. Moi avec, tu sais, je pense qu'il serait temps que je retourne chez moi.

— Pis Émile, lui ? Que c'est tu fais de mon mari ? Il est supposé rencontrer le notaire, lundi prochain. Il disait que cette vente-là semblait une bonne affaire.

— Que c'est tu veux que je réponde à ça ? Émile aura juste à annuler son rendez-vous, c'est toute.

— Ben voyons donc !

C'était un véritable cri de désespoir que Lauréanne avait échappé et il rejoignit intimement Marie-Thérèse, dans cette sensation de malaise qui l'habitait depuis qu'elle avait rejoint sa belle-sœur à la cuisine.

— Crains pas, Lauréanne, fit-elle alors d'une voix très douce. Il sera toujours temps d'en reparler plus tard, avec Jaquelin.

Puis, après un court silence chargé d'émotion, elle ajouta :

— Je te promets que j'vas parler à mon mari.

C'est pas juste des mots en l'air parce que c'est vrai que j'ai ben aimé ça, vivre en ville. Même que je pense que ça va être plus facile de jaser de ça, tranquillement chez nous, les yeux dans les yeux. Ça va peut-être même me donner une chance de convaincre Jaquelin que ça serait pas si fou que ça en a l'air d'envisager de venir vous rejoindre ici, à Montréal.

— C'est ben beau ce que tu dis là, pis t'as peut-être ben raison, mais l'épicerie, elle ? Faudrait pas rater notre chance !

Marie-Thérèse esquissa un sourire teinté de tristesse et de sagesse entremêlées.

— Si c'est pas cette épicerie-là, Lauréanne, ça en sera une autre. Montréal, c'est une grande ville, pis pour moi, c'est pas plus grave que ça… Faut que je me dise que c'est pas plus grave que ça. Des épiceries, il doit y en avoir à vendre ben souvent ! Si c'est écrit dans le ciel qu'on est pour venir habiter en ville, Jaquelin pis moi, le Bon Dieu va nous le faire comprendre d'une manière ou ben d'une autre, pis Il va mettre ce qu'il faut sur notre chemin pour qu'on soye pas dans la misère… Pour astheure, si j'ai compris ce qu'il a essayé de dire, Jaquelin aimerait ben gros que je revienne à la maison le plus vite possible. Ça a l'air que les garçons demandent après moi, pis mon mari, ben, il s'ennuie. Je te l'ai dit. Moi avec, je m'ennuie de lui… J'espère que tu peux le comprendre. Depuis le temps que je suis partie, ça serait juste normal que je reprenne ma place chez nous, tu penses pas?

Bien qu'elle fût d'accord et qu'elle comprît effectivement tout ce que Marie-Thérèse tentait de lui expliquer, Lauréanne était incapable de répondre. Les mots ne passaient pas. Elle se tourna brusquement vers l'évier pour que sa belle-sœur ne vît pas les larmes qui brillaient déjà dans ses yeux. Lauréanne savait que c'était enfantin de sa part, qu'elle s'y attendait depuis le premier jour, mais c'était plus fort qu'elle: malgré la meilleure volonté du monde, elle ne pouvait se ressaisir. Savoir que l'appartement serait vide et silencieux dès la semaine suivante lui était tout à coup intolérable.

Comme pour ajouter à sa peine, un des bébés poussa un cri de colère, manifestant ainsi sa présence. Lauréanne en profita pour se précipiter hors de la cuisine.

— Laisse, je m'en occupe!

Quand Marie-Thérèse rejoignit sa belle-sœur, quelques instants plus tard, celle-ci tenait le petit Albert tout contre sa poitrine et elle pleurait à chaudes larmes.

Marie-Thérèse s'approcha tout doucement et, avec beaucoup d'affection, elle entoura les épaules de Lauréanne d'un bras lourd.

— Je le sais, va, que ça va être dur pour toi, murmura-t-elle, tout en caressant la tête du bébé de sa main libre. Mais je peux pas faire autrement.

— Je le sais ben, reconnut Lauréanne en reniflant. C'est depuis le premier jour que j'sais que tout ça va avoir une fin, pis que toi, un bon matin, tu vas vouloir repartir. C'est juste normal que ça se passe comme ça, mais c'est dur quand même... Pourquoi, Marie-Thérèse, pourquoi j'ai pas eu d'enfants à moi ? Tu le sais-tu, toi, pourquoi le Ciel a jamais voulu exaucer mes prières ?

— Ben non, je le sais pas. Je voudrais donc avoir une réponse qui pourrait te consoler, mais j'en ai pas. Pis je trouve ça triste, parce qu'Émile pis toi, vous auriez faite des bons parents... Je vous ai vus aller, pis c'est ben clair que vous aimez les enfants. Faut croire que des affaires de même, ça fait partie des choses de la vie qu'on comprendra jamais... C'est comme pour le feu chez nous, pis l'accident de Jaquelin. Pourquoi c'est arrivé à nous autres ? Pourquoi deux malheurs d'importance en quelques mois à peine ? On le sait pas, pis on le saura jamais.

— Laisse-moi te dire, d'abord, que j'ai ben de la misère à accepter tout ça, commenta Lauréanne en essuyant ses yeux. Comment faire pour pas en vouloir au Bon Dieu ? S'Il était si bon que ça, Il laisserait pas arriver des affaires tristes comme celles-là. Ni pour Émile, ni pour moi, ni pour vous autres.

Marie-Thérèse esquissa un pâle sourire.

— Ça m'arrive de penser exactement de la même manière que toi, Lauréanne.

298

Tout en parlant, Marie-Thérèse avait délaissé sa belle-sœur pour prendre la petite Albertine, qui venait de s'éveiller à son tour, et ce fut ainsi qu'Émile trouva les deux femmes. Elles discutaient à voix basse, debout devant les berceaux qui seraient bientôt trop petits pour accueillir les bébés.

— Que c'est qui se passe ici, veux-tu ben me dire ? Pourquoi vous chuchotez de même quand les petits sont réveillés ?

Lauréanne tourna vers son mari un visage tout chiffonné des larmes qu'elle avait abondamment versées.

— C'est juste que Marie-Thérèse parle de s'en aller. Bientôt, très bientôt, pis j'ai le cœur gros.

— Ah bon.

Il y avait de la tristesse dans ces deux mots prononcés sur un ton fataliste.

Ah bon…

La déception d'Émile était aussi évidente que la désolation de Lauréanne.

Ils restèrent blottis l'un contre l'autre durant un bon moment, puis le colosse s'ébroua. Sa femme était trop malheureuse pour qu'il ne pense qu'à lui, et il n'avait pas à chagriner sa belle-sœur par ses désespérances. Il déposa un baiser sur le front de bébé Albert et recula d'un pas.

— Ça devait arriver, hein, ma femme ? constata-t-il sur un ton protecteur. On en a parlé souvent, toi pis moi, du jour où Marie-Thérèse s'en irait. On dirait ben que c'est arrivé. Mais inquiète-toi pas, on va s'en sortir ensemble. On en a déjà vu d'autres, pis il y a rien qui va nous empêcher de nous aimer.

Ensuite, tournant la tête vers sa belle-sœur, il demanda :

— Pis vous, Marie-Thérèse ? Vous voyez ça pour quand, ce départ-là ?

La jeune femme fut soulagée de constater qu'Émile restait fidèle à lui-même et qu'il ne perdait pas son sang-froid. Elle pourrait donc compter sur lui.

— En lisant la lettre de Jaquelin, expliqua-t-elle, j'ai cru comprendre que le plus vite possible serait le mieux.

Émile approuva d'un bref hochement de la tête.

— J'suis d'accord avec ça. Je pense que c'est une bonne idée de pas faire traîner les choses, déclara-t-il de sa voix grave. Comme ça, on aura pas le temps de s'apitoyer sur notre sort... Personne. J'ai pour mon dire que les choses tristes, faut pas trop les étirer en longueur... Laissez-moi faire, Marie-Thérèse. Après le souper, j'vas m'occuper de tout ça pour vous... Astheure, si on mangeait ? J'ai une faim de loup.

Cependant, la pire crise de larmes ne fut pas celle de Lauréanne, ni la plus grande déception, celle d'Émile. Au chapitre des réactions démesurées, ce fut Agnès qui remporta la palme.

Elle venait tout juste d'arriver pour le repas du

soir, en compagnie d'Angèle qui, à force de sup-
plications, avait réussi à obtenir que sa grande
sœur l'emmène avec elle chez son amie Marie-
Paul, quand Marie-Thérèse, en train de mettre la
table, lui annonça, sans ménagement, qu'avec un
peu de chance, elles repartiraient pour le village
dès le lendemain. Sachant que cette annonce risquait de prendre sa fille au dépourvu et qu'elle
serait fort probablement déçue, Marie-Thérèse
avait décidé d'aller droit au but.

Agnès en resta bouche bée. Puis, d'une voix
étranglée, elle demanda :

— Comment ça, encore partir ?

Les yeux d'Agnès lançaient des éclairs.
Toutefois, cette manifestation de colère laissa
Marie-Thérèse indifférente, elle qui n'en était pas
à un accrochage près, avec Agnès, depuis ces derniers mois.

— On part parce que c'est astheure que j'ai
décidé qu'on retournait à la maison, expliqua-
t-elle un peu sèchement, sur le ton de celle qui ne
s'attend surtout pas à des commentaires. On peut
pas vivre ici indéfiniment, c'est pas chez nous.

Toutefois, il fallait un peu plus que ce ton ferme
pour qu'Agnès consente à se taire !

— Tu parles d'une réponse ! répliqua-t-elle du
tac au tac, avec une certaine impertinence. Ce que
je veux savoir, c'est pourquoi on part demain ? Je
le sais ben que notre vraie maison est pas ici pis
que popa doit s'ennuyer, mais c'est pas une raison

pour partir vite de même, sans en avoir parlé. J'en ai assez, moi, d'être barouettée d'un bord pis de l'autre sans qu'on me demande jamais mon avis.

Les nerfs à fleur de peau, Marie-Thérèse darda un regard colérique sur sa fille.

— Sois polie, toi là !

— Ben quoi ? Parce que je suis juste une enfant pis qu'il faut toujours être polie, j'aurais pas le droit de dire ce que je pense ? J'ai pas envie de…

— Tais-toi, Agnès ! Tu dépasses les bornes.

Marie-Thérèse fulminait.

— Si c'est ça que ta nouvelle école t'apprend, d'être impertinente envers ta mère pis d'argumenter ses décisions, ça prouve qu'il est plus que temps qu'on retourne par chez nous. À Sainte-Adèle-de-la-Merci, on sait vivre, pis au couvent, on vous enseigne les bonnes manières. Ouais, il est temps qu'on parte !

— Moman !

— Il y a pas de « moman » qui tient ! On part dès que ton oncle Émile nous a trouvé un moyen de transport, pis je veux pus en entendre parler. C'est-tu clair ?

Si les esclandres d'Agnès étaient spectaculaires, ses regrets étaient toutefois sincères et spontanés. Devant la rigueur implacable de sa mère, elle baissa les yeux.

— C'est clair.

Le ton restait cependant bourru.

— Tant mieux, apprécia Marie-Thérèse. J'aime

pas ça quand tu me tiens tête de même. Pis, bonté divine, change d'allure! C'est pas vrai que j'vas endurer une face de «beu» comme ça ben ben longtemps! Pense plutôt à ton amie Geneviève que tu vas surprendre en arrivant sans prévenir... Moi qui pensais que ça te ferait plaisir de retrouver tes amies!

Ce changement de direction dans la conversation fut suffisant pour fourbir les armes d'Agnès. Elle repartit de plus belle, mais sur un ton plus retenu.

— Je dis pas que j'suis pas contente de retrouver mes amies, moman, pis que ça me fera pas plaisir de voir popa pis mes frères... C'est sûr, voyons donc, que ça va me faire plaisir de revoir tout le monde pis notre maison. Il y a matante Félicité aussi, que j'ai hâte de voir. Il est pas là, le problème, moman. Je dis juste que j'ai de la peine de laisser le monde de Montréal... Je dis juste que ça se fait un peu trop vite à mon goût. Ça a peut-être sorti tout croche, t'à l'heure, mais c'est ça que ça voulait dire. J'vas m'ennuyer de tout le monde, précisa-t-elle en jetant un regard oblique vers son oncle et sa tante, qui se tenaient silencieusement à l'autre bout de la cuisine, témoins discrets et malheureux de cette mise au point enflammée.

Le sourire un peu triste d'Émile encouragea Agnès à poursuivre. Elle répondit à son sourire puis revint à sa mère.

— Je dis aussi, moman, que l'école d'ici est plus

plaisante que celle du village, pis que j'apprends des tas d'affaires qu'on apprend pas par chez nous... Vous devriez être contente que je dise ça parce que ça prouve que vous aviez raison. En plus, j'ai travaillé fort pour préparer mes examens de la semaine prochaine, pis je pourrai même pas les faire. Je trouve pas ça ben ben juste...

— Je comprends, ma fille, admit alors Marie-Thérèse, sur un ton plus conciliant, je comprends très bien ce que t'essayes de me dire. Malheureusement, ça changera rien à la situation ni à ma décision.

Toute colère tombée, de grosses larmes roulaient au bord des paupières d'Agnès.

— Je peux-tu dire au moins que j'suis déçue, moman, ben déçue, sans passer pour autant pour une impolie ?

— Oui, tu peux le dire.

Marie-Thérèse aussi avait retrouvé son calme.

— Dans la vie, ma fille, on a toujours le droit de dire ce qu'on pense. Faut surtout pas que tu t'imagines que j'veux pas entendre tes arguments. Ça serait pas vrai. Faut juste que t'apprennes à trouver les bons mots, par exemple, pis le bon ton pour t'expliquer. Si t'arrives à faire ça, un jour, il y en aura pus de chicane entre nous deux, jamais.

— J'ai compris... J'vas essayer de faire attention, la prochaine fois. Comme ça, si on est pour partir demain, j'vas-tu pouvoir aller dire bonjour à Marie-Paul après le souper ?

— C'est sûr, ça. Je suis quand même pas une sans-cœur.

— Je le sais, moman. Pis je m'excuse pour tantôt, pis merci pour la permission. Promis j'vas faire ça vite, pis je reviendrai pas trop tard pour vous aider avec les bagages.

— Moi aussi, je veux y aller !

Angèle avait suivi la discussion sans y comprendre quoi que ce soit, sinon que sa sœur et sa mère avaient eu l'air fâchées l'une contre l'autre, pour un moment, et que maintenant, comme tout le monde semblait plus calme, Agnès venait d'obtenir la permission d'aller chez son amie après le souper, une permission rarement accordée.

Devant l'intervention naïve de sa fille plus jeune, Marie-Thérèse se tourna aussitôt vers elle.

— Non, ma belle Angèle, décréta-t-elle. C'est pas parce que j'ai dit oui une fois que ça va être oui tout le temps. Ce soir, tu restes ici avec nous autres. De toute façon, il commence à faire noir pis les petites filles de ton âge sortent pas dehors dans la rue quand c'est la nuit. Astheure, on va manger. Je pense que votre oncle Émile est à la veille de ronger le bord de la table, tellement il a faim !

Marie-Thérèse se voulait drôle, mais personne n'eut envie de rire.

Le repas fut plutôt silencieux. Dès son dessert avalé, Agnès s'excusa et sortit de table pour rejoindre son amie.

Émile attendit que les pas de sa jeune nièce s'estompent, au bas de l'escalier, puis, repoussant l'assiette de son gâteau qu'il avait mangé jusqu'à la dernière miette, il proposa :

— Après toutes ces émotions-là, me semble que ça serait le temps, ma femme, d'une bonne tasse de thé.

À ces mots, Marie-Thérèse esquissa un petit sourire.

— Vous me faites penser à matante Félicité, cher Émile. Elle avec, elle trouve toujours une bonne raison pour se faire du thé.

— Je la connais pas tellement, cette femme-là, mais à vous entendre parler d'elle comme vous le faites souvent, j'ai l'impression qu'elle est toujours de bon jugement…

— C'est bien dit, ça là. Matante est une femme dépareillée !

— Ben tant mieux ! Astheure, Marie-Thérèse, si on parlait d'Agnès, voulez-vous ?

— Agnès ?

Marie-Thérèse regardait son beau-frère avec une certaine incompréhension au fond des yeux.

— À part sa colère de tantôt, je vois pas tellement ce qu'il y aurait à dire à propos de ma fille.

— Peut-être qu'il y a pas grand-chose à dire, c'est sûr, mais peut-être qu'il y en a plus que vous pensez, à commencer par une suggestion que j'aimerais vous faire, à cause des examens. Une suggestion qui calmerait peut-être les tensions pis qui aiderait à guérir les chagrins.

C'était volontairement qu'Émile mettait le pluriel à ses mots, car s'il pensait à Agnès, il pensait aussi à Lauréanne. La solution qu'il avait échafaudée silencieusement durant le repas devrait les aider toutes les deux.

Marie-Thérèse fronça les sourcils.

— Que c'est vous essayez de me dire, vous là ?

— Je fais juste répéter ce qu'Agnès nous a dit tantôt. Paraîtrait qu'elle va avoir des examens la semaine prochaine. Des examens qu'elle a préparés avec sérieux pis on dirait ben qu'elle est déçue de pas pouvoir les faire.

— Ça a ben l'air que c'est ça, je vous l'accorde, mais je comprends pas où c'est que vous voulez en venir. Ça fait depuis la première année qu'elle en a, des examens, pis Agnès a jamais faite d'histoire avec ça. Pourquoi ça deviendrait si important aujourd'hui ? Des examens ! Quand même, Émile ! On parle pas d'une étudiante de grande école, ici, on parle juste d'une petite fille de septième année.

— J'ai pour mon dire que même pour les petites filles de septième année, ça peut être important, des examens.

— C'est vrai, vous avez pas tort. Mais je vois pas en quoi on…

— S'il vous plaît, Marie-Thérèse, interrompit Émile. Laissez-moi parler. Après, quand j'aurai fini, si vous avez des objections, j'vas vous écouter, pis craignez pas, j'vas en tenir compte.

La proposition d'Émile tenait à quelques mots.

— Et si vous nous laissiez Agnès?

D'un même geste, Marie-Thérèse et Lauréanne posèrent les yeux sur le gros homme qui tenait sa tasse de thé du bout des doigts, avec la délicatesse d'une « lady », comme celle que l'on voyait sur la boîte de métal, importée d'Angleterre, et que Lauréanne plaçait en évidence sur le buffet.

— Vous laisser Agnès? s'étrangla Marie-Thérèse, tant avec sa gorgée de thé qu'avec les mots.

Elle toussota en déposant sa tasse, puis elle reprit.

— Ben voyons donc, Émile! Ça se fait pas, prêter sa fille comme ça.

— Et pourquoi pas? On est pas des étrangers, Lauréanne pis moi. Laissez-lui au moins le temps de finir le semestre. Comme ça, Agnès aurait la chance de passer ses examens pis de se faire tranquillement à l'idée qu'elle devra repartir un jour.

— Ben là…

Marie-Thérèse se sentait bousculée et elle n'aimait pas cela. À des lieues d'imaginer le malaise qu'il était en train de susciter, Émile insista.

— Pourquoi tant d'hésitation, Marie-Thérèse? Si vous êtes d'accord pour que Cyrille aille au collège, je vois pas pourquoi Agnès aurait pas la même chance. C'est elle-même qui nous a dit qu'elle apprenait ben plus de choses ici qu'au couvent du village. D'autant plus qu'elle aime l'école. Elle passe des heures le nez dans ses livres pis ses cahiers.

— Je sais ben! Pour aimer les études, elle aime ça. Je le sais pas ce qu'on a faite à nos enfants, Jaquelin pis moi, mais à date, ils aiment toutes ça apprendre.

— Mais c'est tant mieux, tout ça. Vous pensez pas, vous?

Devant cette question, Marie-Thérèse secoua la tête dans un geste de négation, avant d'avouer franchement:

— J'avoue que je le sais pas trop. Ça peut être bon dans certains cas, je dis pas le contraire, mais d'autres fois... Tenez, prenez Cyrille, par exemple. Pour lui, je peux comprendre qu'il continue d'aller à l'école. Il y a plein de beaux métiers pour les garçons qui veulent ou qui peuvent étudier. C'est toute une chance que notre fils a eue là, de se retrouver au collège, grâce au curé de notre paroisse. Qui sait? Il va peut-être aller à l'université pour devenir médecin ou avocat, si jamais il devenait pas curé. Mais pour une fille...

— Ben moi, je vois pas de différence. Une fille qui a de l'instruction finit toujours par trouver moyen de tirer son épingle du jeu. Qu'est-ce qui vous dit qu'Agnès voudra pas faire l'école normale, pis devenir institutrice, un jour? Ou même aller à l'université, elle aussi, pour apprendre à soigner des malades?

— L'université pour apprendre à soigner ? Que c'est que vous racontez là, vous ? Des grandes études savantes comme ça, c'est pas pour les filles, voyons donc !

— Détrompez-vous, Marie-Thérèse. Il y en a pas beaucoup qui se rendent jusque-là, c'est un fait, mais il y en a. La plus vieille de Jean-Louis, un ami qui travaille à la brasserie avec moi, vient justement d'entrer à l'Université de Montréal, pour apprendre à soigner le monde.

Marie-Thérèse avait froncé les sourcils avec suspicion.

— C'est pas vrai, ça, lança-t-elle, interrompant ainsi Émile.

Subitement, Marie-Thérèse avait l'air détendue. En fait, elle était tellement persuadée que son beau-frère se trompait qu'elle était en train de se dire que la discussion en resterait là et que c'était une bonne chose. Elle n'avait surtout pas envie de se disputer avec lui.

— Je m'excuse de vous contredire, Émile, mais vous vous trompez. C'est pas à l'université que les filles apprennent à soigner les malades, c'est dans un hôpital. Me semble que ça tombe sous le sens.

— C'est vrai. Mais le cours supérieur, par exemple, c'est à l'université qu'il se donne. Jean-Louis m'a toute expliqué ça, l'autre jour.

— Ben là… Vous êtes sûr de votre affaire ?

— Sûr et certain. Je vous le dis, c'est Jean-Louis en personne qui m'en a parlé, pis il doit ben savoir de quoi il jase, rapport que c'est sa propre fille qui vient justement d'entrer à l'université.

Plus la conversation avançait et plus Marie-Thérèse s'agitait sur sa chaise, déstabilisée par la tournure que prenait leur échange.

— D'abord, si vous avez raison, Émile, mais ça reste à prouver, faut surtout pas parler de ça à Agnès, parce que c'est sûr qu'elle voudrait pus jamais revenir au village. Savoir que les filles peuvent faire des études comme les garçons, c'est ben certain que ça va intéresser ma fille, d'autant plus qu'astheure, elle sait qu'elle peut vivre ailleurs qu'au village sans trop s'ennuyer... Non, faut pas qu'elle sache ça. Que c'est que je deviendrais, moi, sans Agnès pour m'aider? Surtout depuis que je travaille avec Jaquelin? Ça a pas une miette de bons sens, tout ça. Voir que vous aviez besoin de me dire ça, à soir! On est pas assez bousculés comme ça, non?

Tout en parlant, Marie-Thérèse s'était relevée.

— Je pensais jamais être obligée de vous dire ça un jour, Émile, mais l'éducation de mes enfants, ça vous regarde pas. Je veux pas qu'un seul mot de la discussion qu'on vient d'avoir arrive aux oreilles de ma fille. C'est-tu ben compris?

— Si c'est ça que tu veux, Marie-Thérèse.

Le cœur pris dans un étau, Lauréanne s'était permis d'intervenir.

— Si c'est ça que tu veux, on va le respecter, crains pas. Je veux surtout pas qu'on se laisse en chicane. Ça serait trop de valeur, après avoir passé du si bon temps ensemble.

Ce rappel de leur habituelle connivence fit hésiter Marie-Thérèse. Cependant, tous ces bons moments partagés à deux ne suffirent pas pour l'amener à changer d'avis.

— J'suis ben d'accord avec toi, Lauréanne. Moi avec, j'étais ben en ta compagnie, pis j'ai pas vu le temps passer, c'est le cas de le dire. Mais si tu veux que je garde un bon souvenir de mon passage chez vous, va falloir que vous teniez votre langue... Astheure, vous allez devoir m'excuser, mais j'vas aider Angèle à se préparer pour la nuit, avant de donner le dernier boire des jumeaux. Après, je commencerai à ranger nos affaires sur mon lit pour les mettre dans les valises par la suite.

Émile aussi était déjà debout.

— Dans ce cas-là, ma Lauréanne, moi, j'vas me rendre au stand à taxi, au coin de Pie-IX.

Les traits tirés et le regard éteint, Émile avait triste mine.

— Je voulais surtout pas vous offenser, Marie-Thérèse, comprenez-le ben, ajouta-t-il en se tournant vers sa belle-sœur. Si vous pensez que mon idée est pas la bonne, pis que vous voyez les choses autrement, c'est ben certain que j'vas le respecter. Promis, j'en parlerai pus jamais.

Puis, tandis que Marie-Thérèse quittait précipitamment la cuisine, Émile offrit un sourire mélancolique à sa femme.

— Astheure, j'vas aller réserver les services d'un chauffeur pour demain. Ça devrait pas être trop long. Si on disait vers neuf heures, ça aurait-tu de l'allure? En revenant, j'irai chercher la malle de Marie-Thérèse dans le hangar.

Sur ce, Émile quitta l'appartement d'un pas lourd.

Toutefois, le bruit de ses pas se fondait à peine à ceux des passants que Marie-Thérèse ressortait de sa chambre pour revenir à la cuisine. Les yeux dans l'eau, Lauréanne se préparait à faire la vaisselle.

— Lauréanne?

L'interpellée ne fit que lever la tête sans se retourner.

— Oui?

— Je m'excuse pour t'à l'heure. Je sais pas ce qui m'a pris... Trop d'émotions dans trop peu de temps, je pense ben. Je veux que tu comprennes que c'est pas par manque de confiance à votre égard si j'ai parlé de même.

Lauréanne pivota lentement sur elle-même et son regard chercha celui de Marie-Thérèse.

— C'est correct, va! Je peux comprendre. Si j'avais des enfants, moi non plus, je voudrais pas que les autres décident à ma place.

— C'est vrai, mais faut quand même être capable de rester ouvert aux conseils de ceux qui nous aiment, par exemple... Tout ça pour te dire que, dans le fond, c'est Émile qui a probablement raison. En fait, c'est en pensant à matante Félicité que j'ai changé d'avis.

— Matante Félicité ?

— Ouais... Il y a pas grand monde qui sait ça, à part les vieux du village, mais matante m'a déjà dit qu'elle avait faite l'école normale.

— La tante Félicité ? Notre tante Félicité ?

— Qui tu veux que ça soye d'autre ?

— Pis elle aurait faite des études ?

— Oui, quand elle était jeune. Elle voulait devenir institutrice, pis c'est ici, à Montréal, qu'elle a suivi son cours. À l'école normale, si je me rappelle ben. Par après, elle est revenue au village pour passer l'été en famille avant de commencer à travailler, pis c'est à ce moment-là que les sœurs du couvent l'ont engagée. Comme matante avait appris le piano durant ses années d'école, c'est de même qu'elle est devenue professeur de musique au village pis que finalement, elle est jamais revenue en ville.

— Eh ben... Tu m'en apprends des choses, toi là !

— Peut-être ben que toi tu le savais pas, mais moi, j'étais au courant, pis c'est à ça que j'ai pensé une fois dans ma chambre. J'ai pensé à matante qui avait déjà vécu à Montréal, mais qui était quand même revenue faire sa vie au village. Si Félicité Gagnon a déjà fait ça, pourquoi pas Agnès ? J'ai pensé aussi au plaisir que ça ferait à matante si jamais ma fille voulait suivre ses traces.

— C'est vrai que pour une célibataire comme elle, sans enfants, nota Lauréanne d'une voix très douce, voir ses neveux pis ses nièces trouver leur chemin dans la vie, ça fait toujours chaud au cœur.

Comme ce message ne s'appliquait pas uniquement à la tante Félicité, Marie-Thérèse se sentit rougir jusqu'à la racine des cheveux.

Comment avait-elle pu parler sur un ton aussi tranchant à Émile et Lauréanne, qui n'étaient que douceur et générosité ? Elle secoua la tête, incapable de trouver une raison valable à sa saute d'humeur, quand l'évidence lui sauta aux yeux. Marie-Thérèse esquissa alors un sourire gêné à l'intention de Lauréanne.

— Dans le fond, Agnès pis moi, on se ressemble beaucoup, poursuivit-elle en guise d'explication, on aime pas ça être bousculées, être « barouettées », comme l'a dit ma fille, t'à l'heure. C'est probablement à cause de ça si j'ai levé le ton devant Émile. Pis je le regrette… Il y a juste une chose que j'aimerais qu'on fasse, par exemple… Ça serait de laisser Agnès décider par elle-même de ce qu'elle veut vraiment faire. Ça fait ben des affaires nouvelles dans une seule journée pour une fille de son âge, pis ça serait pas le bon moment d'aller y imposer autre chose. C'est Agnès qui l'a dit tantôt : elle aimerait ça qu'on en parle avec elle avant de prendre des décisions qui la concernent. Elle a pas tort, pis c'est ce que je voudrais qu'on fasse.

— Moi, je vois pas de problème là. Pis j'suis sûre qu'Émile va penser comme moi, lui avec.

— Si c'est de même, c'est une bonne chose de réglée ! Quand Agnès va revenir, Émile pourra y parler. Je pense que c'est à lui de faire ça, rapport que c'est lui qui a eu l'idée. Par après, on verra ben ce qu'Agnès va décider... Bon ! Astheure, j'vas mettre le lait à chauffer. Je pense ben que c'est au tour d'Albert d'avoir un biberon pendant que j'vas allaiter Albertine... C'est comme rien qu'ils vont nous réclamer leur boire dans pas longtemps.

Lauréanne avait l'impression qu'un poids immense venait de quitter ses épaules. Certes, les jumeaux et Angèle allaient partir. Marie-Thérèse aussi. Néanmoins, savoir qu'Agnès resterait peut-être avec eux était une éclaircie dans un ciel tout gris.

Agnès serait une raison amplement suffisante pour lui donner envie de se lever tous les matins.

Émile aussi !

Sur ce, Lauréanne offrit un sourire éclatant à Marie-Thérèse.

— Laisse ! J'vas m'en occuper, du lait. Va plutôt chercher les bébés, pis on les fera boire ensemble.

— Comme tu veux.

Pourtant, une fois arrivée dans l'embrasure de la porte, Marie-Thérèse ralentit le pas, puis s'arrêta complètement, et, sans se retourner, elle avoua:

— Même si je suis la femme la plus heureuse du monde à l'idée de retrouver mon mari, ça me fait quand même de la peine de savoir qu'on se verra pus aussi souvent. Dans le fond, je le sais pas trop ce qui m'attend au village, pis ça me fait un peu peur. Si jamais ça se passait pas exactement comme je l'espère, ben, tu seras pas là pour qu'on en jase ensemble, pour qu'on essaye de trouver les meilleures solutions, ensemble. Ça, vois-tu, ça me rend un peu triste. C'est aussi ça que je voulais te dire. Tu vas me manquer, Lauréanne. Ben gros.

Lauréanne n'osa répondre qu'il en allait de même pour elle, même si les mots lui brûlaient les lèvres. Elle avait trop peur de se remettre à pleurer.

Elle détourna la tête et sur un grognement qui pouvait vouloir dire n'importe quoi, elle ouvrit l'armoire près de la cuisinière électrique, un modèle dernier cri, offert par son mari à l'occasion de la fête des Mères, qu'il continuait de souligner malgré tout, année après année. Puis Lauréanne sortit une casserole en faisant beaucoup de bruit.

Devant ce geste qui disait l'embarras et la tristesse, Marie-Thérèse regagna sa chambre.

CHAPITRE 8

À Trois-Rivières, le samedi 3 novembre 1923

**Dans le dortoir du collège, durant la nuit
du vendredi au samedi**

Le ciel était d'un blanc laiteux. Malgré l'heure tardive, la neige qui tombait depuis hier matin rendait la nuit aussi claire qu'au moment de la pleine lune, et les arbres du parc découpaient des dentelles échancrées et sinistres sur le couvert nuageux.

Cyrille n'arrivait pas à s'endormir.

En fait, cela faisait quelques nuits que le sommeil se faisait capricieux, car le souvenir de l'incendie lui était revenu en force au matin du 31 octobre.

Un an déjà que le malheur avait commencé à frapper la famille Lafrance.

Cyrille n'avait qu'à fermer les yeux pour que l'intensité des flammes éclabousse l'écran de ses pensées. Il entendait encore leur crépitement rageur et le grondement sourd du feu qui ravageait la cuisine tandis que son père leur criait de sortir au plus vite.

Un an déjà...

Petit à petit le quotidien avait repris son cours, mais Cyrille avait l'impression que les déceptions continuaient malgré tout à s'additionner, et ce soir non plus, il n'arrivait pas à s'endormir.

Il n'avait aucune idée de l'heure qu'il pouvait être, sinon qu'il était très tard et qu'il aurait dû dormir depuis longtemps. Même le frère Alfred avait éteint sa veilleuse, et Dieu sait que cet homme-là lisait de nombreuses pages avant de se décider à fermer la lumière pour de bon. Les élèves qui avaient un sommeil plus léger s'en plaignaient régulièrement.

Quant à Cyrille, habituellement épuisé par les longues journées de cours et les heures d'étude qui s'ensuivaient, il partait pour le pays des rêves dès que sa tête touchait l'oreiller. Il ne soulevait péniblement les paupières que le lendemain matin, au son de la cloche que le frère Alfred secouait énergiquement.

Mais ce soir, rien à faire, le sommeil le boudait.

Sans les habituels gémissements et les exaspérants ronflements de ses confrères, tous les bruits du collège semblaient amplifiés, et c'était bien malgré lui que présentement Cyrille gardait l'oreille tendue et les yeux grand ouverts.

Un tuyau qui gargouille comme un ventre creux, un clou qui pète de froid dans un mur, une lame du parquet qui gémit d'ennui, le vent qui se prend pour un fantôme, au coin du bâtiment... Depuis quelques jours, Cyrille avait pris conscience que le collège n'était jamais tout à fait au repos.

C'est à peine si le jeune homme osait se retourner dans son lit, les ressorts du sommier se lamentant au moindre mouvement. Il ne voulait surtout pas que le frère Alfred se réveille et vienne voir ce qui se passait.

La journée s'était étirée lamentablement, longue d'oisiveté et de déception. Tous ses travaux scolaires étaient à jour, puisque, normalement, à l'heure du midi, l'oncle Anselme aurait dû venir le chercher. Alors Cyrille n'avait rien eu à faire de toute la journée. La lecture ne l'attirait pas, il en faisait déjà bien assez pour le cours de français, et la lourde neige mouillée recouvrant les pavés de la cour de récréation empêchait les jeux de balle au mur.

Cyrille poussa un long soupir tout en essayant de se retourner dans son lit le plus discrètement possible. Il repensait à toutes ces semaines, ces jours et ces heures d'attente qu'il avait additionnés en vain. Lui qui avait tant rêvé à cette fin de semaine en famille, il se retrouvait seul dans le dortoir des petits, à contempler la nuit trop pâle d'un hiver qui avait commencé beaucoup trop tôt, et il était malheureux.

En effet, mercredi soir, à grand renfort de rires et de courses dans les escaliers, les élèves avaient déserté le collège. Seuls quelques étudiants beaucoup plus âgés que Cyrille, ceux qui habitaient trop loin de Trois-Rivières pour faire le voyage uniquement pour quelques jours, étaient restés au collège.

Sauf pour de rares exceptions, au collège de Trois-Rivières, la Toussaint avait toujours été célébrée en famille : les élèves avec leurs parents, et tous les religieux en communauté.

Pour Cyrille cependant, il avait été convenu que le départ serait différé, puisque personne au village ne pouvait laisser son emploi au beau milieu de la semaine. Chez les Lafrance, il n'y avait ni chauffeur ni gouvernante pour remplacer des parents trop occupés, comme pour certains de ses confrères. Voilà pourquoi, avec l'assentiment du principal, le jeune homme avait obtenu la permission de quitter le collège uniquement ce vendredi à midi.

Malheureusement, l'hiver s'en était mêlé et la neige avait commencé à tomber dès le jeudi. Elle n'avait pas cessé depuis. Cyrille s'était donc retrouvé tout fin seul, puisque les grands logeaient dans une autre aile, et qu'ils avaient comme principe de ne jamais se mêler aux plus jeunes.

Unique élève de son groupe d'âge à ne pas avoir

pu profiter du congé de la Toussaint, Cyrille avait promené son ennui en solitaire, tout au long de la journée. Heureusement, les couloirs sombres n'avaient plus aucun secret pour lui, et il avait pu arpenter le collège sans crainte de se perdre, maugréant, cependant, contre cette première bordée de neige, plutôt abondante, qui avait retenu tout son monde à Sainte-Adèle-de-la-Merci.

Un télégramme envoyé par l'oncle Anselme en avait avisé le principal, qui, à son tour, avait prévenu Cyrille.

Voilà pourquoi, cette nuit, le dortoir lui appartenait tout entier.

Bien entendu, hier, il n'y avait pas eu de passe-droit pour Cyrille Lafrance et ce dernier avait dû assister aux interminables cérémonies religieuses qui avaient occupé tout l'avant-midi. Des heures et des heures à la chapelle avant même d'avoir le droit de boire une gorgée d'eau, puisque l'office se terminerait par la communion. Il avait tenté de passer le temps en écoutant d'une oreille distraite ces chants grandioses qui le laissaient totalement indifférent, se levant, s'asseyant et s'agenouillant en même temps que tout le monde, alors qu'en réalité, il imaginait dans le détail le repas gargantuesque — il venait d'apprendre ce mot et il lui plaisait bien — auquel il aurait peut-être droit. Pourquoi pas? Il pouvait bien rêver, non? Les jours de congé faisaient peut-être exception à la règle en offrant un menu spécial ; un menu plus élaboré, comme en préparait sa mère, à l'occasion.

Cyrille avait tellement faim que tous ses espoirs d'une journée agréable tournaient autour d'un bol de soupe fumant ou d'un rôti doré à souhait.

Malheureusement, il avait été déçu.

Relégué à une petite table, dans un coin reculé du réfectoire des frères, le pauvre Cyrille avait mangé seul, subissant de nombreux regards curieux, voire fouineurs — seineux comme l'aurait sans doute dit la tante Félicité —, ce qui lui avait coupé l'appétit.

De toute façon, les frères du collège se contentaient de peu, et ce peu était plutôt terne. Cyrille n'avait jamais apprécié la citrouille autrement qu'en tarte. Il n'aimait surtout pas les gros morceaux mollassons, d'un orange délavé, comme ceux qui encombraient son assiette.

Terriblement gêné par toutes ces têtes qui se tournaient vers lui, l'appétit mis à l'épreuve par l'odeur douceâtre de la citrouille bouillie qui lui chatouillait désagréablement les narines, Cyrille avait mangé du bout de la cuillère et de la fourchette, puis il s'était enfui vers la cour de récréation où il avait tourné en rond malgré le froid, soulagé de s'être enfin libéré de cette inquisition silencieuse.

— Le réfectoire des élèves sera pas ouvert juste pour vous, monsieur Lafrance, l'avait pourtant prévenu le frère Alfred... Les plus grands qui sont restés ici vont manger avec les pères, mais vous, on a décidé que vous seriez mieux avec nous autres, la communauté des frères.

« On a décidé… »

Cyrille n'avait eu aucune difficulté à imaginer le préfet de discipline, tapotant son pupitre de son ongle sale, et le recteur à la moue dédaigneuse, réunis en conciliabule pour statuer sur le sort de l'encombrant personnage qui ne pouvait retourner chez lui en même temps que tous les autres élèves.

En guise de solution, on avait donc décidé de se débarrasser de l'indésirable Cyrille Lafrance en l'envoyant du côté des frères.

Dans le langage hermétique du collège, c'était quasiment un désaveu, et Cyrille l'avait entendu comme tel.

Pourquoi l'avait-on exilé au réfectoire des frères, séparé de celui des pères par de grandes portes coulissantes?

Voulait-on l'éprouver, sonder son âme, comme le claironnait le directeur dans ses interminables sermons qu'il rabâchait quotidiennement, répétant que le passage sur Terre n'était qu'une traversée parsemée d'embûches par Satan?

Manger avec les frères était-il justement une pierre tranchante sur ce chemin aride qui menait au Ciel? Car il fallait bien l'avouer: être frère dans ce grand collège n'avait pas l'éclat et le prestige rattaché au fait d'avoir embrassé la prêtrise. Même leurs repas frugaux, vite avalés dans le silence, le proclamaient ouvertement, tandis qu'on entendait le brouhaha des voix provenant du réfectoire des pères.

À cette pensée, Cyrille secoua la tête avec consternation. Il avait énormément de difficulté à prêter foi à tous ces discours pompeux qui, à leur façon détournée, semblaient vouloir séparer le bon grain de l'ivraie, comme le disait le directeur, lors de certaines rencontres à la chapelle, les prêtres étant le bon grain et les frères l'ivraie. À eux, jeunes étudiants, de savoir ce qu'il voulait faire dans la vie : diriger ou servir.

Oh ! Ce n'était jamais dit aussi clairement que cela. Le recteur était un homme trop avisé pour tomber dans le piège des basses comparaisons. N'empêche que son discours devenait d'une clarté limpide quand il concluait son sermon par ces quelques mots : « Messieurs, de par votre présence en nos murs, vous êtes appelés à de grandes choses ! Vous êtes la crème de la société, ne l'oubliez jamais. »

Avec le flot de paroles qui lui tombaient dessus comme autant de calamités, lui semblait-il, Cyrille ne savait pas vraiment où il en était dans cette réflexion sur la vocation qu'il s'était engagé à faire en toute probité.

Sans trop comprendre de quoi il retournait exactement, Cyrille avait parfois tendance à penser que toutes ces menaces planant sur leurs têtes d'enfants, passant de la peine faite au Bon Dieu jusqu'aux risques de mériter l'enfer pour la simple envie d'une friandise, devaient être ce que la tante Félicité appelait des « bondieuseries à l'eau bénite ».

Cet univers de prières et de méditation le laissait perplexe, lui qui, jusqu'à cet automne, n'allait à la messe que le dimanche, et dont la religion première, à la maison, était le travail bien fait et l'honnêteté en tout, dans le respect des dix commandements de Dieu et de ceux qui vivaient avec lui. C'était simple et facile, et jusqu'à son arrivée au collège, Cyrille avait toujours considéré que les humains étaient tous égaux devant le Ciel. Ses parents le disaient, les sœurs du couvent le disaient, le curé le laissait croire, et c'était ce qu'il pouvait généralement observer autour de lui, à Sainte-Adèle-de-la-Merci.

La rentrée au collège avait semé le doute dans son esprit.

À vrai dire, cela faisait maintenant bien des semaines que Cyrille avait compris le fonctionnement, les rouages et les règles qui régissaient un grand collège comme le sien.

La hiérarchie qui y régnait était omniprésente.

Fâcheusement, elle était aussi entachée de mépris et de condescendance, ce qui se sentait aisément dans les attitudes.

À quelques reprises, Cyrille s'était demandé si le curé Pettigrew était au courant d'une telle pratique discriminatoire, lui qui rappelait régulièrement l'égalité entre les enfants de Dieu. Si oui, comment se faisait-il qu'il ait confié Cyrille aux bons soins de cette communauté?

En effet, alors que les pères se consacraient uniquement à l'enseignement aux élèves, ou occupaient les postes de direction, les frères, quant à eux, se voyaient confier les tâches les plus humbles, de la cuisine à l'immense jardin, de la fournaise au charbon jusqu'à la buanderie. Les plus chanceux d'entre eux, ou les plus intelligents, le prétendaient les mauvaises langues, encadraient la vie quotidienne des élèves, ou secondaient dans l'ombre quelque directeur trop occupé.

Pour quelqu'un comme Cyrille, qui avait vu les siens travailler de leurs mains sans jamais sourciller, du matin au soir, il n'y avait rien de dégradant dans l'accomplissement des travaux manuels. Bien au contraire! Il admirait son père et son oncle Anselme, qui, malgré une scolarité sommaire, avaient su tirer leur épingle du jeu et voir ainsi à ce que leurs familles ne manquent jamais de rien. Malgré un incendie qui avait tout détruit, et un grave accident, dans le cas de Jaquelin, la vie avait continué sans que les enfants aient à en souffrir vraiment. Personne n'était riche, soit, mais tout le monde semblait heureux à Sainte-Adèle-de-la-Merci, du notaire à l'ouvrier du moulin à scie, du marchand général au tenancier de bar, du fermier au forgeron, sans oublier le cordonnier, bien entendu.

Par leur gros bon sens et leur vaillance, par leur sérieux et leur ténacité, les hommes de son village avaient su pallier le manque d'instruction, et c'était à eux que Cyrille voulait ressembler un jour, pas au recteur du collège, sévère et dédaigneux, qui promenait sa longue soutane en ramassant quelque poussière oubliée; et encore moins au frère Alfred, qui sentait l'oignon et qui courbait les épaules avec servilité dès qu'il croisait un supérieur.

Si Cyrille avait appris une chose, depuis le mois de septembre, c'est bien celle-là: la vie de curé n'était pas faite pour lui.

À son arrivée, il s'en doutait déjà un peu; aujourd'hui, il en avait la certitude. Rien ni personne ne le ferait changer d'avis.

S'il était au collège, c'était d'abord et avant tout pour plaire à ses parents, et ensuite pour ne pas décevoir son curé. Accessoirement, c'était aussi pour le plaisir d'apprendre, qui était toujours intact en lui, Cyrille était tout de même capable de l'admettre. N'empêche que s'il restait ici, c'était uniquement en attendant le jour où il serait l'unique décideur de son avenir.

Cyrille était à ce point convaincu de son affaire qu'il s'était promis d'en parler à sa mère dès sa première sortie. À elle, il pouvait tout dire. Marie-Thérèse était une femme de bon jugement et elle le comprendrait. Elle serait même son alliée, en cas de besoin.

Et s'il y avait des décisions à prendre, elle serait en mesure de l'aider.

Malheureusement, par la force des circonstances, il devrait attendre jusqu'à Noël pour pouvoir partager avec sa mère ses questionnements, ses craintes et ses espoirs. Avec le préfet de discipline qui lisait rigoureusement toutes les lettres, Cyrille ne pouvait rien confier au papier.

Sur cette pensée, il se retourna dans son lit. Par la fenêtre, il vit que dehors, la neige avait cessé de tomber. Il était temps, mais il serait tout de même trop tard pour espérer voir apparaître quelqu'un du village qui aurait eu pitié de lui et qui serait venu le libérer, ne serait-ce que pour quelques heures.

Un quartier de lune apparut et se mit à glisser d'un nuage à l'autre. Cyrille s'amusa à le suivre des yeux, puis il poussa un bâillement prolongé.

S'il avait su qu'au même instant, sa mère pensait à lui, peut-être bien que le sommeil aurait été plus facile à trouver. Malheureusement, Cyrille ne le savait pas, mais c'était un fait: assise dans la chaise berçante, placée dans un coin de la chambre à coucher, Marie-Thérèse pensait à son aîné, à ses aînés, garçon et fille, tout en donnant le biberon à Albert.

En effet, à peine Marie-Thérèse était-elle revenue à la maison que son lait s'était complètement tari.

— Faut pas t'en faire avec ça, Marie, l'avait consolée Jaquelin. Parce qu'ils sont deux, nos bébés sont déjà habitués au biberon. Ça sera un biberon à chaque fois, maintenant, c'est toute. Comme ça, j'vas pouvoir rattraper le temps perdu pis apprendre à les connaître.

Bien malgré elle, Marie-Thérèse avait senti son regard baisser vers la main droite de son mari qui pendait, toute molle, contre sa cuisse.

— Crains pas, avait alors rassuré Jaquelin, comprenant sans l'ombre d'un doute le sens de cette œillade égarée. M'en vas trouver moyen de t'aider.

C'est ainsi qu'au même instant, Jaquelin, installé à la cuisine, faisait la même chose avec Albertine. Il arrivait à la nourrir avec une seule main, la petite étant couchée sur la table, soutenue par un oreiller.

La nuit était déjà bien entamée. Réprimant un bâillement, Marie-Thérèse se demanda si elle allait se recoucher ou rester debout. Que valaient deux misérables heures de sommeil supplémentaires quand il y avait tant à faire ?

Depuis qu'elle était de retour chez elle, Marie-Thérèse avait la nette impression de manquer de temps pour tout ; malgré l'accueil tendre de son homme, elle avait la pénible sensation que bien des choses lui échappaient !

Pourtant, Dieu sait que la première nuit à deux

avait été douce de tendresse, de promesse et d'espoir partagé.

— Tu sens tellement bon, Marie !

Le nez enfoui dans le cou de sa femme, Jaquelin inspirait bruyamment.

— Si tu savais combien ça m'a manqué, tout ça. J'suis tellement bien près de toi.

— Moi aussi je me suis ennuyée, tu sais, avait alors répondu Marie-Thérèse, se lovant de plus en plus étroitement dans les bras de son mari.

Puis, au bout d'un silence occupé à écouter le souffle de l'autre, Jaquelin avait demandé :

— On va s'en sortir, hein ?

Devant cette inquiétude évidente, Marie-Thérèse avait senti qu'une porte s'entrouvrait devant elle. Elle avait alors eu envie de parler de la ville, de l'épicerie à vendre, de la possibilité de changer de vie, justement, pour obliger certaines inquiétudes à se retirer dans l'ombre. Cependant, elle n'avait pas osé, par crainte de voir la magie du moment s'envoler. Elle s'était alors contentée d'embrasser Jaquelin sur la joue avant de répondre avec toute la conviction possible dans la voix :

— On va s'en sortir, mon homme. Crains pas. J'vas t'aider à la cordonnerie, comme je l'ai faite durant l'été.

— Pis moi, j'vas t'aider à la cuisine pis avec les enfants. Durant ton absence, j'ai appris ben des choses, tu sais.

— J'ai remarqué ça à l'heure du souper... Tu vas voir, Jaquelin : à nous deux, on va y arriver.

— Dans le fond, je le sais qu'on va y arriver. J'sais pas trop pourquoi j'ai parlé de même. Avec toi, tout est possible.

Ce fut ainsi que Marie-Thérèse avait repris sa vie là où elle l'avait laissée au lendemain de la naissance des jumeaux.

Et voilà pourquoi, en ce moment, la décision de rester debout fut si facile à prendre ! Quand les bébés auraient fini de boire, elle profiterait de ce temps si précieux pour mesurer et tailler quelques pièces de cuir que Jaquelin poserait par la suite en s'aidant de l'étau que son frère Ovila avait dessiné expressément pour lui, avant d'en confier la fabrication à un forgeron de ses amis. Tailler le cuir ne ferait aucun bruit susceptible de troubler le sommeil des enfants et permettrait ainsi à Marie-Thérèse de gagner un temps précieux sur l'horaire de la journée. Dans la même ligne de pensée, elle se dit que si elle voulait avoir le loisir d'être déçue à cause du temps maussade qui l'empêcherait de voir Cyrille et Agnès, c'était maintenant qu'elle pouvait le faire, tout en berçant doucement Albert, qui buvait goulûment. Dès les bébés rassasiés, la routine la rattraperait, et elle n'aurait plus cette chance de penser à autre chose qu'aux mille et une corvées qui étaient les siennes, jour après jour.

Marie-Thérèse permit alors à la déception de

l'habiter tout entière et elle poussa un long soupir rempli de sanglots.

Elle s'ennuyait de ses enfants. Beaucoup plus qu'elle ne l'avait anticipé, et de Cyrille surtout, dont elle ne savait à peu près rien.

Les lettres qu'il avait envoyées depuis le mois de septembre étaient si vagues et si impersonnelles que Marie-Thérèse n'arrivait pas à se faire une idée précise de la vie qu'il menait à Trois-Rivières. Cet état de choses la contrariait grandement.

À quoi ressemblait ce collège dont le curé Pettigrew disait que c'était un haut lieu du savoir? Pour Marie-Thérèse, ces quelques mots d'une banalité désespérante ne voulaient rien dire du tout. Elle avait besoin d'images concrètes pour arriver à penser correctement à son garçon.

Où Cyrille couchait-il, où mangeait-il, à quoi ressemblaient les classes où il passait ses journées?

Et surtout, était-il heureux?

Marie-Thérèse n'en savait rien et à cause du temps détestable qui frappait aux carreaux de la fenêtre de sa chambre, Cyrille n'avait pu venir pour lui en parler. Ça la chagrinait et l'impatientait, tout à la fois, bien qu'elle n'en laissât rien paraître.

Quant à Agnès, bien sûr qu'elle aurait aimé la voir, mais l'émotion qui soutenait ce désir n'avait rien en commun avec les tourments qu'elle ressentait pour Cyrille, car Marie-Thérèse ne se faisait aucun souci pour sa fille. Si les moments de complicité entre elles lui manquaient parfois avec une acuité douloureuse, Marie-Thérèse savait toutefois que Lauréanne saurait la remplacer. Sa fille était entre bonnes mains. De plus, le fait de rester à Montréal, chez son oncle et sa tante, avait été le choix qu'Agnès elle-même avait fait, et cela suffisait pour que Marie-Thérèse soit rassurée. Finalement, elle n'avait aucune difficulté à se l'imaginer, bien installée dans la partie arrière du salon double, en train d'étudier. Elle la voyait aussi chez son amie, dans son école, à la cuisine en train d'aider sa tante. De pouvoir visualiser les choses avait toujours eu beaucoup d'importance pour Marie-Thérèse, qui esquissa un sourire au souvenir de l'instant où Agnès, tout excitée, avait compris que, si elle le voulait bien, elle pourrait finalement rester à Montréal.

— Vous voulez, moman? avait-elle demandé, une pointe d'incrédulité dans la voix. Vous acceptez que je reste à Montréal?

— Pourquoi pas?

— Ben là... J'en reviens pas!

Le regard d'Agnès passait rapidement de sa mère à son oncle et à sa tante, puis revenait à sa mère, comme si elle n'arrivait pas à croire à ce que l'on venait de lui proposer.

— Si c'est vrai tout ça, pis que j'ai le choix de décider, c'est sûr que j'vas dire que j'veux rester ici. Pis inquiétez-vous pas pour mon amie Geneviève, moman, elle va me comprendre. Elle arrête pas de dire dans ses lettres comment elle trouve que j'suis chanceuse... Mais vous, moman ?

— Quoi moi ?

— Ben... Comment vous allez vous débrouiller avec les jumeaux, si j'suis pas là pour vous aider ? Ma tante Lauréanne non plus sera pas là, faut pas l'oublier.

— Inquiète-toi pas pour moi, ma grande. Avec ton père, on devrait s'en sortir. Pis il y a matante Félicité et ta grand-mère Gagnon qui vont pouvoir me donner un bon coup de main.

— C'est vrai... Il y a plein de monde au village pour vous aider. Ben là, j'en reviens pas ! répéta-t-elle, toute radieuse. Mais vous, moman ? Vous allez pas trop vous ennuyer ?

— C'est sûr ça, que j'vas m'ennuyer, ma belle Agnès. Je te mentirai pas là-dessus. Mais je devrais m'y faire, crains pas. C'est comme pour ton frère Cyrille : les enfants, faut apprendre à les laisser voler de leurs propres ailes. Ça me laisse un brin étonnée de voir que le temps a passé si vite, je dirai pas le contraire, mais que c'est tu veux que j'y fasse ? Ça a ben l'air que j'suis déjà rendue là dans ma vie, mes enfants ont grandi, pis j'aurai pas ben ben le choix de l'accepter.

Agnès avait donc fait le voyage pour venir reconduire sa mère, sa sœur et les bébés à Sainte-Adèle-de-la-Merci, et elle en avait profité pour jaser avec son père et ses frères, dont elle s'ennuyait quand même un peu. Puis, ravie, elle était partie au pas de course pour aller voir son amie Geneviève et lui expliquer la situation, avant de repartir pour Montréal avec l'oncle Émile et la tante Lauréanne.

— Pis j'vas vous écrire souvent! avait-elle promis en embrassant sa mère, qui avait le cœur dans l'eau, sans le laisser paraître.

Ce jour-là, Marie-Thérèse était restée sur la galerie tant et aussi longtemps qu'elle avait pu apercevoir le taxi qui s'éloignait sur la rue principale du village, puis elle avait encore attendu, écoutant le bruit du moteur pétaradant, quand l'auto avait tourné au coin de la rue.

Ce taxi-là emportait une partie de sa vie qui ne reviendrait jamais et elle en était douloureusement consciente.

Comme elle l'avait si bien dit à Agnès: ses enfants avaient grandi.

Mais il y avait plus!

Si le taxi emmenait Lauréanne et Émile, en compagnie d'Agnès, il emmenait aussi, et contre toute attente, Irénée Lafrance, qui ne semblait pas s'être fait tirer l'oreille plus qu'il ne le fallait.

Comment Émile avait-il pu réussir un tel tour de force? Ça restait un mystère, car à la question posée discrètement par Lauréanne, Émile s'était contenté de mettre un doigt sur ses lèvres.

Pourtant, au moment où les deux hommes s'étaient enfermés dans la cordonnerie à la demande d'Émile, Marie-Thérèse s'attendait à des cris de protestation de la part d'Irénée. Il n'y avait eu qu'un murmure de voix, et au moment où le vieil homme était ressorti calmement de la cordonnerie, il avait annoncé tout bonnement qu'il allait faire ses bagages.

En moins de trois heures, ça avait été comme si Marie-Thérèse n'avait jamais quitté la maison.

Jaquelin s'était retiré dans la cordonnerie pour replacer les outils ; les plus jeunes avaient recommencé à se chamailler à l'étage ; Benjamin s'était mis à rouspéter à cause du bruit ; et Marie-Thérèse s'était retrouvée à la cuisine en train de peler les légumes du souper.

Machinalement, elle s'était dit que la distraction de la soirée, entre deux boires des bébés, serait probablement une visite éclair à la tante Félicité pour l'inviter à souper le lendemain soir.

Comme elle l'avait si souvent fait par le passé.

Dès le lundi, elle avait rempli les cuves d'eau savonneuse et d'eau claire en prévision du lavage, tout en reprenant sa place aux côtés de Jaquelin, parce que le calepin des commandes débordait.

Ce fut à partir de ce moment-là que Marie-Thérèse avait commencé à étirer ses heures d'ouvrage par les deux bouts, devant se lever à l'aube et se coucher très tard, malgré l'aide apportée par sa mère et par sa tante Félicité.

De la part d'Agnès, il n'y avait eu qu'une seule lettre, suivie, cependant, d'une visite inopinée.

— J'espère qu'on dérange pas trop... On le sait

que vous devez être ben occupés, Jaquelin pis vous, s'était excusé Émile en arrivant, mais c'est plus fort que nous : on arrive pas à vous oublier !

À ces mots, Marie-Thérèse n'avait pu s'empêcher d'éclater de rire, spontanément, comme elle l'avait si souvent fait à Montréal.

— Moi non plus, j'arrive pas à vous oublier. J'étais tellement bien chez vous. De toute façon, vous savez très bien que vous serez toujours les bienvenus chez nous. Entrez, voyons, entrez !

Et encore cette nuit, trois semaines plus tard, ce samedi-là restait bien présent dans le cœur de Marie-Thérèse. Les gestes et les regards, le travail dans le partage et quelques rires avaient fait de cette journée une détente, un réel plaisir.

— Revenez quand vous voulez !

Malgré la fatigue et le surplus d'ouvrage occasionnés par cette visite, Marie-Thérèse était sincère.

Toutefois, en refermant la porte sur les visiteurs qui partaient, elle avait retenu ses larmes en se disant que, pressée de toutes parts comme elle l'était depuis quelque temps, elle ne savait plus si elle pourrait tenir le coup encore bien longtemps.

Les jumeaux ne faisaient pas encore leurs nuits, comme le disait l'expression consacrée, et ce n'était pas pour aider Marie-Thérèse, qui rêvait à six heures de sommeil ininterrompues, comme elle en avait parfois connu à Montréal, lorsque Lauréanne et son mari s'y mettaient à deux pour la convaincre qu'ils arriveraient à s'occuper des jumeaux sans elle. Il était bien fini ce temps où le mot repos avait un certain sens. Souvent, quand elle s'arrachait du lit en pleine nuit au son des pleurs colériques et affamés des deux petits, Marie-Thérèse avait la sensation d'être une marionnette dont on tirait les fils pour la faire se mouvoir.

Pour l'instant, Marie-Thérèse essayait de ne pas regarder trop loin devant elle. Tous ces longs mois d'un hiver qui commençait à peine l'effrayaient. Il valait mieux, se disait-elle, ne penser qu'au moment présent.

Par besoin de se sentir en sécurité, par envie d'un peu de tendresse, par instinct aussi, le bras de Marie-Thérèse se resserra étroitement sur le corps du petit Albert. Celui-ci, un peu surpris, mais ravi, esquissa le plus merveilleux des sourires, délaissant pour un instant la tétine du biberon. Puis il se remit à téter avec vigueur sans quitter sa mère des yeux. Une larme glissa sur la joue de Marie-Thérèse.

Elle était encore jeune et en santé, certes, mais serait-ce suffisant pour passer l'année? Serait-ce assez pour que, sans relâche, elle arrive à donner le meilleur d'elle-même à ses enfants, à son mari, à tous ceux qu'elle aimait profondément?

En entendant le vent gémir à la fenêtre, Marie-Thérèse eut une brusque envie d'été, d'air doux et de brise fraîche.

L'été, tout semblait plus facile, n'est-ce pas?

Alors elle espéra de toute son âme que l'hiver ne lui semble pas trop long et que la belle saison revienne vite.

Au moins, se disait-elle, Agnès serait là durant les vacances et, cette fois-ci, Marie-Thérèse s'était bien juré de tenir son bout. Pas question que sa fille passe la belle saison à Montréal.

Et Cyrille, de retour du collège lui aussi, pourrait peut-être, cette année, aider son père à la cordonnerie?

« Pourquoi pas? Juste le temps d'un été, soupira-t-elle, en déposant délicatement le bébé endormi dans son petit lit. Le temps que je refasse mes forces avant d'attaquer une autre saison à la cordonnerie. Pis en septembre, comme de raison, Cyrille reprendra le chemin du collège. »

TROISIÈME PARTIE

—◆—

Hiver 1923-1924

CHAPITRE 9

À Montréal, sur la rue Adam

———◆———

Le 31 décembre 1923, chez les Fortin, dans
la cuisine, en compagnie de Lauréanne et
de son père

Irénée avait décliné l'invitation de Jaquelin et
de Marie-Thérèse. Malgré le fait qu'Émile ait
décidé que le trajet entre la maison et la gare
Hochelaga, puis celui menant de La Pérade au
village de Sainte-Adèle-de-la-Merci se feraient en
taxi, car le gros homme avait rapidement pris goût
au confort, Irénée Lafrance avait choisi de rester à
Montréal pour célébrer la fête du Nouvel An.

— Napoléon pis moi, on mange ensemble
demain midi, expliqua-t-il à sa fille sur un ton,
ma foi, presque chaleureux. Ça fait des semaines
qu'on en parle, quand on se retrouve pour un
café. On a déjà décidé de toute ce qu'on allait
manger. Juste des choses qu'on aime, pis juste lui

pis moi. Après la messe, on s'en va chez eux pour préparer notre repas, pis on a ben hâte. Inquiétez-vous pas pour moi, je m'ennuierai pas pantoute. Vous saluerez tout le monde de ma part, mais, comme on dit, je me reprendrai une autre fois.

Devant une telle assurance et ne voulant surtout pas fermer la porte à ce qui ressemblait à de la bonne volonté, Lauréanne n'insista pas.

— Si c'est ce que vous voulez, son père, je...

— C'est ce que j'veux, trancha Irénée. De toute façon, avec Cyrille pis Agnès en visite eux autres avec, on serait à l'étroit pour dormir, pis ça me tente pas pantoute d'aller à l'hôtel comme toi pis Émile. J'haïs ça les hôtels, pis tu le sais. Ça craque de partout pis le monde parle trop fort. Ça m'énerve. Ça fait que j'vas rester icitte, pis ça va être parfait comme ça.

— Ben, si c'est de même, m'en vas aller faire mes bagages... Suis-moi, Agnès, proposa Lauréanne à la jeune fille qui venait de se joindre à eux. On va se préparer. Ton oncle Émile veut partir assez de bonne heure demain matin, rapport qu'il faut se réserver une chambre à l'hôtel avant qu'il y aye pus de place. Pis paraîtrait que ta mère pis ton père nous ont préparé une surprise. Savais-tu ça?

— Ben oui! Moman m'a écrit la même affaire, dans sa dernière lettre. J'ai pas mal hâte de voir ce que c'est! Elle a même écrit que c'était ben beau, pis que popa pis elle étaient très fiers d'eux autres.

Paraîtrait que c'est une surprise qui va être utile pour pas mal de monde. Je me demande ben ce que c'est!

— C'est pareil pour moi! C'est ben excitant, tout ça... Envoye, viens-t'en, ma belle! On a un tas de petites choses à penser pis à faire avant d'aller dormir.

Depuis qu'Agnès vivait sous leur toit, Lauréanne avait l'impression d'avoir rajeuni de vingt ans!

En moins de vingt-quatre heures, la jeune fille était devenue le centre de son univers, la raison de se lever de bonne humeur le matin et l'excuse pour cuisiner de bons petits plats à chaque repas.

Malgré le surplus d'ouvrage, Lauréanne se sentait le cœur tout léger. Ajoutez à cela un mari plein d'entrain et un père moins grincheux et le tableau était complet.

Agnès était sa nièce, bien sûr, de par la nature de leur relation, mais aussi une amie, parce qu'elle n'était plus tout à fait une enfant. Cet état de choses comblait Lauréanne, qui n'avait jamais réussi à remplacer les amies laissées derrière elle au village. Elle se disait que l'absence d'enfants y était probablement pour quelque chose, dans cette espèce d'indifférence de la part des femmes rencontrées depuis son arrivée à la ville. Bien sûr, Lauréanne était consciente de vivre une relation privilégiée avec son mari, mais il arrivait tout de même que la complicité féminine lui manque, d'où cet échange épistolaire régulier avec Bérangère, une amie d'enfance devenue depuis longtemps l'épouse du marchand général du village. La présence de sa nièce avait clairement atténué cet ennui, mais Agnès était surtout à l'image de la fille qu'elle avait tant rêvé d'avoir, tant par sa gentillesse, sa générosité que par sa bonne humeur.

La jeune fille était douce, affectueuse et serviable. Et comme Lauréanne était d'abord et avant tout sa tante, et non sa mère, les sautes d'humeur propres à son âge étaient de plus en plus rares et de plus en plus superficielles.

Toutes les deux, elles passaient des heures à parler de la mode, des recettes et des études qu'Agnès pourrait entreprendre dans quelques années.

— Je le sais pas, matante, ce qui me tente le plus. J'aime ben les enfants, ça c'est certain, ça fait que je me dis que je pourrais être institutrice. Mais les malades aussi ont besoin de monde pour les soigner, pis ça avec, ça me tente un peu. Aider les autres, j'ai toujours aimé ça… Ça fait que pour astheure, je sais pas pantoute ce que je veux faire plus tard.

— Laisse le temps passer, ma belle. C'est en vieillissant que ces choses-là vont se préciser. En attendant, profite de ta jeunesse. Ça passe si vite, ce beau temps-là !

À plusieurs reprises, elles avaient cuisiné

ensemble, couru les magasins en s'amusant comme deux gamines, et elles s'étaient offert quelques programmes doubles au cinéma.

— Pis quand ce sera le printemps, on ira au parc Dominion! avait promis Émile. C'est un parc d'attractions, pas trop loin d'icitte, avec des tas de manèges pis d'amusements. Ça me tente assez d'aller voir de plus près si ça a ben changé depuis le temps où on y allait, ta tante pis moi. T'en rappelles-tu, Lauréanne?

— Et comment! C'est là qu'on s'est connus, toi pis moi. Si je me souviens ben, les pommes de tire étaient pas mal bonnes, pis les montagnes russes me faisaient peur sans bon sens!

— Pis moi, j'aimais ça que t'ayes peur parce que tu te collais sur moi!

— Grand fou! Voir qu'on dit des choses de même devant une fille de l'âge d'Agnès.

Quand de tels propos émaillaient les conversations, la jeune fille se permettait alors de rire gentiment. Habituée à des parents plus discrets, Agnès écoutait ces quelques confidences avec ravissement. Son oncle et sa tante avaient l'air si heureux ensemble que ça faisait envie.

Émile aussi semblait avoir rajeuni.

Depuis qu'Agnès était partie prenante de son quotidien, il avait recommencé à faire toutes sortes de projets, comme lorsque Lauréanne et lui étaient encore de jeunes mariés, débordants d'espoir devant l'avenir.

— M'en vas demander au propriétaire si on peut changer les murs de place, avait-il annoncé à son épouse, peu de temps après leur retour de Sainte-Adèle-de-la-Merci, alors qu'ils se préparaient pour la nuit. J'ai jonglé à ça durant toute la journée. Que c'est t'en penses, ma femme ? Ça serait pas pire si on pouvait installer Agnès dans une vraie chambre. De toute façon, un salon double, on a pas besoin de ça. Ni toi, ni moi, ni ton père. On y va à peu près jamais, rapport qu'on a installé le poste de radio dans la cuisine. La nouvelle pièce déboucherait dans le salon au lieu du corridor, c'est ben certain, mais c'est pas tellement grave… Pis ? De quelle couleur, tu penses, qu'on pourrait peinturer les murs ?

— Tu demanderas à Agnès, mon homme ! Il y a juste elle qui peut répondre à ça. Mais laisse-moi te dire que t'as une saprée bonne idée, en voulant lui faire une chambre ben à elle.

Lauréanne était toujours d'accord avec la moindre intention qui laissait supposer qu'Agnès resterait auprès d'eux pour un long moment.

Émile voyait la situation du même œil. Pas une journée ne passait sans qu'on l'entende siffler sa bonne humeur, comme en ce moment, alors qu'il remplissait une petite valise en prévision de leur court séjour à Sainte-Adèle-de-la-Merci, pour aller fêter le Nouvel An chez Jaquelin et Marie-Thérèse.

Impassible, Irénée assista aux préparatifs sans

intervenir d'aucune façon. Cependant, au moment du départ, il resta un long moment dans l'encadrement de la porte pour saluer de la main la jeune Agnès, qui regardait par la lunette arrière de l'auto. Celle-ci répondit joyeusement au salut de son grand-père, puis Irénée, tout frissonnant, claqua la porte, tandis que le taxi disparaissait au coin de la rue.

— Enfin tranquille! grommela-t-il tout en regagnant la cuisine, traînant ses vieilles savates sur le plancher de bois verni.

Les travaux de réfection du salon allaient bon train et quelques meubles avaient été rangés tout le long du corridor en attendant de reprendre leur place dans ce qui resterait du salon.

Irénée les contourna, puis il s'arrêta sur le pas de la porte de la cuisine. Il jeta un œil avisé sur ses chaussures fatiguées qui lui sortaient des pieds à chaque pas, puis il émit une sorte de bruit de gorge qui pouvait passer pour un ricanement.

— Il y a pas à dire, le cordonnier mal chaussé, c'est moi, observa-t-il, goguenard. Mais sacrifice que j'suis ben dans mes vieilles galoches…

Comme fréquemment, le rire d'Irénée se termina en toux grasse. Le temps de reprendre son souffle et il ajouta sur un ton toujours aussi moqueur:

— Par exemple, faudrait pas que le monde sache que je me promène avec des galoches quand j'suis chez nous, parce qu'on aurait juste à fermer la cordonnerie. Pis si jamais je voulais vendre un jour, ça vaudrait pus rien, une cordonnerie sans clients…

Se trouvant très drôle, Irénée égrena un second rire.

— Bon! Tuseul pour la journée! C'est-tu assez plaisant, ça! Astheure, que c'est que je fais? J'ai beau dire que j'suis content de me retrouver tout fin seul avec personne à qui rendre des comptes, faudrait ben que je sache de quoi j'ai envie! Quand même! Deux grandes journées juste à moi, avec un petit peu de Napoléon demain midi, c'est ben en masse pour se sentir tout ragaillardi. Batince que ça me fait plaisir! Tuseul à faire juste ce que je veux, répéta-t-il aux murs en soupirant d'aise. Pas de chialages, pas d'ostinages, juste moi! Ça va faire du bien en sacrament! Avec Agnès qui vit icitte, ça fait ben du placotage dans la cabane… Batince que ça jacasse, des femmes! Pas moyen d'arrêter ça!

Pourtant, malgré ces derniers propos qui auraient pu sembler malveillants, Irénée aimait bien sa petite-fille. Il allait même jusqu'à se dire qu'avec la présence de cette enfant à Montréal, tout semblait plus facile et plus agréable dans l'appartement de la rue Adam.

Certes, on parlait beaucoup plus, mais on se chicanait moins, et il savait l'apprécier, négligeant le fait que c'était souvent lui qui déclenchait les discussions.

Irénée poussa un grand soupir.

Curieux que la jeune Agnès lui plaise à ce point!

Lui-même en était tout surpris. Néanmoins, il tolérait sa présence avec indulgence, comme il avait toléré celle du petit Ignace avec une infinie patience, quand il était à Sainte-Adèle-de-la-Merci.

Irénée aurait été bien en peine de dire pourquoi, mais c'était un fait: il aimait vraiment beaucoup ses deux petits-enfants, un peu plus que tous les autres.

Mais de là à savoir pour quelle raison...

N'empêche qu'un sourire furtif éclairait invariablement son visage chaque fois qu'il entendait Agnès revenir de l'école. S'il était dans sa chambre, Irénée se dépêchait d'en sortir pour se rendre à la cuisine, simplement pour l'entendre raconter la journée qu'elle venait de passer.

Jamais il ne sentait le besoin de l'interrompre, comme il le faisait par réflexe avec sa propre fille Lauréanne.

Pourquoi?

Pourquoi était-il si tolérant?

Contre tout bon sens, du moins aux yeux d'Irénée, les propos joyeux et échevelés d'Agnès suffisaient à faire son bonheur, tout comme les questions incessantes du petit Ignace, curieux comme une belette, l'avaient charmé quand il travaillait à la cordonnerie, durant les mois d'automne.

Que se passait-il avec lui pour qu'il fasse preuve d'une telle mansuétude?

Irénée esquissa une grimace, incapable de répondre. De tout temps, les enfants avaient suscité de l'agacement chez lui, surtout quand ils avaient le malheur de se trouver dans son voisinage immédiat.

Même du vivant de son épouse, quand Lauréanne était bébé et qu'elle se mettait à hurler à fendre l'âme, Irénée s'éclipsait sans délai.

— Va falloir que tu m'excuses, ma pauvre Thérèse, disait-il précipitamment, mais l'entendre s'époumoner comme ça, c'est comme si ça me faisait mal aux oreilles. Ça vient me chercher là, tu sais pas comment.

Tout en parlant, Irénée montrait sa poitrine à hauteur de cœur.

— Comment ça fait pour crier si fort, veux-tu ben me dire? C'est à peine plus gros que mon poing, pis ça hurle à pleins poumons. En sacrifice à part de ça!

— C'est sa façon de se faire entendre, Irénée. C'est toute ce qu'elle a, la pauvre petite, pour se faire comprendre... Allez, mon homme, va prendre une marche. Tu reviendras t'à l'heure, quand notre fille sera changée pis qu'elle aura fini de boire.

Contrairement à son époux, la mère de Lauréanne et de Jaquelin était d'humeur égale, toujours un vague sourire au coin des lèvres, alors qu'elle chantonnait du matin au soir en vaquant à ses occupations.

Le mauvais caractère d'Irénée ne l'avait jamais affectée.

Elle s'appelait Thérèse, comme sa belle-fille qu'elle n'avait pas connue.

Irénée prit une longue inspiration, subitement envahi par une profonde lassitude, teintée de mélancolie. Cela ferait bientôt quarante ans que sa femme était décédée, et il s'ennuyait d'elle comme au premier jour.

Thérèse, la belle Thérèse, comme on la surnommait discrètement dans le dos de son mari.

À ce souvenir, le vieil homme hocha pensivement la tête.

Irénée avait toujours fait semblant de ne pas s'apercevoir que sa femme suscitait quelques envies autour d'elle. Mais comment aurait-il pu en être autrement, puisqu'elle était si jolie, si charmante? Tout le monde, au village, aimait bien Thérèse Joncas, devenue Thérèse Lafrance. Mais au lieu d'en éprouver de la jalousie, cela lui faisait un petit velours de se répéter, un peu surpris, que c'était lui, Irénée Lafrance, et pas un autre, que cette jolie femme avait choisi.

De quoi donner des ailes au cordonnier qu'il était!

La vie était tout simplement radieuse, à cette époque. Leur nouvelle maison était imposante, comme il l'avait souhaité, la cordonnerie connaissait un bel essor, et un premier bébé était en route.

Que demander de plus à la vie ?

Quelques mois plus tard, la petite Lauréanne était née.

Malgré les cris perçants qu'un nouveau-né était capable de pousser, sa fille était la chose la plus délicate, la plus merveilleuse qu'il lui avait été donné de contempler.

Ce bébé-là était un petit miracle, rien de moins, et elle méritait tout ce qu'il y avait de mieux en ce bas monde.

Irénée avait alors décuplé ses efforts à la cordonnerie pour que sa fille ne manque jamais de rien. Jamais.

Ce furent sans aucun doute les plus belles années de sa vie, celles qu'il avait vécues à partir de son mariage avec Thérèse jusqu'à la naissance de Jaquelin, près de quinze ans plus tard.

Une naissance voulue et longtemps espérée puisque six longues années avaient filé depuis l'arrivée de Lauréanne dans leur vie.

Une naissance qui avait tout détruit en emportant l'âme de son épouse.

L'amour, la famille, l'envie de travailler ne voulaient plus rien dire, si Thérèse n'était plus là pour tout partager.

Pourtant, Irénée avait serré les poings, sans verser la moindre larme, et il avait continué sans relâche, cultivant sa peine comme d'autres cultivent leur jardin. Deux enfants dépendaient désormais uniquement de lui et bien qu'il se sente maladroit devant eux, par respect pour leur mère, Irénée s'était juré de les mener jusqu'à l'âge adulte.

Dans son cœur, la colère envers la vie avait cependant remplacé l'amour envers sa femme, et petit à petit, les années avaient passé encore une fois.

Cependant, et fort curieusement d'ailleurs, de tout ce temps, Irénée ne gardait qu'un vague, un très vague souvenir.

Peut-être était-ce mieux ainsi.

Pour une seconde fois, le vieil homme esquissa une moue et tenta de se rappeler à quoi ressemblait son quotidien durant toutes ces années où il avait tenté d'être à la fois le père et la mère.

Nulle image ne lui vint à l'esprit.

Il n'y avait que la cordonnerie qui se manifestait dans des tons de sépia, en clair-obscur. Pire, Irénée ne se souvenait pas vraiment de ses deux enfants quand ils étaient plus jeunes.

En fait, de la tendre enfance de ses enfants, il ne lui restait que le bruit d'une galopade dans l'escalier, l'éclat d'une chicane entre gamins, et parfois, l'écho d'un rire étouffé...

C'était à la fois intime et impersonnel. Que des bruits appartenant à sa vie passée, mais aucun visage pour les accompagner.

De plus, Irénée n'avait aucune photo pour lui

rafraîchir la mémoire. Il n'en avait jamais voulu. Seul un daguerréotype de son mariage était accroché au mur de la cuisine à Sainte-Adèle-de-la-Merci.

Aujourd'hui, même cet unique rappel de ses jeunes années n'existait plus. Si le métal ne brûle pas, la chaleur du brasier l'avait probablement distordu et noirci, au point où Jaquelin ne l'avait jamais retrouvé.

Irénée soupira d'impatience, de frustration, et toujours en traînant les pieds, il s'approcha du poste de radio. Il espérait y trouver une chaîne qui offrirait quelque musique entraînante ayant la propriété magique d'atténuer cette morosité qui n'avait pas du tout été invitée à partager la journée avec lui.

Et dire qu'il se faisait une joie d'être enfin seul !

Le son grinçant d'un harmonica apporta bientôt une note joyeuse, distrayante, faisant reculer la nostalgie d'Irénée.

Il traîna la chaise berçante jusqu'au buffet, et l'oreille tout contre l'appareil, il tapa du pied durant un bon moment en fumant cigarette sur cigarette. Autant en profiter puisque Lauréanne n'était pas là pour lui passer la remarque qu'il fumait trop.

Ensuite, Irénée sortit un jeu de cartes et, en toute impunité, il put tricher allègrement en faisant quelques patiences.

Quand il entendit à la radio le trait prolongé

annonçant midi, le vieil homme se demanda si les voyageurs étaient arrivés à Sainte-Adèle-de-la-Merci.

Heureusement, le temps était clair. Froid, très froid même, mais clair.

Il mangea une soupe, laissa la vaisselle traîner dans l'évier, puis il décida de s'allonger pour faire une sieste, ce qu'il ne se permettait jamais, par crainte de passer pour une lavette.

Il sombra rapidement dans un sommeil agité où les souvenirs qui se refusaient habituellement à lui en état d'éveil étaient tous au rendez-vous, dans un rêve qui semblait presque réel.

Hors de sa portée, comme une image de cinéma, il vit clairement Jaquelin et Lauréanne, encore tout petits, qui couraient en riant. Curieusement, dans son rêve, ils semblaient avoir le même âge alors que dans les faits, Lauréanne était l'aînée de plus de six ans.

Même sa Thérèse était là. Elle l'attendait dans la cuisine de leur ancienne maison en surveillant les enfants, un vague sourire au coin des lèvres.

Mais alors qu'il l'avait connue si jeune, si fraîche, voilà que dans son rêve, elle avait le même âge que lui aujourd'hui. Toutefois, les rides donnaient un petit air coquin à son regard et son sourire était resté le même.

Quant à ses cheveux…

Ils flottaient autour de son visage, comme si le vent entrait librement dans la pièce, les soulevant au passage. Irénée aurait bien voulu y glisser les doigts, comme il avait tant aimé le faire quand ils vivaient encore ensemble, mais ses bras étaient paralysés, incapables du moindre mouvement. Quand il essayait de les soulever, ils étaient lourds, si lourds qu'ils refusaient de bouger.

— Comme ton garçon, Irénée, se mit alors à psalmodier son épouse. Tes bras sont gelés comme la main de Jaquelin. Tel père tel fils, Irénée. Tel père tel fils!

Alors Irénée se mit à pleurer. Debout dans la cuisine de cette maison qu'il avait construite de ses mains, Irénée Lafrance pleurait de tristesse, d'impuissance, de désolation, et comme ses bras étaient paralysés, il ne pouvait essuyer ses larmes qui coulaient, coulaient, coulaient de plus en plus abondantes, véritable ruisseau inondant d'abord son visage, sa poitrine, puis le plancher recouvert d'un prélart à fleurs…

Peu à peu, son regard s'embrouilla et, malgré ses cris de désespoir, Thérèse disparut derrière le rideau de ses larmes, emportant avec elle les enfants et leurs rires.

Quand Irénée s'éveilla, quelques instants plus tard, il avait le visage détrempé.

Le rêve avait donc été réel?

Il ne se souvenait pas d'avoir déjà pleuré. Même enfant, Irénée Lafrance n'avait jamais versé de larmes ni de douleur ni de chagrin.

C'était bien la seule chose qui lui restait de cette

enfance dont il n'avait aucun autre souvenir : il y avait en lui la peur de pleurer pour rien et de se le faire reprocher.

D'une main tremblante, le vieil homme essuya son visage et renifla les derniers vestiges de son chagrin.

De son rêve, il ne restait plus maintenant qu'une sensation d'abandon diffuse et désagréable. Comme une amertume dans le cœur et une courbature dans le creux des reins.

Il lui restait aussi l'image d'une chevelure dorée, qui ondulait dans le vent.

La chevelure de son épouse bien-aimée.

Cette chevelure qu'elle avait léguée à leur fille Lauréanne et qui commençait aujourd'hui à grisonner, impitoyable témoin du passage des années.

Cette chevelure dont Agnès avait hérité, elle aussi, par un curieux concours de circonstances.

Agnès et Ignace, la grande sœur et le petit frère, tout comme il y avait Lauréanne et Jaquelin, la grande sœur et le petit frère…

Curieusement, Irénée se demanda si son rêve n'était pas une chance offerte par la vie, celle de se bâtir quelques souvenirs à travers la présence de ses petits-enfants.

Et tandis qu'Irénée se tirait péniblement des brumes du sommeil, maugréant contre cette « sensiblerie de bonne femme » qui allait lui gâcher ses deux misérables journées de solitude,

Émile, Lauréanne et Agnès arrivaient enfin à Sainte-Adèle-de-la-Merci. Le voyage avait été plutôt long et désagréable.

— Il y a pas à dire, lança Émile, à peine entré dans la maison, les autos c'est ben pratique en été, parce que ça va plus vite. Mais l'hiver, avec la neige, ça pourra jamais remplacer une bonne carriole avec un cheval… Ça non ! On en reparlera dans quelques années… Nom d'une pipe que ça a été long ! Une chance qu'il y a un peu de chauffage dans ces engins-là, parce qu'on aurait eu le temps de mourir gelé ! Salut la compagnie, nous v'là enfin !

Un courant d'air froid s'engouffra dans la cuisine quand les visiteurs entrèrent dans la pièce en se dépêchant de refermer derrière eux. Sans en tenir compte, Marie-Thérèse se précipita vers sa fille.

— Je commençais à m'inquiéter, moi là. D'habitude, vous êtes plus pressés que ça pour arriver.

Elle dévorait Agnès des yeux, de ce regard de mère qui voit tout, du plus infime changement dans l'attitude jusqu'à la coupe de cheveux au carré, comme le voulait la mode.

— T'as changé, Agnès, mais ça te va bien…

— Merci, moman. C'est matante qui m'a proposé ça. Mes boucles étaient toujours toutes mêlées… Moi, je trouve que ça fait drôle. Je le sais pas encore si j'aime ça, mais je me dis que ça va repousser. Pis dites-vous ben que c'est pas de notre faute si on est en retard.

— Oh non, c'est pas nous autres, rétorqua Émile, interrompant ainsi Agnès. On y est pour rien dans notre retard. On a pris le premier train, comme à l'accoutumée. C'est la route entre La Pérade pis ici qui en finissait plus... C'est de ma faute, aussi. L'auto que j'ai choisie était ben belle, mais ses roues étaient pas assez grandes, je pense. Toujours est-il que l'auto s'est embourbée trois fois dans la neige, nom d'une pipe! Il a même fallu que j'aille la pousser, par bouttes. J'ai les pieds gelés!

— Ben icitte vous aurez pas froid, Émile! Le poêle dérougit pas depuis à matin, rapport que je cuisine pour le dîner de demain, pis l'annexe au charbon fonctionne à plein régime, dans la cordonnerie. C'est pas chez nous qu'on va avoir froid. Dégreyez-vous pis venez vous réchauffer.

— Je peux pas! C'est ben gentil de m'offrir ça, ma pauvre Marie-Thérèse, pis c'est pas l'envie de rester au coin du poêle qui manque, mais j'ai pas le temps! Avez-vous vu l'heure? Faut que je file jusqu'à l'hôtel en espérant qu'il reste des chambres de libres. Sinon, j'ai ben peur qu'on va être obligés de dormir dans le banc de neige, Lauréanne pis moi!

— Voir qu'on laisserait faire ça!

Sur ces mots, Marie-Thérèse échangea un

363

regard malicieux avec Jaquelin, qui venait de les rejoindre.

— Si je vous disais que l'hôtel sera pas nécessaire? suggéra Marie-Thérèse avec un soupçon d'intrigue dans la voix, promenant les yeux de Lauréanne à Émile.

— Ben là, je vous suis pas.

Tout en parlant, Émile regardait tout autour de lui. À première vue, rien n'avait changé dans la cuisine depuis leur dernière visite, et, par la porte entrouverte, il vit que la chambre de Jaquelin et Marie-Thérèse était telle qu'il l'avait toujours connue. Un lit, une commode, une chaise... Il ramena alors les yeux sur sa belle-sœur.

— Ma pauvre Marie-Thérèse, je vois pas... Des fois, il suffit d'un peu plus que de la bonne volonté pour changer les choses. Rappelez-vous! C'est à peine si vous arriviez à caser tout le monde quand le beau-père vivait chez vous. Pis Cyrille était même pas là! C'est à cause de ça que vous êtes venue vous reposer chez nous: il manquait de place dans votre grande maison. Pis en plus, vous avez pas de salon où on pourrait monter des lits de fortune, comme on l'a faite chez nous. Non, non, vous allez devoir m'excuser, mais faut vraiment que je ressorte. Pis vite à part de ça.

— Voulez-vous ben vous taire, Émile! Une vraie pie! lança Marie-Thérèse en riant, tout en prenant Lauréanne à témoin. Commencez par enlever votre manteau, pis suivez-nous. Jaquelin pis moi, on a quelque chose de beau à vous montrer.

À contrecœur, Émile commença à déboutonner son manteau de chat sauvage. Venant vers lui, Cyrille, qui avait suivi le dialogue avec une lueur amusée dans le regard, tendait déjà la main.

— Envoyez, mononcle, faites donc ce que moman vous dit, implora-t-il, avec un petit air malicieux, lui aussi. Donnez-moi votre capot de chat pis votre foulard. Vous aussi, matante, donnez-moi votre manteau pis votre chapeau. J'vas aller déposer tout ça sur le lit des parents.

— Coudonc, le jeune, t'as ben l'air en forme toi là !

— Ça doit être le temps des fêtes, mononcle ! Ça fait du bien de pas avoir d'étude, vous savez pas comment.

Il faut dire que depuis son retour du collège, tout et n'importe quoi amusaient Cyrille. Même les cris des plus jeunes n'arrivaient pas à l'impatienter.

C'était maintenant qu'il prenait la réelle mesure de l'ennui qu'il avait connu, cette prise de conscience le confortant dans sa décision.

Plus jamais, il ne voulait vivre ce qu'il avait enduré ces derniers mois.

Il n'avait qu'à fermer les yeux pour revoir le dortoir et ses bruits nocturnes, les classes immenses et leur écho, le réfectoire et son odeur de chou, le regard d'aigle du préfet, et l'obséquiosité du frère

Alfred, tout en courbettes, le tout enrobé des regards condescendants parce qu'il était la pupille d'un curé qui payait sa scolarité...

Non, plus jamais.

Cyrille attendait tout simplement que la réception du Jour de l'An soit passée pour en discuter avec sa mère, car depuis Noël, elle était comme une queue de veau entre le poêle et le comptoir. De toute son âme, Cyrille espérait que sa mère le comprendrait et qu'elle le soutiendrait face au curé Pettigrew quand il lui annoncerait qu'il n'avait pas l'intention de retourner au collège en janvier, et c'était encore à cela qu'il pensait, tandis qu'il disparaissait dans la chambre des parents avec la pile de vêtements, marchant sur la pointe des pieds pour ne pas réveiller les bébés.

— Astheure, vous allez nous suivre en haut, Jaquelin pis moi, enchaînait joyeusement Marie-Thérèse, au même instant.

Jaquelin était déjà au pied de l'escalier.

— Viens, Lauréanne, ajouta-t-il visiblement heureux, même s'il n'était pas très bavard depuis leur arrivée, de toute évidence fatigué. Passe la première avec Marie. Émile pis moi, on va vous suivre.

Curieuse, Agnès se faufila derrière les femmes.

Connaissant les airs de la maison, ce fut elle qui, la première, remarqua le changement.

— Coudonc? demanda-t-elle en se glissant à

côté de Marie-Thérèse, c'est-tu ça votre surprise, moman ? Vous avez ajouté une chambre ?

— On dirait ben...

Marie-Thérèse était resplendissante.

— Que c'est que t'en penses, ma fille ? C'est-tu une bonne idée qu'on a eue là, ton père pis moi ?

Une cloison avait été dressée pour séparer le palier de l'étage en deux parties. Derrière la nouvelle porte, on devinait une chambre, effectivement, là où se trouvait le coin des grands auparavant.

— Ben... Je sais pas trop, émit Agnès, tout hésitante. Si c'était ça, votre surprise, je vois pas en quoi ça me regarde. C'était supposé me faire plaisir... Je le sais pas si ça me fait plaisir, parce que je trouvais ça ben pratique, une table pour faire nos devoirs. Juste en dessous de la fenêtre, on avait assez de lumière pour...

— Crains pas, on a pensé à toute, coupa Jaquelin qui arrivait à l'étage en compagnie d'Émile.

Le gros homme était tout essoufflé d'avoir monté l'escalier.

— Il y a toute ce qu'il faut dans chacune des deux autres chambres, ma fille, expliqua Jaquelin. On a mis la table dans le coin de celle des garçons, proche de la fenêtre, pis ton oncle Ovila a faite un beau pupitre en bois blond pour la chambre des filles. De toute façon, pour l'instant, tu fais pus tes devoirs ici, ça devrait pas trop te déranger...

Une chambre pour la visite, ça va être tout aussi utile qu'une table pour les devoirs.

— Ouais, tant qu'à ça...

Déjà Marie-Thérèse n'écoutait plus Agnès. Elle s'empara de la main de Lauréanne et l'emmena à sa suite pour visiter la nouvelle pièce.

La chambre ressemblait à un écrin. Plutôt petite, les murs avaient été peints en bleu pervenche, la couleur préférée de Lauréanne, et les boiseries qui agrémentaient le tout étaient d'un blanc crème. Un lit, une commode, une table de nuit et une chaise : l'ensemble était très joli.

— C'est matante Félicité qui a cousu la courtepointe, dans les mêmes couleurs que les murs, pis moi, c'est à toi que j'ai pensé, Lauréanne, pour choisir les couleurs.

— Mais c'est ben beau !... C'est vrai que j'aime ça, cette sorte de bleu là. Ça me fait penser à un beau ciel d'été... Regarde, Émile, comme c'est beau ! Finalement, c'est Marie-Thérèse qui avait raison : on aura pas besoin d'aller à l'hôtel, pis on dormira pas non plus dans le banc de neige.

— C'est ça ! Moque-toi donc de moi !

Bien campé sur ses deux jambes, Émile détaillait la pièce à son tour. Visiblement, on avait mis beaucoup de soin à préparer cette chambre. Même si elle était un peu trop féminine à son goût, il n'en restait pas moins que ça serait plus confortable que de se retrouver à l'hôtel. Sur la commode, près de la fenêtre, on avait même pensé à déposer une cuve en acier, un broc pour l'eau et deux serviettes.

— T'as ben raison, ma femme : c'est beau, c'est très beau... Ça fait chic pis il y a toute ce qu'il faut pour être à son aise. J'suis sûr qu'on va ben dormir. Astheure, vous allez m'excuser, les femmes, mais j'aimerais ben aller voir les jumeaux. Je me suis pas mal ennuyé pis...

— Oh non, Émile ! l'interrompit Marie-Thérèse précipitamment. Va falloir attendre un peu. Pour une fois qu'ils dorment longtemps, on va surtout pas les réveiller. Vous vous reprendrez plus tard, quand ça sera l'heure de manger. Parce qu'ils ont commencé à manger, vous saurez.

— Dans ce cas-là, pas de trouble ! J'vas en profiter pour jaser avec mon filleul. Avec son collège, ça fait un moyen bail qu'on a pas eu l'occasion de se parler, lui pis moi. Depuis qu'on vient plus souvent, j'y ai pris goût, à ces jasettes entre nous deux. Quand je l'ai vu nous accueillir, t'à l'heure, ça m'a faite comprendre que je m'étais pas mal ennuyé de lui à notre dernière visite !

— Vous avez beau, Émile, approuva Marie-Thérèse. Je pense que ça va y faire plaisir. Pis quand ça vous adonnera, vous aurez juste à monter vos valises. La chambre est à vous pour le temps que vous en aurez besoin...

— Bon ! Si c'est de même, glissa Jaquelin, pis que personne y voit d'inconvénients, moi avec, j'vas retourner en bas. Il me reste une couple de petites choses à finir dans la cordonnerie pis après, j'vas venir vous rejoindre dans la cuisine.

— Bonne idée! Pendant ce temps-là, j'vas montrer les chambres des enfants à Lauréanne. Pis après, on va aller continuer à popoter, pour que toute soye prêt pour demain.

Puis se tournant vers sa belle-sœur, Marie-Thérèse ajouta:

— Mais avant, viens voir les chambres. Tu vas voir que les petits ont rien perdu au change. Là avec, c'est ben beau, pis pas mal ben organisé pour que tout le monde puisse étudier ou se détendre au besoin.

La visite fut bien commentée, mais cependant très courte, et naturellement, Lauréanne revint sur ses pas, pour s'arrêter devant la chambre d'invités.

— C'est ben fin d'avoir pensé à faire ça, tu sais. Une chambre pour nous autres... J'en reviens pas!

— C'est juste qu'on aime ça, vous avoir ici, Jaquelin pis moi... Même en hiver comme maintenant. Par contre, par temps froid, avec des jours raccourcis par les deux bouts, on trouvait que ça faisait long l'aller-retour durant la même journée. Avec une chambre à votre disposition, on s'est dit qu'on avait peut-être des chances de vous voir plus souvent.

— T'as pas tort. C'est sûr qu'avec une belle chambre de même, on va vous visiter plus souvent. Je pense que ça va faire plaisir à Agnès de venir régulièrement. Même si elle aime la ville pis qu'elle a l'intention de finir son année scolaire avec nous autres, ça l'empêche pas de parler de son amie Geneviève au moins une couple de fois par semaine.

— Ben c'est tant mieux. Moi avec, ça va me faire plaisir de la voir plus souvent, ma grande fille. Je m'ennuie d'elle, tu sais. Rends-toi compte ! Ça a faite tout un trou dans ma vie, ça là ! Cyrille qui part de son bord, pis pas longtemps après, c'est au tour d'Agnès. Tu m'aurais dit il y a un an que ma famille allait être encore plus dispersée qu'elle l'était que je l'aurais pas cru.

Puis, dans un souffle, pour être certaine que personne d'autre n'entendrait, Marie-Thérèse avoua :

— Pis ça vaut pour toi avec. L'envie de te voir régulièrement m'a pas quittée, Lauréanne... Je m'ennuie de toi, d'Émile, pis du bon temps qu'on a passé ensemble, à Montréal. Je m'ennuie de la ville, tu sais. Ben gros.

— Dans ce cas-là, répliqua Lauréanne sur le même ton, j'espère que t'en as discuté avec Jaquelin. J'osais pas t'en parler, mais si c'est toi qui ouvres la porte de même... L'épicerie est toujours pas vendue, tu sauras. On dirait qu'elle vous attend.

— Dis pas de niaiseries comme ça, Lauréanne. Comme si un commerce pouvait attendre après quelqu'un... Pis non, j'ai rien dit à Jaquelin. L'occasion s'est pas présentée, faut croire. Faut dire aussi que mon mari fournit pas à l'ouvrage. Moi non plus. On a pas ben ben le temps de jaser d'autre chose que de l'ordinaire de la maison pis de celui de la cordonnerie. On trime fort, tu sais, du matin au soir. Il reste pus grand temps pour nous autres. Pis ça vaut autant pour Jaquelin que pour moi.

— Raison de plus, me semble, pour vous donner le temps de parler du projet, pis de voir si...

— Je pense pas, Lauréanne, coupa Marie-Thérèse, toujours sur le même ton retenu. Pas pour astheure, en tout cas. La cordonnerie, c'est toute ce qu'il connaît, Jaquelin. Il arrête pas de me le dire, pis de me remercier de l'aider à faire un métier qui arrive à faire vivre sa famille. Que c'est tu veux que je fasse avec ça, moi là ? La cordonnerie, c'est comme sa sécurité à lui, son assurance d'avoir un toit sur nos têtes, pis du manger sur la table. Tant que la cordonnerie fonctionne, on a une maison à nous autres. J'espère que tu comprends ce que je veux dire... Ça fait que je peux pas remettre ça en question tout de suite. Même si c'est pas facile par bouttes.

— Ça me rend triste ce que tu dis là.

— Voyons donc! Tu vois, astheure que j'suis revenue, l'histoire de l'épicerie, c'est comme un beau rêve.

Marie-Thérèse avait redressé les épaules et tant pour elle-même que pour rassurer sa belle-sœur, elle esquissa un sourire.

— Faut pas t'en faire avec ça. On va s'en sortir, crains pas. Pis ma sécurité à moi, ben c'est la chambre de plus. Si jamais fallait demander à ton père de venir nous aider, on serait moins mal pris que la dernière fois.

À ces mots, Lauréanne leva un regard surpris vers sa belle-sœur.

— Demander au père de revenir? Voyons donc! Pour que toi tu dises ça, c'est que ça va pas très bien.

— C'est pas ce que je voulais laisser entendre... On a une belle clientèle, pis on manque pas d'ouvrage, loin de là... Oh! Pis laisse tomber, Lauréanne. J'aurais pas dû parler comme ça. C'est pas si important dans le fond. Probablement que dans une couple de mois, quand les petits vont avoir grandi, que j'vas avoir récupéré des nuits normales, on va pouvoir gérer notre quotidien à notre guise, pis ça va aller mieux.

— Ça, c'est toi qui le dis. Mais si t'as peur de parler à Jaquelin, pis que tu peux pas le faire avec moi, c'est que ça accroche par bouttes. Tu m'enlèveras pas cette idée-là de la tête.

À ces mots, Marie-Thérèse détourna les yeux pour cacher sa confusion, car Lauréanne avait raison. Dans les faits, la cordonnerie était rentable, soit, et les clients ne manquaient pas, tant mieux, mais ça n'ajoutait pas de minutes à la journée, tout ça. C'était le temps qui manquait. Le temps et l'énergie. Voilà ce qui « accrochait par bouttes ! »

Retenant un soupir, Marie-Thérèse fit un pas dans la chambre et se pencha pour ajuster le couvre-lit. Elle voulait se donner une certaine contenance, avant d'expliquer, sans se retourner, mais d'une voix qui se voulait détendue :

— Disons qu'il y a des jours où je vois toute en noir, pis d'autres où je vois toute en rose. C'est comme ça la vie, je pense ben, parce qu'il y a des jours où j'suis ben fatiguée, pis d'autres où ça va mieux.

Tout en parlant, Marie-Thérèse s'était redressée. Elle recula d'un pas, et, du regard, elle fit le tour de la pièce. Quoi qu'elle ait pu dire, Marie-Thérèse était heureuse et fière de ce qu'ils avaient réussi à faire, Jaquelin et elle, avec l'aide de son frère Ovila. Même si l'exercice avait grugé du temps qu'ils n'avaient pas en trop, ni l'un ni l'autre, elle était satisfaite du résultat.

— Faudrait pas que tu t'en fasses avec toute ce que je viens de te dire. Pis quand tu prétends que j'ai peur de te parler, c'est pas vrai. C'est en plein ce que je viens de faire, te parler, pis ça m'a faite du bien... Dis-toi, Lauréanne, qu'on était pas mal plus bas que ça au matin de l'incendie, crois-moi, pis on s'en est sortis ! Astheure que vous êtes là, toi pis Émile, avec ma belle Agnès pis mon grand Cyrille, comme de raison, ça va être une journée toute rose. Pis demain avec, quand toute ma famille va être là ! Faudrait pas gâcher ce beau plaisir-là avec des pensées sombres. Viens, suis-moi ! On a de l'ouvrage qui nous attend dans la cuisine pour être prêtes à recevoir tout ce beau monde-là, demain. À Noël, mon père m'a donné un vieux fond de brandy, pour que je fasse une sauce chaude avec de la cassonade pis de la crème. Il dit que c'est moi qui fais la meilleure dans le village, c'est donc par ça qu'on va commencer. Tu m'en reparleras. Laisser la sauce reposer durant toute la nuit dans la glacière, ça va y améliorer le goût. C'est pour accompagner le gâteau aux fruits que matante Félicité va nous apporter demain. C'est le meilleur dessert du temps des fêtes que je connais, pis ça va faire plaisir à mon père !

Sur ce, sans attendre Lauréanne, Marie-Thérèse se dirigea vers l'escalier. C'était sa façon bien à elle de montrer que, pour l'instant, la dis-cussion sur leur avenir immédiat allait s'en tenir à cela.

Quant à Cyrille, il dut attendre jusqu'au 2 janvier pour se retrouver enfin seul avec sa mère.

Après bien des efforts, Jaquelin et Marie-Thérèse avaient fait en sorte que la maison reprenne son allure coutumière. La table de for-tune ajoutée dans la cuisine avait été rangée dans l'écurie de la tante Félicité, et la vaisselle, en quan-tité astronomique, venue d'un peu partout, avait été lavée, triée et rangée. Seule persistait la bonne senteur de tourtières que sa mère avait faites en abondance, et Cyrille en profitait pour s'en gaver afin d'oublier l'odeur de chou qui imprégnait en permanence le réfectoire du collège.

Sachant que son père était au magasin de monsieur Ferron et que les bébés dormaient, Cyrille se décida donc à rejoindre Marie-Thérèse dans la cordonnerie.

Pour elle, les vacances s'étaient terminées hier en fin d'après-midi, avec le départ de Lauréanne, Émile et Agnès. Le travail, quant à lui, avait repris dès ce matin, alors que le commerce avait ouvert ses portes aux clients dès le déjeuner terminé. Cyrille se doutait bien que sa mère serait débordée et qu'il risquait de la déranger en se présentant ainsi à l'improviste. Toutefois, s'il ne parlait pas tout de suite, il y avait de fortes chances qu'il ne puisse le faire avant son départ, et comme la perspective de retourner au collège était devenue angoissante au point de lui causer de l'insomnie...

Cyrille s'arrêta à quelques pas de la porte donnant sur la cordonnerie. Le battant était entrouvert et il vit sa mère, penchée sur une chaussure, en train de recoudre une semelle. Cyrille n'avait peut-être pas été là durant l'automne, certes, mais il avait cru entendre, à travers les branches, que sa mère se dirigeait vers la cordonnerie dès qu'elle avait un instant de libre. Ça devait être lourd à porter, tout ça.

Cyrille lui trouva l'air fatigué.

Bien sûr, la journée d'hier avait probablement été épuisante, avec tous ces gens venus partager le premier repas de l'année avec eux. Deux services complets avaient été nécessaires pour arriver à nourrir tout le monde. Heureusement, la tante Lauréanne s'était occupée des jumeaux, avec l'oncle Émile, tandis que sa grand-mère et la tante Félicité avaient aidé à servir la parenté affamée. Finalement, tout s'était passé rondement.

On avait bien mangé, bien ri, bien jasé, un peu chanté et Cyrille avait profité de la présence de Judith comme il l'avait fait au souper de Noël chez les grands-parents Gagnon.

N'empêche que ce matin, sa mère avait l'air épuisé et cela l'attristait.

Cependant, intimidé, Cyrille n'osait faire les quelques pas qui le séparaient de la cordonnerie. Les mots qui coulaient d'abondance quand il était encore au collège et qu'il les répétait mentalement se faisaient tout à coup désordonnés. Le jeune homme attendit alors que Marie-Thérèse lève la tête d'elle-même, ce qu'elle fit dans les instants suivants, tout en portant machinalement la main à la hauteur de ses reins pour les masser énergiquement. C'est en faisant rouler sa tête sur son cou pour délier ses muscles qu'elle aperçut Cyrille.

— Ah, t'es là, toi! Ça fait longtemps que tu me regardes comme ça, sans dire un mot? demanda-t-elle, surprise de voir son fils aîné en train de l'observer.

— Pas vraiment.

— Tu veux quelque chose?

— Non... euh, peut-être.

— Ben reste pas planté là, mon homme, viens t'asseoir avec moi. Prends la chaise de ton père pendant qu'il est pas là. On va en profiter pour jaser un peu. Si ça te fait rien, par exemple, j'vas continuer ma réparation.

Puis, avec un beau sourire, si franc qu'il arriva presque à chasser la fatigue de son visage, Marie-Thérèse déclara:

— Je suis contente qu'on soye juste nous deux, Cyrille. Me semble qu'on a pas eu l'occasion de se parler vraiment depuis que t'es revenu du collège... Pis, comment c'est là-bas? Entre toi pis moi, tes lettres disaient pas grand-chose... Alors, mon grand, pressa-t-elle en se répétant, comment c'est là-bas?

Déstabilisé par cette question qu'il n'attendait pas, Cyrille hésita.

— Je sais pas trop.

— Comment ça, tu sais pas?

Abandonnant son ouvrage pour un instant, Marie-Thérèse leva un regard surpris. Se heurtant au visage fermé de son fils, elle fronça les sourcils.

— Que c'est qui se passe, mon Cyrille? T'as

vécu là-bas durant un paquet de semaines pis t'es pas capable d'en parler? Pour un garçon déluré comme toi, celui qui a toujours réponse à toute ou ben quelque chose à raconter, ça me surprend un peu.

— C'est pas ça.

— C'est quoi d'abord?

Cyrille prit une longue inspiration. L'occasion était parfaite, non?

Le temps de se dire que s'il ne parlait pas maintenant, il ne parlerait pas plus demain, et il s'en voudrait longtemps, Cyrille décida de foncer. Il fixa alors sa mère intensément, puis il confessa honnêtement, mais d'une voix cependant mal assurée:

— Si je veux pas parler du collège, moman, c'est juste que je vois pas vraiment l'intérêt de le faire.

— Comment ça?

—Je... Parce que j'ai pas l'intention d'y retourner.

Voilà, c'était dit!

Si cette réponse ressemblait à un aveu venu droit du cœur, elle atteignit Marie-Thérèse exactement au même endroit: directement dans le cœur. La chaussure qu'elle était en train de réparer lui échappa des mains et elle tomba sur le plancher avec un bruit sourd.

—Ben voyons donc, toi... Je peux-tu te dire que je m'attendais pas à ça, mon homme?

avoua-t-elle bien franchement, devinant que la conversation allait probablement durer un bon moment et qu'elle ne serait peut-être pas nécessairement très agréable. On dirait, ma grand foi du Bon Dieu, que t'as toute du garçon qui aime pas son école. Pourtant tes notes sont bonnes. T'es même le premier à ben des places. Pis dans tes lettres...

— Elles veulent rien dire, mes lettres, moman, coupa Cyrille.

Petit à petit, le jeune homme prenait de l'assurance. Comme il l'avait tant espéré, sa mère n'avait pas poussé de hauts cris et elle ne semblait pas non plus lui en vouloir.

Cyrille se détendit et il laissa alors parler son cœur. Il en avait tant besoin, lui qui avait souffert de l'éloignement jusqu'à devoir retenir ses larmes, la nuit. Cependant, s'il parlait avec confiance, sa voix, elle, resta amère.

— Le préfet de discipline lit toutes nos lettres avant qu'on puisse les envoyer, expliqua-t-il enfin. C'est pour ça que mes lettres disaient pas grand-chose parce que j'avais rien écrit d'important.

— Ah... Il fait ça lui? Comment tu l'appelles encore?

— Le préfet, le préfet de discipline.

— Eh ben... Me semblait que le courrier, c'était quelque chose de privé... J'avoue que je trouve un peu malaisant qu'on puisse penser autrement. De quoi j'ai l'air, moi là? Depuis le temps que je vous dis de pas toucher aux lettres des autres… Pis, quoi d'autre, mon garçon, pour que tu veuilles pus retourner au collège ? C'est sûrement pas juste une question de lettres. T'aimes pus apprendre ?

— C'est pas ça non plus.

— Ben c'est quoi d'abord, parce que moi je comprends pas. C'est ben certain que toute peut pas te plaire, c'est de même dans la vie. Pis avant que t'en parles, que tu veuilles pas devenir curé, ça aussi, je peux le comprendre, je te l'ai déjà dit. Sauf que le jour où on sera rendus là, j'vas t'aider. Personne de mon vivant va obliger mon garçon à faire quelque chose qu'il veut pas faire. Faut que tu soyes ben sûr de ça, Cyrille. Mais en attendant, c'est pas une raison pour quitter le collège tout de suite. Ici, au village, tu sais ben que le temps des études est fini pour toi… À moins que t'ayes l'intention de faire les arts ménagers, ce qui me surprendrait, ou que tu me dises que t'as ben réfléchi à ton affaire pis que tu voudrais travailler au moulin à scie, comme ton oncle Ovila. C'est-tu ça, pis tu sais pas trop comment le dire ? C'est vrai que c'est un bon métier, pis la paye est inté-ressante. Pas autant que si t'allais à l'université, mais…

— Je vous arrête tout de suite, moman. Le moulin à scie, ça me dit rien pantoute… Pis l'uni-versité non plus.

— Pardon ? J'ai-tu ben entendu, moi là ?

Marie-Thérèse en avait oublié de ramasser

la chaussure tombée à ses pieds. Elle gonfla ses joues, puis expira bruyamment, le temps de se ressaisir, car elle était dépassée par tout ce qu'elle entendait depuis quelques minutes.

— Si toi, Cyrille Lafrance, tu veux pas étudier, observa-t-elle sérieusement tout en scrutant le visage de son fils, on va devoir fermer toutes les universités de la Terre dans pas longtemps. T'es le gars le plus studieux que je connais.

Devant le silence persistant de Cyrille, elle poursuivit.

— Je pense que tu te rends pas compte de la chance qui t'est offerte, mon garçon.

— Ça a rien à voir, moman. Je le sais que ça pourrait être une chance dépareillée. Mais c'est pas ça que je veux.

— Pis c'est quoi que tu veux?

Il y avait un peu d'impatience dans la voix de Marie-Thérèse.

— Si tu finissais par aboutir, mon homme, de mon bord, je pourrais peut-être finir par y voir clair.

— Ben...

Cyrille sentit la rougeur lui monter aux joues.

— Je voudrais devenir cordonnier, avoua-t-il enfin, dans un souffle. Comme popa pis grand-père Lafrance.

— Pardon? J'ai-tu ben entendu, moi là?

Marie-Thérèse en était tout abasourdie.

Sans rien ajouter, elle regarda autour d'elle.

Bien que la pièce fût claire et ensoleillée, Marie-Thérèse sentait une sorte de grisaille autour d'elle. Les chaussures à réparer s'empilaient sur un coin de l'établi, et les outils n'avaient pas été rangés, faute de temps.

Marie-Thérèse retint un soupir d'impatience.

Le rangement de la cordonnerie était une autre corvée qu'elle espérait avoir le temps de faire avant le retour de Jaquelin, juste pour lui faire plaisir. Avant de préparer le dîner, bien entendu, en espérant que les bébés ne soient pas trop exigeants.

Il y avait Ignace, aussi, qui allait sûrement venir faire son tour, à la cuisine ou à la cordonnerie, avec sa ribambelle de questions, et tout cela sur fond de chicanes entre Conrad et Benjamin.

Plus tard, dans la journée, il y aurait un souper à préparer, et encore les bébés, et encore des chaussures...

Cyrille ne voyait-il pas à quel point leur vie pouvait être difficile par moments, alors que lui pouvait tellement espérer mieux grâce au collège...

Pour bien se faire comprendre, Marie-Thérèse rétorqua alors :

— Comme ça, tu veux devenir cordonnier comme ton père pis ton grand-père ? Ben pour faire bonne mesure, mon homme, j'ajouterais que par les temps qui courent, tu pourrais même dire cordonnier comme ta mère ! Je passe autant d'heures icitte, à rabibocher des vieilles chaussures, que j'en passe à préparer les repas de ma famille.

— Pis ça? Quand on aime ce qu'on fait, on compte pas ses heures, pis c'est pas si difficile, s'enflamma Cyrille, parce que subitement, il avait peur que la situation lui échappe. C'est vous-même qui m'avez dit ça, un jour.

C'était vrai et Marie-Thérèse n'eut pas l'intention d'en dissuader son fils. Jamais, jusqu'à maintenant, elle n'était revenue sur sa parole ni n'avait menti à l'un de ses enfants. N'empêche qu'on pouvait tout de même ajouter quelques bémols, n'est-ce pas?

— C'est vrai que j'ai déjà dit ça, concéda-t-elle. Mais c'est pas une raison pour se tirer dans le lac sans vérifier la température de l'eau.

— Que c'est vous voulez dire, moman?

— Ça veut juste dire que c'est pas parce que tu penses aimer quelque chose qu'il faut te précipiter dedans sans réfléchir.

— Pis si je vous disais que j'y réfléchis depuis des années?

À ces mots, Marie-Thérèse revit le petit Cyrille, se faufilant dans la cordonnerie à la moindre occasion. Nul doute, il avait toujours été attiré par le métier de son père. Mais était-ce suffisant pour ne voir que cela dès maintenant?

Durant une fraction de seconde, la tentation

de donner suite aux prétentions de Cyrille fut si forte que Marie-Thérèse en eut le souffle coupé.

Mais que se passait-il en elle, présentement? Après tout, avec Cyrille à la maison, la situation, leur situation, serait nettement plus acceptable, et lui-même venait de dire que ça le tentait depuis longtemps.

Malgré cela, Marie-Thérèse hésitait.

Sans vouloir renier le passé ni discréditer un gagne-pain honorable, elle voulait tout de même tenter de regarder vers l'avenir. La cordonnerie, c'était bien, très bien même, et si l'aîné de leur famille voulait suivre les traces de Jaquelin, ça aurait même pu devenir une belle fierté. Mais cela, c'était avant qu'on offre à Cyrille la possibilité de faire de grandes études.

Était-ce vraiment ce qu'elle souhaitait pour son fils, le voir passer le restant de sa vie courbé devant de vieux souliers? Des godasses qui ne sentaient pas toujours très bon, de surcroît?

Marie-Thérèse ne comprenait pas d'où lui venait cette réticence, puisqu'elle-même avait déjà pensé à cette possibilité, et plus d'une fois.

Pourquoi, alors, le simple fait d'entendre prononcer ces mêmes mots à voix haute la rendait-elle aussi décontenancée? Car c'était une réalité.

Marie-Thérèse ne comprenait pas, mais elle sentait grandir en elle une ambivalence qui la déchirait.

N'avait-elle pas été heureuse et fière, l'été

dernier, quand elle avait compris que la cordonnerie allait rouvrir ses portes grâce à ses efforts?
N'avait-elle pas senti que désormais, sa famille
serait à l'abri du besoin? D'autant plus que ce travail aux côtés de Jaquelin lui plaisait beaucoup.

Alors pourquoi ne voulait-elle pas donner suite
à la suggestion de Cyrille?

Pourquoi ce qui avait déjà semblé bon pour elle
ne l'était-il subitement plus pour son fils?

Que s'était-il passé, depuis ces derniers mois,
hormis la naissance des jumeaux, bien entendu,
pour que tout lui semble moins attirant?

Était-ce la fatigue qui rendait l'horizon
plus sombre? Ou le simple fait d'avoir connu
autre chose en découvrant la ville et toutes ses
possibilités?

Marie-Thérèse se pencha et elle ramassa la
chaussure défraîchie. Elle la tourna entre ses
mains, puis la posa sur l'établi.

Elle était perturbée, soit, les pensées tourbil-
lonnaient en elle, un peu confuses, mais une
chose restait claire, cependant: Cyrille avait en
ce moment la possibilité d'échapper à une vie
de routine dans l'odeur des pieds mal lavés et ne
serait-ce que pour cela, elle allait tenir bon.

Elle n'avait pas le droit de lui permettre de
rester à la maison, pas tout de suite, quand bien
même cette proposition venait de lui et que ça
allégerait sa tâche à elle.

Après tout, Cyrille n'avait pas tout à fait quatorze ans!

Son aîné avait beau prétendre vouloir être cordonnier depuis longtemps, peut-on vraiment savoir ce que l'on veut faire pour le reste de sa vie à un âge aussi tendre?

Marie-Thérèse en doutait et son rôle de mère, aussi ingrat fût-il, était d'amener son fils à réfléchir. Elle parlerait donc franchement, quitte à susciter bien de la déception.

— Vois-tu, mon grand, j'entends tout ce que tu me dis, mais je le comprends pas. T'as l'avenir devant toi, mon homme. T'as l'intelligence pis la chance de pouvoir en faire ce que bon te semble. Pourquoi rapetisser ton horizon comme ça?

— Parce que c'est ce que je veux... Pis ça serait pas pire que popa, qui a commencé à travailler avec grand-père à douze ans.

— Mais c'était pas son choix! Oublie jamais ça, mon grand.

— Mais moi, c'est ce que je veux, répéta Cyrille avec insistance.

— C'est plate à dire, mais moi, j'veux pas, Cyrille, rétorqua Marie-Thérèse, sans la moindre hésitation. Pas pour l'instant, du moins. Plus tard, on verra, si jamais l'idée persiste... Pis je veux surtout pas que t'en parles à ton père... Ça lui ferait de la peine parce que pour lui, même s'il aime son ouvrage, être cordonnier, c'est accepter une vie de misère. Avec juste une main, il trouve ça dur.

— Mais moi, j'ai mes deux mains, moman.

Il y avait des trémolos dans la voix de Cyrille.

— Pis le travail me fait pas peur, vous le savez!

— Je mets pas ta vaillance en doute, mon garçon. Va jamais penser ça. Je dis seulement que t'es encore trop jeune pour engager toute ta vie comme ça. Même si je sais que de pouvoir compter sur toi m'aiderait ben gros, parce que tu ferais de la belle ouvrage. Je te connais assez pour savoir ça.

— Ben pourquoi d'abord vous voulez pas que...

— Je te l'ai dit: t'es trop jeune encore pour prendre une décision aussi importante que celle-là. Si tu restes chez nous pis que tu le regrettes, il sera trop tard pour le collège pis tu risquerais de t'en vouloir pour le reste de ta vie. Je veux pas ça pour mon garçon. Je t'aime trop pour ça. Tu vois, Cyrille, le bonheur de nos enfants passe toujours avant le nôtre. Tu comprends peut-être pas ça pour l'instant, c'est juste normal à ton âge, mais demain tu me remercieras. Astheure, Cyrille, j'vas te demander de me laisser travailler un peu. C'est comme rien que les jumeaux sont à la veille de se réveiller de leur sieste du matin, pis j'aimerais ben gros avoir fini de recoudre la semelle avant que ton père revienne.

Dire que Cyrille sortit de la maison en coup de vent ne serait pas exact. Il prit la fuite, tout simplement. Le temps d'enfiler son manteau et la porte claquait derrière lui.

Malgré le froid glacial, il courut jusque chez son oncle Anselme. Les poumons en feu et les oreilles gelées, il frappa à la porte, espérant de toute son âme que Judith serait là. À elle, il pourrait tout dire. Avec elle, il pourrait pleurer, car c'était ce qu'il avait envie de faire depuis que sa mère lui avait demandé de quitter la cordonnerie.

Judith comprendrait sa peine et saurait la partager.

Elle comprenait tout, Judith. La preuve, c'est qu'à Noël, quand il lui avait enfin donné sa lettre, en expliquant la raison de son retard, elle avait eu le plus beau des sourires.

— Me semblait aussi que c'était pas ton genre de promettre une chose pis de pas tenir ta promesse... Comme ça, c'est le curé de ton collège qui veut pas que tu m'écrives?

— C'est en plein ça.

— Pourquoi? Il y a rien de mal dans le faite d'écrire une lettre.

— Le préfet m'a dit que ça se faisait pas, écrire à sa cousine.

— C'est ben niaiseux, ça! Merci, Cyrille. J'ai ben hâte de la lire, ta lettre. Je comprenais pas, aussi, pourquoi t'écrivais pas pis ça me faisait de la peine. Je me suis ennuyée, tu sais. Ben gros.

C'est avec ce petit dialogue en tête que Cyrille avait frappé à la porte.

Ce fut Anselme lui-même qui ouvrit.

— Ben regardez-moi qui c'est qui est là ! C'est de la belle visite, ça là, à matin. Entre mon garçon. Il fait frette sans bon sens.

— Je veux pas déranger, mononcle. Je veux juste savoir si Judith est là.

— Ben non… Judith est pas là. Tu l'as ratée de quelques menutes seulement. Depuis que ta sœur vit à Montréal, Geneviève Dumouchel est devenue sa meilleure amie. Tu dois ben savoir comment sont les filles, non ? Tout ça pour dire que Judith pis Geneviève se lâchent pas d'une semelle. Mais comme c'est du bon monde chez elle, on laisse faire, ta tante Géraldine pis moi… Mais rentre pareil, mon Cyrille. Tu peux toujours ben pas t'en retourner comme ça : les oreilles vont te tomber tellement sont rouges ! C'est quoi l'idée de sortir pas de tuque avec un froid de canard comme ça ? Prends le temps de te réchauffer, mon homme, pis tu partiras après… Tu veux une eau chaude ?

Cyrille hésita à peine.

— C'est vrai que ça ferait du bien.

Cette réponse sensée fut accueillie par un large sourire.

— On dirait ben qu'il reste un peu de bon sens dans cette tête-là. Les curés ont pas toute pris ! Envoye, ôte ton manteau pis viens t'installer à ras le poêle… Mais regarde-moi donc une menute, toi là... T'as l'air en peine, mon garçon. Que c'est qui se passe, pour l'amour du saint Ciel?

— Rien, mononcle...

— Rien? J'ai-tu ben compris, moi là? Si toi t'as rien, dehors les oiseaux s'égosillent! Prends-moi pas pour un imbécile, mon Cyrille. Je commence à te connaître un peu... Envoye, crache le morceau pis dis-moi ce qui se passe!

— C'est le collège, mononcle.

La réponse avait fusé sur un ton amer.

— Le collège! Eh ben, je m'attendais pas à ça.

— Ma mère non plus, elle s'attendait pas à ça.

— Ta mère, astheure... Si tu me racontais ça dans le détail, mon Cyrille, hein? Peut-être ben qu'à deux, on y verrait plus clair.

Quand Cyrille reprit le chemin du retour, il était réchauffé et nanti d'une tuque prêtée par son oncle, mais il restait malheureux comme les pierres.

Non seulement il n'avait pas vu Judith, mais la perspective de repartir pour le collège dans moins d'une semaine pesait de plus en plus lourd sur ses épaules d'enfant, au point où les larmes ne tardèrent pas à couler.

Jamais de toute sa vie Cyrille ne s'était senti aussi seul, aussi incompris.

Pourquoi sa mère refusait-elle de l'écouter? Pourquoi s'entêtait-elle à vouloir qu'il poursuive ses études à tout prix, alors que lui, il n'espérait qu'une chose : rejoindre son père à la cordonnerie ?

Et pourquoi son oncle Anselme avait-il tenu le même discours ?

N'y avait-il personne sur Terre pour le comprendre ?

Quand il arriva enfin devant la maison de ses parents, Cyrille la contourna à pas lents, puis une fois devant la porte donnant dans la cuisine, il essuya son visage tant bien que mal avec sa mitaine de laine.

Ensuite, il prit une longue inspiration. Si jamais on lui demandait pourquoi il avait les yeux rouges, il dirait que c'était à cause du froid, et ça ne serait pas trop mentir.

Redressant alors les épaules, Cyrille entra dans la maison.

À suivre...

NOTE DE L'AUTEUR

Foutu pays!

Samedi, c'était l'été: gougounes et camisole, quel plaisir! Hier, jour de Pâques, c'était le printemps: tristounet, soit, mais quand même assez doux pour profiter de l'extérieur. Ça me convient. Mais voilà que ce matin, l'hiver m'attendait sournoisement derrière la porte et à mon grand désespoir, j'ai dû ressorti la petite laine!

Vivement l'été pour de bon...

Je vais vous faire une confidence: j'ai hâte en diable de semer mon potager. J'en ai justement discuté avec Marie-Thérèse, hier en fin de journée, quand mes enfants et mes petits-enfants ont quitté la maison, les uns avec leurs petits chocolats et les autres avec du sirop d'érable. Sur le sujet, Marie-Thérèse et moi, nous nous ressemblons beaucoup: nous aimons faire pousser nos fruits et nos légumes pour en faire des conserves au goût de soleil. Ça réchauffe le cœur quand la saison froide frappe aux carreaux des fenêtres. Toutefois, ce ne sera malheureusement pas ce matin que je vais agrandir le carré du potager, comme j'en ai l'intention. Je vais me contenter d'aller mesurer l'espace disponible et je vais m'amuser à dessiner le potager de mes rêves sur une feuille de papier quadrillée. Sur ce, Marie-Thérèse m'a rétorqué que je me plaignais pour rien, car chez elle, c'est encore l'hiver. Elle ne peut rien mesurer du tout : sa cour ressemble à un grand édredon tout blanc ! Même les piquets de la clôture de cèdre ont complètement disparu à la dernière tempête.

Vous souvenez-vous ? Quand on a quitté Cyrille à la fin du tome 2, on était à Sainte-Adèle-de-la-Merci. Il faisait un froid à pierres fendre et, la goutte au nez, le jeune homme revenait de chez son oncle Anselme. Il avait et il a toujours le cœur en miettes. Personne ici-bas ne semble vouloir faire l'effort de le comprendre. Toutefois, chez les Lafrance, on laisse rarement suinter ses émotions, n'est-ce pas ? De la colère à la rédemption, de la tristesse à la joie la plus intense, on a la pudeur de ses sentiments. Alors Marie-Thérèse ne peut se douter de l'immensité de la détresse qu'elle a semée en affirmant à Cyrille que, pour lui, il n'était pas question de quitter le collège tout de suite.

— On dirait que tu te rends pas compte de la chance qui t'est offerte, mon garçon ! Voyons donc ! Me semble que c'est pas dur à comprendre, ça là. Donne-toi encore du temps, Cyrille. Un jour, tu nous remercieras peut-être, ton père pis moi, d'avoir insisté à ce point-là.

Marie-Thérèse n'a pas tout à fait tort et, en

en tous cas, je ne le sais

Ils en sont tous là, ces per-
elle part de mes journées

e pas très gentil, je le
envie de laisser Irénée
pour l'instant. Il l'a fait
ntaine d'années, il peut
petit moment encore. On
en paix, marmonner et
mme monsieur Touche-
Montréal, je vais frapper
der s'il n'aurait pas une
amion, car c'est juste-
ntention de me rendre.
toute petite pour que
à côté de moi.
lors en route !

principe, je suis d'accord avec elle. Toutefois, il ne faudrait pas oublier que ce qui ressemble à de la chance pour l'un n'est peut-être qu'une corvée insupportable pour l'autre. Le bonheur n'a pas qu'une seule facette et il ne se mesure pas de la même façon pour tous ! Ainsi, ce qui s'apparente à une infinité de possibilités pour Marie-Thérèse et Jaquelin n'est en fait qu'une prison pour Cyrille. Lui, il n'a qu'un désir en tête : prendre la relève de son père à la cordonnerie. Est-ce vraiment sérieux ? À son âge, c'est difficile à dire, mais sait-on jamais. Il y a parfois des choix de vie qui apparaissent très tôt dans l'existence, même dans l'enfance parfois, et ils sont irrévocables.

Si tel est le cas, la mère et le fils arriveront-ils à se comprendre ? Et que dira le père, face à tout ça ? Sera-t-il fier de voir poindre une succession certaine à la cordonnerie ou, au contraire, sera-t-il désolé d'apprendre que Cyrille ne veut pas profiter de l'occasion qui lui est offerte de viser plus haut ?

Seul le temps pourra répondre à cette question.

En attendant, j'ai bien peur que Cyrille n'ait pas le choix de reprendre le chemin du collège.

Jaquelin, pour sa part, trop heureux de voir que son père a si facilement accepté de plier bagage pour retourner à Montréal, ne semble pas voir la lourdeur de la charge qu'il a ainsi imposée à sa femme. Elle a beau être jeune et en santé, Marie-Thérèse a tout de même ses limites.

Elle a besoin de repos comme tout le monde et, pour l'instant, elle a l'impression de mener deux carrières de front : la famille et la cordonnerie. Comme elle est femme à vouloir donner le meilleur d'elle-même dans tout ce qu'elle fait, le repos accumulé à Montréal ressemble à une peau de chagrin et il rétrécit à vue d'œil.

Qui prendra soin d'elle ? Qui s'apercevra qu'elle brûle la chandelle par les deux bouts au nom de l'amour qu'elle ressent pour son mari ? La tante Félicité ? Sa mère ? Sa belle-sœur Lauréanne ?

Je ne peux le dire pour le moment, car je ne vois pas vraiment d'où viendra le secours dont elle va avoir bientôt besoin. En fait, la seule évidence que j'aperçois à l'horizon, c'est que Marie-Thérèse fonce tout droit vers un mur qui lui semblera insurmontable.

Au bout du compte, Agnès sera peut-être bien obligée de quitter la ville pour retourner chez elle, même si elle n'en a pas du tout envie. Heureusement, pour l'instant, cette demoiselle ne s'en doute pas du tout et ne comptez pas sur moi pour lui mettre la puce à l'oreille. Cette jeune personne aime trop la vie trépidante d'une grande ville pour que j'aille poser un éteignoir sur sa joie. Puis, si Agnès quitte Montréal, Lauréanne et Émile seront bouleversés, et je les aime bien, tous les deux. Leur peine sera la mienne, croyez-moi. Leur nièce, de par sa simple présence, a redonné un sens à leur vie et j'estime qu'ils y avaient droit.

MARQUIS

Québec, Canada

Achevé d'imprimer le 1er août 2017

RECYCLÉ
Papier fait à partir
de matériaux recyclés
FSC® C103567

Imprimé sur du Rolland Enviro,
contenant 100% de fibres postconsommation,
fabriqué à partir d'énergie biogaz et certifié FSC®,
ÉCOLOGO, Procédé sans chlore et Garant des forêts intactes.

PERMANENT   100%   BIO GAZ   Garant
                     ÉNERGIE   des forêts
                                intactes